LES FIL

P9-BUH-333

Couronnée « nouvelle reine du crime » par les Anglo-Saxons (le *Time Magazine* lui a consacré sa cover-story le 6 octobre 1986), l'Anglaise P.D. James est née à Oxford en 1920. Elle est l'auteur de plusieurs romans, tous des best-sellers. Son style impeccable, ses intrigues imprévisibles, ses protagonistes non conformistes, ont fait d'elle la virtuose du roman policier moderne.

Paru dans Le Livre de Poche :

LA PROIE POUR L'OMBRE.

MEURTRE DANS UN FAUTEUIL.

LA MEURTRIÈRE.

UN CERTAIN GOÛT POUR LA MORT.

SANS LES MAINS.

UNE FOLIE MEURTRIÈRE.

MEURTRES EN BLOUSE BLANCHE.

MORT D'UN EXPERT.

A VISAGE COUVERT.

PAR ACTION ET PAR OMISSION.

L'ILE DES MORTS.

Dans la série « La Pochotèque ».

LES ENQUÊTES D'ADAM DALGLIESH, t. 1 et 2.

ROMANS.

P. D. JAMES

Les Fils de l'homme

ROMAN

TRADUIT DE L'ANGLAIS
PAR ERIC DIACON

FAYARD

Cet ouvrage est la traduction intégrale, publiée pour la première fois en France, du livre de langue anglaise :

THE CHILDREN OF MEN
édité par Faber and Faber Ltd., Londres

© P. D. James, 1992.
© Librairie Arthème Fayard, 1993, pour la traduction française.

LIVRE PREMIER

Oméga

Janvier-mars 2021

Ω

Une fois encore, pour leur aide,
à mes filles, Clare et Jane

1

Vendredi 1er janvier 2021

Ce matin, 1er janvier 2021, trois minutes après minuit, le dernier humain né sur terre s'est fait tuer au cours d'une rixe dans une banlieue de Buenos Aires, à l'âge de vingt-cinq ans, deux mois et douze jours. A en croire les premiers rapports, Joseph Ricardo est mort comme il a vécu. En l'absence de tout autre mérite ou talent personnel, la distinction — si l'on peut dire — de dernier humain dont la naissance ait été officiellement enregistrée lui avait toujours été difficile à porter. Et maintenant, il est mort. La nouvelle nous a été donnée ici, en Grande-Bretagne, au programme de neuf heures du Service Radio de l'Etat, et je l'ai entendue par hasard. Je m'étais installé pour commencer ce journal de la dernière partie de ma vie quand j'ai remarqué l'heure et pensé que je ferais aussi bien d'écouter les titres du bulletin d'information. La mort de Ricardo était la dernière nouvelle signalée, suivie seulement de deux phrases anodines prononcées par le journaliste sur un ton soigneusement détaché. Mais il m'a semblé, en l'entendant, que c'était une autre raison pour commencer ce journal aujourd'hui, premier jour d'une nouvelle année et date de mon cinquantième anniversaire. Enfant, j'avais toujours aimé cette particularité, malgré l'inconvénient de la proximité de Noël, qui faisait que je devais me contenter d'un seul cadeau — lequel ne paraissait jamais notablement supérieur à celui que j'aurais reçu de toute façon — pour les deux occasions.

Maintenant que je commence à écrire, les trois événements — le Nouvel An, mon cinquantième anniversaire et la mort de Ricardo — ne justifient guère de noircir les premières pages de ce classeur tout neuf. Mais je continuerai, petite défense supplémentaire contre le risque d'asphyxie. S'il n'y a rien à noter, je noterai ce néant, et quand je serai vieux — comme peuvent s'attendre à le devenir la plupart d'entre nous, experts que nous sommes dans l'art de prolonger la vie — j'ouvrirai l'une des boîtes en ferblanc où je garde en réserve des allumettes et ferai de mes vanités un modeste bûcher personnel. Je n'ai nulle intention de laisser ce journal comme témoin des dernières années d'un homme. Même dans mes moments les plus égoïstes, je ne m'illusionne pas à ce point. Quel intérêt pourrait avoir le journal de Théodore Faron, docteur en philosophie, chargé de cours au Merton College de l'université d'Oxford, historien de l'époque victorienne, divorcé, sans enfants, vivant seul, dont le seul titre qui vaille d'être noté est celui de cousin de Xan Lyppiatt, dictateur et gouverneur de l'Angleterre ? Tout autre renseignement personnel serait en tout cas superflu. Dans le monde entier, les Etats-nations s'occupent de préserver leur témoignage pour la postérité dont nous réussissons encore parfois à nous convaincre qu'elle va nous succéder, créatures venues d'une autre planète qui débarqueront peut-être dans cette jungle de verdure et se demanderont quelle sorte de vie sensible l'a jadis habitée. Nous préservons nos livres et manuscrits, les grands tableaux, les enregistrements et instruments de musique, les objets. Dans quarante ans au plus, les plus grandes bibliothèques du monde seront obscurcies et scellées. Les bâtiments, pour peu qu'ils soient encore debout, parleront d'eux-mêmes. Selon toute vraisemblance, la tendre pierre d'Oxford ne survivra pas au-delà de deux siècles. Déjà l'université se demande s'il vaut la peine ou non de restaurer le Sheldonian en ruine. Mais j'aime à penser à ces créatures mythiques débarquant sur la place Saint-Pierre et entrant dans la grande basilique, silencieuse et sonore sous des siècles de poussière. Auront-elles conscience qu'il s'agissait du plus grand temple de l'homme à l'un de ses nombreux dieux ? Seront-elles curieuses de la nature de cette divinité adorée avec tant de pompe et d'éclat, intriguées par le mystère de son symbole, à la fois si simple, deux bâtons en croix, omniprésent dans la nature, et pourtant chargé d'or, glorieusement ouvragé et orné de pierreries ? Ou leurs valeurs et leurs mécanismes de pensée seront-ils à ce point éloignés des nôtres que rien de ce qui suscite le respect et l'émerveillement ne sera susceptible de les toucher ? Mais malgré la découverte — était-ce en 1997 ? — d'une planète dont les astronomes prétendent qu'elle est porteuse de vie, peu d'entre nous croient réellement que ces créatures vont venir. Elles doivent exister. Il est sans doute déraisonnable de penser que, dans l'immensité de l'univers, une seule petite étoile est capable d'engendrer et de développer une vie intelligente. Mais nous ne les atteindrons pas et elles ne viendront pas à nous.

Il y a vingt ans, alors que le monde était déjà à demi convaincu que notre espèce avait à jamais perdu la faculté de se reproduire, les recherches pour découvrir la dernière naissance humaine connue devinrent une obsession universelle, promue question de fierté nationale, l'objet d'une compétition internationale aussi âpre et féroce qu'elle était finalement dénuée de sens. Pour être prise en considération, la naissance devait avoir été déclarée officiellement, la date et l'heure enregistrées. Cela excluait de toute évidence une bonne partie de l'espèce humaine, pour laquelle le jour était connu mais non pas l'heure, et l'on admit, quoique sans insister, que le résultat ne pourrait jamais être définitif. Presque à coup sûr, au fond d'une brousse, dans quelque hutte primitive, le dernier être humain s'était glissé essentiellement inaperçu dans un monde indifférent. Mais après des mois de vérifications et de revérifications, Joseph Ricardo, de sang mêlé, né illégitimement dans un hôpital de Buenos Aires à trois heures deux, heure occidentale, le 19 octobre 1995, fut officiellement reconnu comme le dernier homme né sur terre. Et le résultat proclamé, il fut laissé à sa célébrité et à ce qu'il en pouvait tirer, tandis que le monde, comme brusquement conscient de la futilité de l'exercice, tournait son attention ailleurs. Et voilà qu'il est mort. Je doute qu'aucun pays se soucie désormais de tirer de l'oubli les autres candidats.

Si nous sommes révoltés et abattus, c'est moins par la fin imminente de notre espèce, moins même par notre incapacité de l'empêcher, que par notre échec à en découvrir la cause. La science occidentale, la médecine occidentale ne nous ont pas préparés à l'ampleur et à l'humiliation de cet ultime échec. Il s'est vu bien des maladies difficiles à diagnostiquer, dont l'une a presque dépeuplé deux continents avant de s'épuiser. Mais en dernier ressort nous avons toujours su expliquer pourquoi. Nous avons baptisé les virus et germes qui, aujourd'hui encore, prennent possession de nous, à notre grand dépit, car le fait qu'ils continuent de nous assaillir, comme de vieux ennemis qui ne désarment pas et abattent une occasionnelle victime quand leur victoire est assurée, nous semble un affront personnel. La science occidentale a été notre dieu. Dans la diversité de son pouvoir, elle nous a protégés, soulagés, soignés, chauffés, nourris et divertis, et nous nous sommes sentis libres de la critiquer et parfois de la rejeter comme les hommes ont toujours rejeté leurs dieux, mais dans la certitude que malgré notre apostasie ce dieu, notre créature, notre esclave, continuera de pourvoir à nos besoins, de nous fournir anesthésiques pour la douleur, cœurs de rechange, nouveaux poumons, antibiotiques, roues et images mouvantes. La lumière s'allumera toujours quand nous presserons sur le bouton, ou sinon, nous trouverons pourquoi. La science n'a jamais été mon domaine. Je n'y comprenais pas grand-chose quand j'étais à l'école, et je n'y comprends guère plus maintenant que j'ai cinquante ans. Mais elle n'en a pas moins été mon dieu aussi, même si ses réalisations me restaient incompréhensibles, et je partage la déception universelle de ceux dont le dieu est mort. Je me souviens parfaitement des paroles confiantes prononcées par un biologiste alors qu'il avait fini par devenir évident qu'il n'y avait plus sur toute la terre une seule femme enceinte : « Il nous faudra peut-être quelque temps pour découvrir la cause de cette apparente stérilité universelle. » Vingt-cinq ans plus tard, nous avons perdu jusqu'à l'espoir de réussir. Comme l'étalon brusquement frappé d'impuissance, nous sommes humiliés au cœur même de notre confiance en nous. En dépit de notre savoir, de notre intelligence et de nos facultés, nous ne sommes plus capables de faire ce que les animaux font sans penser. Il n'y a pas à s'étonner que nous leur vouions un culte en même temps que nous leur en voulons.

L'année 1995 a pris le nom d'année Oméga, aujourd'hui partout accepté. Le grand débat de la fin des années 1990 était de savoir si le pays qui découvrirait un remède à la stérilité universelle serait prêt à le partager avec le monde et à quelles conditions. Il était admis qu'il s'agissait d'un désastre mondial, auquel devait faire face un monde uni. A la fin des années 1990, nous persistions à parler d'Oméga en termes de maladie, de dysfonctionnement qui serait en son temps diagnostiqué et soigné, comme l'homme avait appris à soigner la tuberculose, la diphtérie, la polio et même pour finir, quoique trop tard, le sida. Les années passant, les efforts communs déployés sous l'égide des Nations unies n'aboutissant à rien, cette résolution de complète ouverture se désagrégea. Les recherches devinrent secrètes, et les efforts des nations firent l'objet d'une attention méfiante et fascinée. La Communauté européenne agit de concert, accordant à la recherche tous les moyens et le personnel imaginables. Le Centre européen pour la fécondité humaine, installé près de Paris, devint l'un des plus prestigieux du monde. Extérieurement du moins, il travaillait en collaboration avec les Etats-Unis, lesquels déployaient si possible des efforts encore plus importants. Mais il n'y avait pas de coopération entre races : l'enjeu était trop grand. Les conditions auxquelles le secret pourrait être partagé faisaient l'objet de spéculations et de discussions passionnées. On admettait que le remède, une fois trouvé, serait une connaissance scientifique qu'aucune race n'aurait le droit ni la possibilité de garder indéfiniment pour elle. Mais à travers les continents, les frontières nationales et raciales, on s'observait d'un œil soupçonneux, obsédé par les rumeurs et les spéculations. L'espionnage revint en force. Des agents à demi perclus quittèrent leur retraite confortable de Weybridge ou de Cheltenham pour transmettre leur savoir. L'espionnage, bien sûr, n'avait jamais cessé, même après la fin officielle de la guerre froide, en 1991. L'homme est trop avide de ce mélange enivrant de piraterie adolescente et de perfidie adulte pour l'abandonner tout à fait. A la fin des années 1990, la bureaucratie de l'espionnage fleurit comme jamais, donnant naissance à de nouveaux héros, de nouveaux méchants, de nouvelles mythologies. On surveillait en particulier le Japon, craignant que ce peuple, techniquement si brillant, ne fût en passe de trouver la réponse.

Vingt ans plus tard, on surveille toujours, mais on

surveille avec moins d'anxiété, et sans espoir. L'espionnage continue, mais il y a maintenant vingt-cinq ans que naquit le dernier être humain, et rares sont parmi nous ceux qui, dans leur cœur, croient que le cri d'un nouveau-né se fera jamais réentendre sur notre planète. Notre intérêt pour le sexe va diminuant. L'amour romantique et idéalisé a pris le pas sur la grossière satisfaction charnelle, malgré les efforts du gouverneur d'Angleterre et les boutiques porno qu'il a promues à travers le pays pour stimuler nos appétits. Mais nous avons nos substituts, accessibles à tous aux frais de la Sécurité sociale. Nos corps vieillissants sont pétris, battus, triturés, caressés, oints et parfumés. Nous sommes manucurés et pédicurés, mesurés et pesés. Le Lady Margaret Hall est devenu le centre de massages d'Oxford, et c'est là que, tous les mardis après-midi, je m'étends sur la couche, admirant les jardins toujours bien entretenus, pour jouir de mon heure, soigneusement mesurée, de gâteries sensuelles octroyée par l'Etat. Et quel zèle, quel soin obsessionnel mettons-nous à garder l'illusion sinon de la jeunesse, du moins d'un vigoureux âge mûr ! Le golf est maintenant le sport national. S'il n'y avait pas eu d'Oméga, les défenseurs de l'environnement auraient protesté contre les hectares, parfois de nos plus belles campagnes, sacrifiés et remodelés pour créer des terrains toujours plus stimulants. Des terrains tous gratuits, entrant dans le cadre des plaisirs que le Gouverneur a promis. Certains sont devenus sélects et tiennent à l'écart les indésirables, sans interdiction — ce serait illégal —, mais par le biais de ces subtils signaux de discrimination que, en Grande-Bretagne, même les moins sensibles ont appris dès l'enfance à interpréter. Il nous faut nos snobismes ; même dans le gouvernement égalitaire de Xan, l'égalité est une théorie politique et non une politique pratique. Je me suis essayé au golf une fois, mais le jeu m'a tout de suite rebuté, peut-être à cause de ma facilité à faire voler des mottes de terre, mais jamais la balle. A présent, je cours. Presque chaque jour je foule le sol moelleux de Port Meadow ou les sentiers déserts de Wytham Wood, comptant les kilomètres et contrôlant mon pouls, mon poids, mon endurance. Je suis tout aussi soucieux de rester en vie que n'importe qui, tout aussi obsédé par le fonctionnement de mon corps.

L'origine de tout cela me paraît remonter au début des années 1990 : quête d'une médecine alternative, huiles parfumées, massages, caresses et onctions, port de cristaux bienfaisants, sexe sans pénétration. La pornographie, la violence sexuelle au cinéma, à la télévision, dans les livres et dans la vie avaient pris une ampleur devenue manifeste, mais l'Occident faisait de moins en moins l'amour, de moins en moins d'enfants. A l'époque, dans un monde que polluait gravement la surpopulation, cette évolution semblait pour le mieux. En tant qu'historien, j'y vois le début de la fin.

Nous aurions dû être alertés au début des années 1990. En 1991 déjà, un rapport de la Communauté européenne signalait un effondrement du nombre des naissances en Europe — 8,2 millions en 1990, avec des baisses particulières dans les pays catholiques romains. Nous pensions en connaître les raisons : la chute était délibérée et résultait des attitudes plus libérales à l'égard du contrôle des naissances et de l'avortement, de l'ajournement de la maternité par les femmes poursuivant une carrière, du désir des familles d'un niveau de vie plus élevé. Et la chute démographique se compliquait de la propagation du sida, notamment en Afrique. Certains pays européens lancèrent une vigoureuse campagne pour encourager les naissances, mais nous pensions pour la plupart que la baisse était désirable, voire nécessaire. Notre multitude polluait la planète ; une baisse des naissances ne pouvait être que bienvenue. Notre souci concernait moins la chute démographique que le désir des nations de maintenir leur population, leur culture, leur race, d'avoir suffisamment de jeunes pour maintenir leurs structures économiques. Pour autant que je m'en souvienne, personne n'émit l'idée que la fécondité de l'espèce humaine subissait un changement dramatique. Quand survint Oméga, ce fut avec une soudaineté qui laissa les gens incrédules. Du jour au lendemain, semblait-il, l'espèce humaine avait perdu la faculté de se reproduire. La découverte, en juillet 1994, que même le sperme congelé conservé à des fins d'expérience et d'insémination artificielle avait perdu son efficacité fut un choc effroyable qui jeta sur Oméga un voile de crainte superstitieuse, de sorcellerie, d'intervention divine. Les anciens dieux réapparurent, revêtus d'une puissance redoutable.

Mais le monde ne perdit espoir que lorsque la génération née en 1995 atteignit la maturité sexuelle. Quand, les tests achevés, il s'avéra qu'aucun de ses représentants ne produisait un sperme fécond, nous sûmes qu'il s'agissait en fait de la fin de l'*homo sapiens*. Et c'est cette année-là, en 2008, que le taux des suicides augmenta. Pas tellement parmi les vieux, mais parmi ceux de ma génération, les gens d'âge mûr, ceux qui devraient porter le poids des besoins humiliants mais pressants d'une société vieillissante et décadente. Xan, qui était alors devenu gouverneur d'Angleterre, s'efforça d'enrayer ce qui tournait à l'épidémie en condamnant à une amende les plus proches parents survivants, tout comme le Conseil verse maintenant de jolies pensions aux parents des vieux qui sont incapables de subvenir à leurs besoins et mettent fin à leurs jours. La mesure porta ses fruits : le taux des suicides baissa, comparé aux chiffres effarants enregistrés dans d'autres régions du monde, notamment les pays où la religion est fondée sur le culte des ancêtres et la perpétuation de la famille. Mais les vivants s'abandonnèrent à un négativisme quasi universel, ce que les

Français appellent l'*ennui universel* *. Il fondit sur nous comme une maladie insidieuse : et c'était bel et bien une maladie, avec ses symptômes bientôt familiers de lassitude, de dépression, de malaise indéterminé, une promptitude à céder aux moindres infections, un perpétuel mal de tête rendant tout effort impossible. J'ai combattu ce mal, comme beaucoup d'entre nous. Mais certains, dont Xan, n'en ont jamais souffert, protégés peut-être par un manque d'imagination, ou, dans son cas, par un égoïsme si puissant qu'aucune catastrophe extérieure ne peut l'entamer. Il m'arrive encore occasionnellement de devoir le combattre, mais je le redoute moins. Les armes de ma lutte sont aussi mes consolations : les livres, la musique, la nourriture, la boisson, la nature.

Ces satisfactions lénifiantes sont aussi des rappels aigres-doux de la fugacité de la joie humaine — mais quand a-t-elle jamais duré ? Je trouve encore plaisir — un plaisir intellectuel plus que sensuel — à voir le printemps éclater à Oxford, Belbroughton Road en fleur, qui me semble belle chaque année, le soleil progressant sur les murs de pierre, les marronniers en pleine floraison, agités par le vent, à sentir l'odeur d'un champ de haricots, les premiers flocons de neige, la fragile densité d'une tulipe. Le plaisir n'est pas nécessairement moins vif parce qu'il y aura des siècles de printemps à venir sans plus d'hommes pour les voir fleurir, que les murs s'effondreront, que les arbres pourriront et mourront, que les jardins retomberont en friche, car toute la beauté survivra à l'intelligence humaine qui l'évoque, la goûte et la chante. C'est ce que je me dis, mais y crois-je vraiment maintenant que le plaisir vient si rarement et que, lorsqu'il vient, il est si difficile à distinguer de la douleur ? Je puis comprendre que les aristocrates et

* En français dans le texte. (N.d.T.).

grands propriétaires terriens sans espoir de postérité laissent leurs domaines à l'abandon. Nous ne pouvons connaître que le moment présent, vivre nulle autre seconde, et le comprendre c'est approcher autant qu'il est possible de la vie éternelle. Mais nos esprits remontent les siècles pour être rassurés par nos aïeux, et, sans espoir de postérité pour nous ni notre espèce, sans l'assurance que nous vivrons quand même nous serons morts, tous les plaisirs de l'esprit et des sens ne m'apparaissent parfois que comme de pathétiques et croulantes défenses étançonnant nos ruines.

Dans l'affliction universelle qui est la nôtre, comme des parents en deuil, nous éliminons les douloureux rappels de ce que nous avons perdu. Les terrains de jeux aménagés pour les enfants ont été démantelés. Les douze premières années après Oméga, les balançoires ont été enroulées sur leur barre de soutien, les échelles et les toboggans n'ont pas été repeints. Maintenant, on a fini par les enlever, et l'herbe a remplacé l'asphalte des places de jeux, où poussent ici et là des fleurs comme sur de petites tombes. Les jouets ont été brûlés, hormis les poupées qui, pour des femmes à demi folles, sont devenues des substituts d'enfants. Les écoles, depuis longtemps fermées, ont été désaffectées ou transformées en centres éducatifs pour adultes. Les livres d'enfants ont été systématiquement retirés de nos bibliothèques. Seuls les enregistrements et les disques nous permettent aujourd'hui d'entendre des voix d'enfants, seuls le cinéma et la télévision de retrouver leur image en mouvement. Certains trouvent insupportable de regarder de tels films, mais la plupart s'en nourrissent comme d'une drogue.

Les enfants nés en 1995 sont appelés Omégas. Aucune génération n'a été davantage étudiée, examinée, dorlotée, valorisée et gâtée. Ils représentaient notre espoir, notre promesse de salut, et ils étaient — ils sont toujours — exceptionnellement beaux. Il semble parfois que la nature, dans un raffinement de méchanceté, ait voulu souligner que nous perdions. Les garçons, aujourd'hui hommes de vingt-cinq ans, sont forts, individualistes, intelligents et beaux comme des dieux. Beaucoup sont également cruels, arrogants et violents, et ceci s'est révélé vrai pour tous les Omégas du monde. La rumeur veut que les bandes redoutées des Visages peints, qui rôdent la nuit sur les routes de campagne et terrorisent les voyageurs qui tombent entre leurs pattes, soient des Omégas. On prétend que lorsqu'un Oméga se fait prendre, on lui offre l'impunité à condition qu'il entre dans la Police de Sécurité de l'Etat, alors que les autres membres de la bande, ni plus ni moins coupables, sont envoyés à la colonie pénitentiaire de l'île de Man, où sont désormais relégués tous ceux qui sont convaincus de délits de violence, de cambriolage et vols répétés. Mais s'il est imprudent de rouler sans protection sur nos routes secondaires ou ce qu'il en reste, nos villes grandes et petites sont sûres, le crime y ayant été finalement jugulé par un retour à la politique de relégation du XIXe siècle.

Les femmes omégas ont une beauté autre, classique, froide, indolente, sans énergie ni animation. Elles ont leur style à elles, que les autres femmes ne copient jamais, peut-être par crainte de copier. Elles portent leurs cheveux longs et flottants, le front ceint d'une natte ou d'un ruban, simple ou tressé. C'est un style qui ne convient qu'aux visages classiques, grand front haut, yeux largement séparés. Comme leurs pendants hommes, elles paraissent incapables de sentiments humains. Garçons et filles, les Omégas forment une race à part, gâtée, cajolée, crainte, objet d'un respect quasi superstitieux. Dans certains pays, dit-on, ils sont sacrifiés dans des rites de fertilité ressurgis après des siècles de civilisation superficielle. Il m'arrive de me demander ce que nous ferions en Europe si nous apprenions que les anciens dieux ont accepté ces sacrifices et permis la naissance d'un enfant.

Peut-être avons-nous fait des Omégas ce qu'ils sont par notre propre folie : un régime qui combine avec une surveillance perpétuelle une totale indulgence ne favorise guère un développement sain. Si, dès le berceau, on traite les enfants comme des dieux, il faut s'attendre à les voir agir comme des diables une fois devenus adultes. Je conserve d'eux un souvenir vivace qui, pour moi, est l'image même de la façon dont je les vois, de la façon dont ils se voient. C'était en juin dernier, par un jour chaud sans être suffocant, lumineux, avec de lents nuages, des lambeaux de mousseline, voguant haut sur l'azur du ciel, un air caressant et frais à la joue, un jour sans rien de cette humide langueur que j'associe à l'été oxonien. J'allais à Christ Church rendre visite à un collègue, et je venais de franchir l'arc en accolade de Wolsey pour traverser Tom Quad lorsque je les vis : un groupe d'Omégas, quatre filles et quatre garçons, paradant avec grâce sur la plinthe de pierre. Les filles, avec leur auréole crêpelée de cheveux étincelants, les plis et drapés compliqués de leurs robes diaphanes, semblaient descendues des vitraux préraphaélites de la cathédrale. Les quatre garçons se tenaient debout derrière elles, jambes écartées, bras croisés, regardant non vers elles mais par-dessus leur tête, l'air d'affirmer une suzeraineté arrogante sur l'ensemble de la cour d'honneur. Tandis que je passais, les filles me tournèrent le dos, l'œil indifférent, mais laissant tout de même pointer une indiscutable lueur de mépris. Les garçons se rembrunirent un instant, puis détournèrent les yeux comme d'un objet indigne de plus ample attention et se mirent à contempler le vide de la place. Je pensai alors, comme je le pense maintenant, combien j'étais heureux de ne plus avoir à enseigner. Pour la plupart, les Omégas se contentent de passer une licence, c'est tout ; davantage d'instruction ne les intéresse pas. Les Omégas auxquels j'ai enseigné étaient intelligents, mais indisciplinés, perturbateurs et manifestant de l'ennui. Leur question muette, « A quoi bon tout cela ? », était de celles auxquelles j'étais heureux de ne pas avoir à répondre. L'histoire, qui interprète le passé pour comprendre le présent et affronter l'avenir, est la plus ingrate des disciplines pour une espèce en voie de disparition.

Daniel Husterfield est celui de mes collègues universitaires qui prend Oméga avec le plus grand calme, mais encore faut-il dire qu'il est professeur de paléologie statistique et que son esprit fonctionne ainsi dans une dimension temporelle différente. Comme pour le Dieu du vieux psaume, mille siècles sont à ses yeux comme un soir enfui. Assis à côté de moi à la fête du collège l'année où j'étais préposé aux vins, il me dit : « Qu'est-ce que tu nous sers avec la grouse, Faron ? Pas n'importe quoi, s'il te plaît. Je crains parfois que tu n'aies un peu tendance à être trop aventureux. J'espère que tu as mis au point un programme rationnel pour vider la cave du collège. De penser que ces barbares d'Omégas puissent en disposer me déprimerait sur mon lit de mort.

— Nous y pensons, dis-je. Bien sûr, nous continuons d'encaver, mais au ralenti. D'après certains collègues, nous sommes trop pessimistes.

— Oh, je ne crois pas qu'on puisse être trop pessimiste. Je n'arrive pas à comprendre pourquoi vous semblez tous tellement surpris par Oméga. Après tout, sur les quatre milliards de formes qu'a prises la vie sur cette planète, trois milliards et neuf cent soixante millions ont cessé d'exister. Sans qu'on sache pourquoi. Certaines se sont éteintes comme par caprice, d'autres ont été détruites par des catastrophes naturelles, par des météorites, par des astéroïdes. A la lumière de ces disparitions massives, il paraît tout à fait déraisonnable d'imaginer que l'*homo sapiens* devrait faire exception. La vie de notre espèce aura été l'une des plus courtes : un clin d'œil au regard du temps, pourrait-on dire. Oméga mis à part, il se pourrait fort bien qu'en ce moment un astéroïde de taille suffisante pour détruire cette planète soit en route vers nous. »

Et de mastiquer bruyamment sa grouse comme si cette perspective le mettait en joie.

2

Mardi 5 janvier 2021

Durant les deux ans où, à la demande de Xan, j'ai en quelque sorte rempli le rôle d'observateur dans les réunions du Conseil, les journalistes avaient coutume d'écrire que nous avions été élevés ensemble, que nous étions aussi proches que des frères. Ce n'est pas vrai. A partir de douze ans, nous avons passé ensemble les vacances d'été, mais c'est tout. L'erreur n'était pas surprenante. J'y croyais moi-même à moitié. Aujourd'hui encore, les trimestres d'été de jadis m'apparaissent comme un enchaînement assommant de journées prévisibles dominées par l'horaire, ni pénibles ni redoutées, mais qu'il fallait subir — et comme j'étais bon élève et assez bien vu de mes camarades, il m'arrivait même d'y prendre plaisir — jusqu'au moment béni de la libération. Après deux jours à la maison, on m'envoyait à Woolcombe.

Alors même que j'écris, j'essaye de comprendre ce que je ressentais alors pour Xan, pourquoi, si longtemps, le lien est demeuré si fort. Il n'était pas d'ordre sexuel, sauf que, dans presque toutes les amitiés intimes, il y a un picotement sous-cutané d'attirance sexuelle. Jamais nous ne nous sommes touchés, même pas, je m'en souviens, au cours d'une partie de lutte, car il n'y avait pas de parties de lutte — Xan détestait être touché, et j'ai vite reconnu et respecté son invisible no man's land, comme lui le mien. Ce n'était pas non plus l'histoire classique du partenaire dominant, de l'aîné, fût-ce de quatre mois, guidant le cadet admiratif. Jamais il ne m'a fait sentir que j'étais inférieur ; ce n'étais pas dans ses façons. Il m'accueillait sans enthousiasme particulier, mais comme on retrouve un jumeau, une partie de soi-même. Il avait du charme, bien sûr ; il en a toujours. Le charme est souvent méprisé, mais je n'ai jamais compris pourquoi. Personne n'en a qui ne soit capable d'aimer sincèrement les autres, du moins le temps de la rencontre, au moment où il parle. Le charme est toujours authentique ; il peut être superficiel mais il n'est pas truqué. Lorsque Xan est avec quelqu'un, il donne l'impression d'être proche, intéressé, de ne souhaiter nulle autre compagnie. Il pourrait le lendemain apprendre la mort de ce quelqu'un sans sourciller ; il pourrait même probablement le tuer sans scrupules. Aujourd'hui, quand je le vois à la télévision faire son rapport trimestriel à la nation, je retrouve ce même charme.

Nos deux mères sont mortes. Elles ont été soignées jusqu'à la fin à Woolcombe, transformé en maison de santé pour les protégés du Conseil. Le père de Xan s'est tué en France dans un accident de voiture l'année après que son fils fut devenu gouverneur d'Angleterre. Une affaire un peu mystérieuse sur laquelle on n'a jamais donné aucun détail. A l'époque, l'accident m'a étonné, et il m'étonne encore, ce qui en dit long sur ma relation avec Xan. Une part de mon esprit continue à le croire capable de n'importe quoi ; j'ai comme besoin de le croire impitoyable, invincible, au-delà des lois du comportement ordinaire, ainsi qu'il me paraissait être quand nous étions adolescents.

Les vies des sœurs ont pris des voies très différentes. Ma tante, par une heureuse combinaison de beauté, d'ambition et de chance, avait épousé un baronnet entre deux âges ; ma mère, un fonctionnaire entre deux rangs. Xan naquit à Woolcombe, parmi les plus beaux manoirs du Dorset ; moi, à la maternité de l'hôpital de Kingston, Surrey, avant d'être emmené dans l'une des maisons victoriennes jumelles, toutes identiques, qui bordaient une longue rue sans attrait conduisant à Richmond Park. L'atmosphère dans laquelle j'ai grandi était lourde de ressentiment. Je me rappelle ma mère préparant mes bagages en vue de mon été à Woolcombe, choisissant anxieusement des chemises propres, tenant devant elle mon meilleur veston, le secouant, l'examinant minutieusement, avec, eût-on dit, une hostilité personnelle, comme si elle regrettait tout à la fois ce qu'il avait coûté et le fait que, acheté trop grand en prévision de ma croissance et déjà trop petit pour que j'y sois à l'aise, il n'y avait eu dans l'intervalle aucune période où il m'était vraiment allé. Son attitude à l'égard de la bonne fortune de sa sœur s'exprimait à travers une série de phrases souvent répétées : « Encore heureux qu'ils ne s'habillent pas pour dîner. Tu te vois en smoking, à ton âge ? Ridicule ! » Et l'inévitable question, posée les yeux baissés, car ma mère n'était pas sans honte : « Ils s'entendent bien, j'imagine ? Evidemment, dans ce milieu-là, on fait chambre séparée. » Et pour finir : « Evidemment, tout va bien pour Serena. » A douze ans déjà, je savais que tout n'allait pas bien pour Serena.

Je soupçonne que ma mère pensait beaucoup plus souvent à sa sœur et à son beau-frère qu'eux ne pensaient à elle. Du reste, je dois à Xan jusqu'à mon prénom démodé. Lui avait reçu le nom d'un grand-père et d'un arrière-grand-père ; il y avait des Xan dans la famille Lyppiatt depuis des générations. Moi aussi, on me baptisa d'après un grand-père, mon grand-père maternel. Pour l'excentricité du nom, ma mère ne voyait pas pourquoi elle se serait laissé surpasser. Mais Sir George la désorientait. J'entends encore sa plainte maussade : « Pour moi, il n'a pas l'air d'un baronnet. » Il était le seul baronnet qu'elle et moi avions jamais connu, et je me demandais à quelle image secrète elle se référait — un Van Dyck, pâle et romantique, descendu de son cadre ? l'arrogance dédaigneuse d'un Byron ? un fier-à-bras au visage rubicond, tonitruant, crevant ses chiens derrière son cheval ? Pourtant, je comprenais ce qu'elle voulait dire ; à mes yeux non plus, il n'avait pas l'air d'un baronnet. En tout cas, il n'avait pas l'air d'être le propriétaire de Woolcombe. Il avait le visage en forme de pelle, marbré de rouge, avec une petite bouche humide sous des moustaches d'apparence à la fois ridicule et artificielle, les cheveux roux qu'avait hérités Xan, mais ternis, devenus couleur de paille sèche, et des yeux qui contemplaient ses terres avec une expression de tristesse ahurie. C'était pourtant un bon fusil — ma mère aurait approuvé. Et Xan l'était aussi. Il n'avait pas le droit de toucher aux Purdey de son père, mais il possédait lui-même deux fusils pour la chasse aux lapins, et il y avait en outre une paire de pistolets avec lesquels nous étions autorisés à tirer à blanc. Nous fixions des cibles sur les arbres, et nous passions des heures à essayer d'améliorer nos performances. Après quelques jours d'exercice, je battais Xan au fusil comme au pistolet. Mon adresse nous surprenait tous deux, moi en particulier. Je ne m'attendais ni à aimer le tir ni à être bon tireur ; j'étais déconcerté par le plaisir que j'y trouvais, le plaisir quasi sensuel, et vaguement honteux, que j'éprouvais à sentir le métal dans ma paume, le poids équilibré de l'arme.

Durant les vacances, Xan n'avait pas d'autres compagnons et ne semblait pas en avoir besoin. Aucun ami de Sherborne ne venait à Woolcombe. Quand je lui posais des questions sur l'école, il était évasif.

« Ça va. C'est mieux que Harrow.

— Mieux qu'Eton

— Nous n'y allons plus. Le père de grand-père y a

eu une dispute terrible — calomnies, lettres de protestation, je ne sais plus trop quoi. Il n'est plus question d'y mettre les pieds.

— Ça ne t'ennuie jamais de retourner à l'école ?

— Non, pourquoi ? Ça t'ennuie, toi ?

— Non, au contraire. Si je n'étais pas ici, j'aimerais autant être à l'école qu'en vacances. »

Il restait silencieux un moment puis disait : « Le truc, c'est ça : les profs veulent vous comprendre, ils croient qu'ils sont payés pour ça. Je n'en finis pas de les étonner. Travail acharné, résultats excellents, chouchou du responsable, bourse pour Oxford en poche un trimestre, et le trimestre suivant, c'est la catastrophe.

— Comment, la catastrophe ?

— Oh, pas de quoi se faire mettre à la porte — et le trimestre d'après, je suis redevenu un ange. Ils en perdent leur latin, ça les inquiète. »

Je ne le comprenais pas mieux qu'eux, mais ça ne m'inquiétait pas. Je ne me comprenais pas moi-même.

Je sais maintenant, bien sûr, pourquoi il aimait m'avoir à Woolcombe. Je crois l'avoir deviné presque dès le début. Il n'avait absolument aucun devoir, aucune responsabilité à mon égard, pas même le devoir de l'amitié, la responsabilité du choix personnel. Il ne m'avait pas choisi. J'étais son cousin, on me souhaitait pour lui, j'étais là. Avec moi à Woolcombe, il n'avait jamais à faire face à l'inévitable question : « Pourquoi n'invites-tu pas tes amis ici pour les vacances ? » Pourquoi l'aurait-il fait ? Il devait s'occuper de son cousin sans père. Je le libérais, comme enfant unique, du poids d'une trop forte inquiétude parentale. Cette inquiétude, je n'en ai jamais été particulièrement conscient, mais sans moi, ses parents se seraient peut-être sentis contraints de la manifester. Enfant déjà, il ne supportait pas les questions, la curiosité, l'ingérence dans sa vie. Sur ce point, je le comprenais : j'étais pareil. Avec le temps, avec la motivation nécessaires, il serait intéressant d'étudier nos ancêtres communs pour trouver les racines de cette indépendance obsessionnelle. Je me rends compte aujourd'hui que c'est une des raisons de mon mariage raté. Et probablement la raison pour laquelle Xan ne s'est jamais marié. Il faudrait une puissance plus grande que celle de l'amour sexuel pour forcer la herse qui défend ce cœur et cet esprit crénelés.

Nous voyions rarement ses parents au cours de ces longues semaines d'été. Comme la plupart des adolescents, nous dormions tard, et ils avaient pris leur petit déjeuner lorsque nous descendions. Notre repas de midi était un pique-nique préparé pour nous à la cuisine, une Thermos de soupe maison, du pain, du fromage et du pâté, et un délicieux cake confectionné par une sinistre cuisinière qui réussissait contre toute logique à se plaindre du travail supplémentaire que nous lui occasionnions et de l'absence de dîners prestigieux où montrer ses talents. Nous rentrions à temps pour nous changer pour le repas du soir. Mon oncle et ma tante ne recevaient jamais, du moins quand j'étais là, et la conversation se déroulait presque exclusivement entre eux, tandis que Xan et moi mangions, échangeant à l'occasion de ces secrets coups d'œil de connivence propres à la jeunesse qui juge. Leurs propos intermittents se résumaient à des projets pour nous, formulés comme si nous n'étions pas là.

Ma tante, pelant délicatement une pêche, sans lever les yeux « Les garçons aimeraient peut-être voir Maiden Castle.

— Pas grand-chose à voir, à Maiden Castle. Jack Manning pourrait les emmener en bateau ramasser ses langoustes.

— Je ne crois pas que j'aie confiance en Manning. Il y a un concert qui pourrait les intéresser demain, à Poole.

— Quel genre de concert ?

— Je ne me souviens pas, je t'ai donné le programme.

— Ils aimeraient peut-être passer un jour à Londres.

— Pas par ce beau temps. Ils sont beaucoup mieux au grand air. »

Quand, à dix-sept ans, Xan commença de conduire la voiture de son père, nous allâmes à Poole pour lever des filles. Ces excursions me semblaient terrifiantes, et je n'y participai que deux fois. Pour moi, c'était comme entrer dans un monde étranger ; les gloussements, les filles chassant par paires, les hardis regards de défi, les bavardages apparemment inconsistants mais obligés, tout cela m'était contraire. Après la seconde fois, je dis : « Nous ne faisons pas semblant d'éprouver de la tendresse ; nous n'en éprouvons pas ; et elles sans doute pas davantage. Alors si des deux côtés on ne désire que le sexe, pourquoi ne pas le dire et supprimer tous ces préliminaires embarrassants ?

— Oh, il paraît qu'elles en ont besoin. Les seules femmes qu'on puisse avoir comme ça veulent être payées d'avance. A Poole, on peut s'en tirer avec un cinéma et deux heures passées autour d'un verre.

— Je ne crois pas que je reviendrai.

— Tu as probablement raison. Le lendemain, je me dis en général que ça n'en valait pas la peine. »

Il était typique de sa part de présenter ma répugnance comme si elle n'était pas, ainsi qu'il devait le savoir, un mélange de gêne, de crainte de l'échec et de honte. Je ne peux guère en vouloir à Xan du fait que j'aie perdu ma virginité dans des conditions d'inconfort aigu — un parc à voitures de Poole — avec une rousse qui montra clairement, à la fois pendant mes tâtonnants préliminaires et ensuite, qu'elle avait connu de meilleures façons de passer un samedi soir. Et je ne peux guère prétendre que cette triste expérience affecta ma vie sexuelle. Finalement, si notre vie sexuelle était déterminée par nos expériences de jeunesse, la majorité des gens seraient condamnés au célibat. Dans aucun domaine de l'expérience humaine, les êtres ne sont plus convaincus qu'il peut y avoir quelque chose de mieux pourvu qu'ils persévèrent.

A part la cuisinière, je ne me rappelle que quelques domestiques. Il y avait un jardinier, Hobhouse, qui avait une haine pathologique des roses, en particulier lorsqu'elles étaient plantées avec d'autres fleurs. Elles envahissent tout, se plaignait-il, comme si les rosiers grimpants et autres qu'il taillait avec un art plein de rancœur s'étaient mystérieusement semés. Et il y avait Scovell, avec son joli minois effronté, dont je n'ai jamais compris la fonction précise : chauffeur, aide-jardinier, homme à tout faire ? Xan l'ignorait ou se montrait envers lui volontairement blessant. Je ne l'avais jamais vu maltraiter aucun autre domestique, et je lui aurais demandé ses raisons si, vigilant comme toujours aux états émotionnels de mon cousin, je n'avais senti que la question serait imprudente. Que Xan fût le favori de nos grands-parents ne m'offusquait pas. Cette préférence me semblait parfaitement naturelle. Je me rappelle une bribe de conversation surprise l'unique Noël où, désastreusement, nous nous trouvâmes tous réunis à Woolcombe.

« Je me demande parfois si Theo n'ira pas plus loin que Xan, finalement.

— Oh non, Theo est intelligent, beau garçon, mais Xan est brillant. »

Xan et moi partagions ce point de vue. Quand j'obtins mon entrée à Oxford, on se montra agréablement surpris. Quand Xan fut admis à Balliol, on considéra que la chose allait de soi. Quand je reçus ma mention très bien, on dit que j'avais eu de la chance. Quand Xan s'en tira avec une simple mention bien, on se plaignit, mais avec indulgence, qu'il avait négligé de travailler.

Il n'avait aucune exigence, ne me traitait jamais

comme un parent pauvre, nourri, abreuvé et logé gratuitement chaque année durant les vacances en échange de sa compagnie ou de sa soumission. Si j'avais envie d'être seul, il me laissait, sans plainte ni commentaire. Ces moments de solitude, je les passais de préférence dans la bibliothèque, pièce qui m'enchantait avec ses rayons pleins d'ouvrages reliés en cuir, ses pilastres et chapiteaux sculptés, sa grande cheminée de pierre armoriée, ses niches avec leurs bustes de marbre, son immense table à cartes où je pouvais étaler mes livres et mes devoirs de vacances, ses fauteuils de cuir profonds, ses hautes fenêtres d'où la vue portait, à travers la pelouse, jusqu'à la rivière et au pont. C'est là qu'un jour, fouillant dans l'histoire du comté, je découvris que, sur ce même pont, une escarmouche avait eu lieu durant la guerre civile, où cinq jeunes royalistes avaient tenu le pont contre les Têtes rondes jusqu'à la mort du dernier d'entre eux. Leurs noms mêmes étaient cités, romanesques, évoquant le courage : Ormerod, Freemantle, Cole, Bydder, Fairfax. Dans mon excitation, j'allai chercher Xan et le traînai dans la bibliothèque.

« Regarde, le combat a eu lieu le 16 août. C'est mercredi prochain. Il faut fêter ça.

— Comment ? En lançant des fleurs dans l'eau ? »

Cela dit sans condamnation ni mépris : il se moquait seulement de mon enthousiasme.

« On pourrait boire à leur santé, en tout cas. »

Nous fîmes l'un et l'autre. Nous allâmes au pont à l'heure du couchant avec une bouteille du bordeaux de son père, les deux pistolets, et moi, les bras chargés de fleurs cueillies dans le jardin clos. Nous vidâmes la bouteille à nous deux, puis Xan se mit en équilibre sur le parapet et déchargea les pistolets en l'air tandis que je criais le nom des héros. C'est l'un des moments de mon adolescence qui demeurent avec moi, un soir de joie parfaite, sans ombre, pure de tout sentiment de culpabilité, de satiété ou de regret, un moment qu'immortalise pour moi cette image de Xan dressé dans le couchant, de sa chevelure flamboyante, des pâles pétales de roses descendant le courant sous le pont jusqu'à perte de vue.

3

Lundi 18 janvier 2021

Je me souviens de mes premières vacances à Woolcombe. J'avais monté derrière Xan une seconde volée d'escalier au bout d'un corridor pour atteindre une chambre située au dernier étage, au-dessus de la terrasse, face à la pelouse et au pont. Dans ma susceptibilité, et sous l'influence du ressentiment de ma mère, je commençais à me demander si on avait prévu de me loger avec les domestiques.

Mais Xan dit alors : « Je suis à côté. Nous avons une salle de bain pour nous, au bout du couloir. »

Je me souviens des moindres détails de cette chambre. C'était celle que j'allais occuper chaque été durant toute ma scolarité et jusqu'à mon départ d'Oxford. J'ai changé, mais la chambre est restée la même, et dans mon imagination, je vois une succession d'écoliers et d'étudiants présentant avec moi une troublante ressemblance pousser été après été la porte de cette chambre et entrer de droit en possession de ce patrimoine. Je n'ai pas revu Woolcombe depuis que ma mère est morte, il y a huit ans, et je ne le reverrai jamais. Pourtant, je rêve parfois que j'y retournerai vieillard pour mourir dans cette chambre, poussant la porte pour la dernière fois et retrouvant le lit à baldaquin et ses montants sculptés, le patchwork de soie fanée qui le recouvrait ; la chaise à bascule avec son coussin brodé par quelque ancêtre Lyppiatt depuis longtemps défunte ; la patine du bureau georgien un peu délabré mais stable, solide, pratique ; la bibliothèque et ses livres pour garçons du XIXe et du XXe siècle : Henty, Fenimore Cooper, Rider Haggard, Conan Doyle, Sapper, John Buchan ; la commode ventrue surmontée d'un miroir piqueté ; et les vieilles gravures de batailles, les chevaux cabrés devant les canons, les officiers de cavalerie au regard fou, Nelson agonisant. Et mieux que tout, je me rappelle le jour où j'y pénétrai pour la première fois, et, me dirigeant vers la fenêtre, découvris la terrasse, la pelouse en pente, les chênes, l'éclat de la rivière et le petit pont en dos d'âne.

Xan se tenait à la porte. Il dit : « On pourrait aller faire un tour à bicyclette, demain, si tu aimes ça. Le Baron t'en a acheté une. »

J'allais apprendre qu'il parlait rarement de son père autrement. « C'est bien aimable à lui, dis-je.

— Pas vraiment. Il fallait qu'il en passe par là, non ? s'il voulait que nous soyons ensemble.

— J'en ai une, de bicyclette. Je vais toujours à l'école à vélo. J'aurais pu l'amener.

— Le Baron a pensé que ce serait plus pratique d'en avoir une ici. Tu ne seras pas forcé de t'en servir. J'aime bien partir pour la journée, mais si tu n'en as pas envie, tu n'as pas besoin de venir. Le vélo n'est pas obligatoire Rien n'est obligatoire, à Woolcombe, sauf le malheur. »

Je découvrirais par la suite que c'était le genre de remarque sardonique, quasi adulte, qu'il aimait à faire. Elle était destinée à m'impressionner, et elle m'impressionna. Mais je n'y crus pas. Ce premier séjour, dans mon naïf émerveillement, je ne pouvais imaginer personne de malheureux dans une pareille maison. Et il me semblait évident qu'il ne parlait pas de lui.

« J'aimerais bien visiter la maison », dis-je. Après quoi je rougis, craignant d'avoir l'air d'un touriste ou d'un éventuel acheteur.

« Rien de plus facile, bien sûr. Si tu veux patienter jusqu'à samedi, Miss Maskell, du presbytère, te fera les honneurs. Il t'en coûtera une livre, mais avec les jardins. Il y a des visites un samedi sur deux au profit de l'église. Les connaissances historiques et artistiques qui lui manquent, Molly Maskell les compense par l'imagination.

— J'aurais préféré que ce soit toi qui me fasses visiter. »

Il ne répondit pas, mais me regarda mettre ma valise sur le lit et commencer à déballer Pour cette première visite, ma mère m'avait acheté une nouvelle valise. Misérablement conscient qu'elle était trop grande, trop élégante, trop lourde, je regrettais de ne pas avoir pris ma vieille valise de toile. J'avais, bien entendu, emmené de trop nombreux vêtements et pas ceux qu'il fallait, mais Xan s'abstint de toute remarque, par tact, par délicatesse ou bien simplement, je ne sais, parce qu'il n'y prit pas garde. Enfournant rapidement mes habits dans l'un des tiroirs, je demandai : « Est-ce que ce n'est pas bizarre de vivre ici ?

— C'est malcommode, c'est parfois ennuyeux, mais ce n'est pas bizarre. Il y a trois cents ans que mes ancêtres vivent ici. » Puis il ajouta : « C'est une toute petite maison. »

On aurait dit qu'il s'efforçait de me mettre à l'aise en dépréciant son patrimoine, mais quand je levai les yeux vers lui, je lui vis, pour la première fois, cet air qui allait me devenir familier, cet air de secret amusement intérieur qui se lisait dans les yeux et la bouche, mais sans jamais donner un véritable sourire. Je ne savais pas alors et je ne sais toujours pas combien il tenait à Woolcombe. La maison sert encore de clinique et de foyer de retraite pour les privilégiés — parents et amis du Conseil, membres des conseils locaux et régionaux, gens ayant rendu quelque service à l'Etat. Jusqu'à sa mort, Helena et moi y sommes régulièrement allés rendre à ma mère les visites que le devoir impose. Je revois les deux sœurs assises ensemble sur la terrasse, emmitouflées contre le froid, l'une avec un cancer dans sa phase terminale, l'autre souffrant d'arthrite et d'asthme cardiaque, toute envie, tout ressentiment oubliés tandis qu'elles affrontaient le grand égalisateur qu'est la mort. Quand j'envisage le monde sans plus un être humain, j'imagine — sans doute comme tout un chacun — les grands temples, les grandes cathédrales, les palais, les châteaux, survivant sans témoins à travers les siècles, la British Library, inaugurée juste avant Oméga, avec ses livres et manuscrits soigneusement préservés que nul n'ouvrira, que nul ne lira jamais plus. Mais au fond, je ne suis touché que par la pensée de Woolcombe ; l'odeur de moisi que je prête à ses pièces désertées, les panneaux pourrissants de la bibliothèque, le lierre envahissant les murs en ruine, les herbes et les buissons recouvrant le gravier, le court de tennis, le jardin à la française ; par le souvenir de cette petite chambre à coucher, inoccupée et inchangée jusqu'à ce que le couvre-lit pourrisse enfin, que les livres tombent en poudre et que le dernier tableau se détache du mur.

4

Jeudi 21 janvier 2021

Ma mère avait des prétentions artistiques. Non, voilà qui est condescendant sans même être vrai. Ma mère n'avait aucune prétention d'aucune sorte sinon à la respectabilité. Mais elle possédait un certain talent artistique, bien que je ne l'aie jamais vue créer rien d'original. Sa marotte consistait à aquareller de vieilles gravures, d'ordinaire des scènes victoriennes tirées de volumes dépenaillés du *Girls'Own Paper* ou des *Illustrated London News*. Je ne pense pas que c'était difficile, mais elle le faisait avec un certain art, prenant soin, comme elle me l'expliquait — mais je ne vois pas comment elle pouvait avoir aucune certitude sur ce point —, d'obtenir des couleurs historiquement correctes. Je crois que, si elle a approché le bonheur, c'est assise à la table de la cuisine avec sa boîte d'aquarelle et ses deux pots à confiture, la lampe inclinée juste comme il fallait pour éclairer la gravure étalée devant elle sur une feuille de journal. J'aimais observer son travail, la délicatesse avec laquelle elle trempait les fins pinceaux dans l'eau, la façon dont les bleus, les jaunes, les blancs se fondaient en volutes sur la palette quand elle les mélangeait. La table de cuisine était assez grande, sinon pour que je puisse y étaler tous mes devoirs, du moins pour me permettre de lire ou d'écrire ma rédaction hebdomadaire. Je levais les yeux, sachant ne pas la déranger, et regardais sur la gravure progresser les couleurs, se métamorphoser le morne gris des micropoints en une scène vivante — gare de chemin de fer encombrée de femmes en bonnet regardant partir leurs maris pour la guerre de Crimée ; famille victorienne, les femmes en fourrures et tournures, décorant l'église pour Noël ; reine Victoria escortée de son époux, parmi une foule d'enfants en crinoline, inaugurant la Grande Exposition ; scènes de canotage sur l'Isis, comme on n'en voit plus depuis longtemps, avec des étudiants moustachus en blazer, des filles à la poitrine avantageuse, à la taille mince, coiffées de chapeaux de paille ; procession de fidèles se rendant par groupes à l'église pour le service pascal, le châtelain du village et sa dame en tête, avec, à l'arrière-plan, des tombes égayées de fleurs printanières. Peut-être est-ce ma fascination précoce pour ce genre de scènes qui a fini par faire de moi un historien du XIXe siècle, époque qui, de même que quand je l'ai étudiée pour la première fois, apparaît aujourd'hui comme un monde vu au télescope, tout proche en même temps qu'infiniment lointain, fascinant par son énergie, son sérieux moral, sa brillance et sa sordidité.

La marotte de ma mère n'était pas désintéressée. Avec le concours de Mr Greenstreet, marguillier de l'église locale, que tous deux fréquentaient régulièrement — et moi, à contrecœur —, elle encadrait les gravures terminées pour les vendre à des antiquaires. Hormis l'aide que lui apportaient ses doigts habiles à manier le bois et la colle, je ne saurai jamais quel rôle Mr Greenstreet a joué dans sa vie, ou aurait pu jouer, sans mon omniprésence ; et je ne saurai jamais non plus combien elle vendait ses œuvres, ni si c'est avec ce revenu supplémentaire qu'elle payait mes excursions scolaires, mes battes de cricket, les livres dont elle était prodigue. J'apportais d'ailleurs ma contribution : c'est moi qui trouvais les gravures. Je fouillais les caisses des brocanteurs de Kingston et au-delà tandis que je rentrais de l'école, ou le samedi, couvrant parfois vingt ou trente kilomètres à bicyclette pour atteindre une boutique dont le butin était particulièrement prometteur. Mes trouvailles étaient pour la plupart très bon marché et je les achetais avec mon argent de poche. Mais les meilleures, je les subtilisais : j'étais devenu expert dans l'art de démonter les livres reliés sans les endommager pour en retirer les gravures, que je dissimulais dans mon atlas scolaire. Ces actes de vandalisme m'étaient nécessaires, comme le sont, j'imagine, leurs délits mineurs pour la majorité des jeunes garçons. Respectable lycéen en uniforme qui payait sans hâte ni nervosité apparente ses menus achats à la caisse et s'offrait parfois un livre d'occasion parmi le choix proposé dans des boîtes devant la porte du magasin, je ne fus jamais soupçonné de rien. Je prenais grand plaisir à ces expéditions, au risque, à l'excitation de la découverte, au triomphe que représentait mon retour avec les trésors que j'avais dénichés. Ma mère ne disait pas grand-chose ; elle se contentait de me demander ce que j'avais dépensé pour me rembourser. S'il lui arrivait de penser que certaines gravures devaient valoir plus cher que ce que je prétendais les avoir payées, elle ne posait aucune question, mais je savais qu'elle était contente. Je ne l'aimais pas, mais je volais pour elle. J'ai appris tôt, et à cette table de cuisine, qu'il y a des moyens d'éviter sans culpabilité les responsabilités de l'amour.

Je sais, ou crois savoir, à quand remonte ma terreur à l'idée de prendre des responsabilités à l'égard de la vie ou du bonheur d'autrui, bien que je puisse me tromper ; j'ai toujours eu l'art de trouver des excuses à mes propres défauts. J'aime à en situer les racines en 1983, année où mon père a « perdu son combat » contre le cancer — c'est ainsi que, dans la bouche des adultes, j'entendais parler de la chose. « Il a perdu son combat », disait-on. Et je vois bien maintenant que c'était un combat, un combat peut-être obligé, mais mené avec un certain courage. Mes parents s'efforçaient de m'épargner le pire. « On en dit le moins possible au petit » — cette phrase aussi, je l'ai fréquemment entendue. Mais en dire le moins possible au petit, c'était ne me rien dire du tout sinon que mon père était malade, qu'il devait voir un spécialiste, qu'il entrerait à l'hôpital pour une opération, qu'il reviendrait bientôt, qu'il lui faudrait y retourner. Et même cela, parfois, on me le taisait ; je rentrais de l'école et constatais que mon père n'était plus là et que ma mère nettoyait la maison comme une folle, avec un visage de pierre. Ne rien dire au petit signifiait que, enfant unique, je vivais dans une atmosphère de menace où tout ce que je comprenais était que mes parents et moi allions inexorablement vers une catastrophe indéfinissable qui, lorsqu'elle se produirait, serait ma faute. Les enfants sont toujours prompts à croire que les catastrophes des adultes arrivent par leur faute. Ma mère ne prononçait jamais devant moi le mot « cancer », ne parlait jamais de la maladie de papa sauf incidemment. « Ton père est un peu fatigué ce matin. » « Ton père doit retourner à l'hôpital aujourd'hui. » « Ramasse tes livres et monte dans ta chambre avant que le docteur arrive. Il voudra me parler. »

Elle disait cela sans me regarder, comme si la maladie était quelque chose de gênant, de honteux, qui en faisait un sujet inconvenant pour un enfant. Ou s'agissait-il d'une réserve plus profonde, d'une souffrance partagée qui était devenue une part essentielle de leur couple, et dont j'étais exclu tout aussi normalement que du lit conjugal ? Je me demande maintenant si le silence de mon père, que je ressentais à l'époque comme un rejet, était délibéré. Ce qui nous éloignait, n'était-ce pas moins la peine et l'abattement, la lente érosion de l'espoir, que son désir de ne pas ajouter à l'angoisse de la séparation ? Mais il ne devait pas être si soucieux de moi. Je n'étais pas un enfant facile à aimer. Et comment aurions-nous pu communiquer ? Les malades condamnés vivent dans un monde qui n'est ni celui des vivants ni celui des morts. J'en ai observé d'autres depuis que j'ai observé mon père, et j'ai toujours été frappé de les sentir étrangers. Ils sont assis, ils parlent, on leur parle, ils écoutent, ils sourient même, mais en esprit, ils nous ont déjà quittés, et nous n'avons aucun moyen de pénétrer dans leur mystérieux no man's land.

Du jour où il est mort, je ne me rappelle plus qu'un incident : ma mère, assise à la table de la cuisine, versant enfin des larmes de colère et de frustration. Quand, gêné et maladroit, j'essayai de l'entourer de mes bras, elle gémit : « Pourquoi est-ce que j'ai toujours tant de malchance ? » Au garçon de douze ans que j'étais comme à l'homme que je suis aujourd'hui, cette réaction face au tragique apparut dérisoire, et sa banalité influença mon attitude à l'égard de ma mère pour le reste de mon enfance. C'était sans doute injuste — on n'a pas le droit de juger ainsi —, mais que les enfants soient injustes et jugent leurs parents est dans l'ordre des choses.

Si j'ai oublié, et peut-être volontairement chassé de mon esprit, tout autre souvenir du jour de la mort de mon père, je me rappelle en revanche heure par heure celui de son incinération : le fin crachin qui donnait aux jardins du crématoire l'aspect d'un tableau pointilliste ; l'attente dans le faux cloître que, l'incinération précédente enfin terminée, nous puissions entrer un à un pour aller prendre place sur les rudes bancs de pin ; l'odeur de mon nouveau costume, les couronnes empilées contre le mur de la chapelle, la petitesse du cercueil — qu'il contînt réellement le corps de mon père me semblait impossible à croire. L'anxiété de ma mère que tout se passât bien était encore accrue par la crainte de voir débarquer son baronnet de beau-frère. Mais il ne vint pas, ni Xan, alors dans son école. Ma tante, elle, se fit remarquer par une élégance excessive, et donna à ma mère un motif plutôt bienvenu de se plaindre en arborant autre chose que du noir. Ce fut après la collation clôturant la cérémonie que les deux sœurs décidèrent que je passerais les vacances à Woolcombe, où je reviendrais ensuite chaque été.

Mais le souvenir pour moi le plus important de ce jour est celui de son atmosphère d'agitation contenue et de cette désapprobation dont je me sentais l'objet. Ce fut alors que, pour la première fois, j'entendis cette phrase, répétée par des amis et des voisins que je reconnaissais à peine dans leur tenue de deuil : « Maintenant, c'est toi l'homme de la famille, Theo. Il faudra que ta mère puisse compter sur toi. » J'ignorais à l'époque ce que j'ai appris depuis près de quarante ans : que je ne veux pas que quiconque compte sur moi, que ce soit pour la protection, le bonheur, l'amour ou quoi que ce soit.

Je voudrais garder de mon père un souvenir plus heureux, avoir conservé de l'homme essentiel une image précise, ou du moins une image quelconque, qui serait devenue mienne, qui serait devenue une partie de moi-même ; je voudrais pouvoir citer ne fût-ce que trois qualités qui le caractérisaient. Aujourd'hui que je songe à lui pour la première fois depuis des années, je ne trouve pas d'adjectifs pour l'évoquer ; honnêtement, je ne puis même pas dire qu'il était doux, aimable, intelligent, aimant. Peut-être était-il tout cela — je l'ignore. Tout ce que je sais de lui, c'est qu'il est mort. Son cancer ne fut ni rapide ni clément — quand l'est-il ? — et il mit près de trois ans à mourir. Il semble que l'essentiel de mon enfance se soit durant ces années-là ramené au visage, à la voix, à l'odeur de sa mort. Il était son cancer. Je ne voyais rien d'autre alors et je ne vois rien d'autre aujourd'hui. Et pendant des années mon souvenir de lui — moins un souvenir qu'une réincarnation — a été un souvenir d'horreur. Quelques semaines avant de mourir, il s'était coupé l'index de la main gauche en ouvrant une boîte de conserve, et la blessure s'était infectée. Elle suppurait à travers le volumineux pansement qu'y avait appliqué ma mère, mais lui ne semblait pas s'en inquiéter. Il mangeait de la main droite et gardait la gauche posée sur la table, où il la considérait avec indulgence, d'un air vaguement surpris, comme s'il s'agissait d'une partie de son corps sans rapport avec lui. Moi, je ne pouvais en détacher les yeux, et ma faim se battait avec la nausée. J'y voyais une obscénité, un objet d'horreur.

Peut-être projetais-je sur ce doigt bandé toute ma peur inavouée de son mal incurable. Pendant des mois après sa mort, je fis un cauchemar récurrent où il apparaissait au pied de mon lit et pointait vers moi un sanguinolent moignon jaune, non pas le moignon d'un doigt, mais d'une main entière. Il ne parlait jamais ; il restait sans mot dire dans son pyjama à rayures. Son regard me réclamait parfois quelque chose que je ne pouvais lui donner, mais il était surtout gravement accusateur, comme le bras tendu dans ma direction. Désormais, il me paraît injuste de ne m'être si longtemps souvenu de lui qu'avec horreur, avec du sang, du pus dégoulinant. Et mon cauchemar ne laisse de m'intriguer maintenant que, avec mes connaissances de psychologue amateur, je m'efforce de l'analyser. Eussé-je été une fille, il serait plus facile à expliquer. Cet essai d'analyse, bien sûr, est une tentative d'exorcisme. Qui a en partie réussi. Après que j'eus tué Natalie, mon père me rendait visite chaque semaine ; maintenant, il ne vient plus jamais. Je suis heureux qu'il ait fini par s'en aller, emmenant avec lui sa souffrance, son sang, son pus. Mais je voudrais qu'il m'ait laissé un souvenir différent.

5

Vendredi 22 janvier 2021

Aujourd'hui, c'est l'anniversaire de ma fille — ç'aurait été l'anniversaire de ma fille si je ne l'avais pas écrasée, tuée. C'était en 1994, alors qu'elle avait quinze mois. Helena et moi habitions une maison édouardienne jumelle de Lathbury Road, beaucoup trop grande et trop chère pour nous, mais dès qu'elle s'était sue enceinte, Helena avait insisté pour que nous prenions une maison avec un jardin et une chambre d'enfants donnant au sud. Je ne me souviens plus des circonstances exactes de l'accident, si j'étais supposé garder un œil sur Natalie ou si je la croyais avec sa mère. Tout cela a dû être établi lors de l'enquête, cette attribution officielle des responsabilités ; mais l'enquête a été gommée de ma mémoire. Je me rappelle que je partais pour le collège et que je reculais la voiture, qu'Helena avait garée n'importe comment la veille, de manière à pouvoir sortir plus facilement à travers l'étroit portail du jardin. Il n'y avait pas de garage, à Lathbury Road, mais nous avions devant la maison la place pour deux voitures. Je devais avoir laissé la porte d'entrée ouverte, et Natalie, qui marchait depuis l'âge de treize mois, était sortie en trottinant derrière moi. Cette négligence a dû elle aussi être relevée à l'enquête. Mais il est certaines choses dont je me souviens parfaitement : le léger heurt sous la roue arrière gauche de la voiture, comme sur un trottoir, mais en plus doux, en moins résistant — une bordure de trottoir n'avait pas cette consistance-là. La connaissance instantanée, certaine, absolue, terrifiante, de ce qui s'était passé. Et les cinq secondes de silence total avant que les hurlements n'éclatent. Je savais que c'étaient les cris d'Helena, mais une partie de mon esprit refusait de croire qu'il s'agissait d'un son humain. Et je me souviens de l'humiliation. J'étais incapable de bouger, de sortir de la voiture, même d'avancer la main vers la portière. Et puis George Hawkins, notre voisin, s'est mis à cogner contre la vitre en criant : « Sors de là, salaud, sors de là. » Et je me souviens de l'incongruité de ma pensée devant ce grossier visage, défiguré par la colère, qui se pressait contre la vitre : « Il ne m'a jamais aimé. » Et je ne peux pas faire semblant que ce n'est pas arrivé. Qu'il s'agissait de quelqu'un d'autre. Que je n'étais pas responsable.

L'horreur et la culpabilité subsument le chagrin. Si Helena avait su dire : « Mon chéri, c'est pire pour toi » ou : « C'est aussi terrible pour toi, mon chéri », peut-être aurions-nous pu sauver quelque chose d'un mariage que le naufrage guettait depuis le commencement. Mais elle fut, bien sûr, incapable de le dire ; ce n'était pas ce qu'elle pensait. Elle pensait que j'étais moins touché, et elle avait raison. Elle pensait que j'étais moins touché parce que j'aimais moins, et sur ce point encore elle avait raison. J'étais heureux d'être père. Lorsque Helena m'apprit qu'elle était enceinte, je ressentis ce que j'imagine être les émotions habituelles : stupeur, tendresse, orgueil irrationnel. J'éprouvais pour l'enfant une réelle affection, quand bien même j'en aurais éprouvé davantage si elle avait été plus jolie — c'était une caricature miniature du père d'Helena —, plus affectueuse, plus ouverte, moins encline à geindre. La pensée que personne ne lira ces mots me rassure. Elle est morte depuis vingt-sept ans et je ne l'évoque que pour me plaindre. Mais Helena, de son côté, était complètement obsédée par elle, ensorcelée, envoûtée, et je sais que ce qui me gâchait Natalie était la jalousie. Cette jalousie, je l'aurais surmontée avec le temps, ou du moins je m'en serais accommodé. Mais le temps ne m'a pas été donné. Je ne pense pas qu'Helena ait jamais cru que j'avais cherché à tuer Natalie, en tout cas lorsqu'elle avait sa tête à elle. Même dans ses pires moments d'aigreur, elle s'est abstenue de lancer les mots impardonnables, comme une femme affligée d'un mari malade et acariâtre, par superstition ou reste de bonté, se retient de dire : « J'aimerais te voir mort. » Mais si elle avait eu le choix, elle aurait préféré voir Natalie en vie plutôt que moi. Je ne l'en blâme pas. J'ai tout de suite trouvé cela parfaitement naturel et c'est toujours le cas.

Etendu loin d'elle dans notre immense lit, j'attendais qu'elle s'endorme, sachant qu'il lui faudrait peut-être des heures, m'inquiétant du programme surchargé du lendemain, de la façon dont je pourrais tenir le coup si ces affreuses nuits se perpétuaient, répétant dans le noir la litanie de mes justifications : « Pour l'amour du ciel, c'était un accident. Je ne l'ai pas cherché. Je ne suis pas le seul père qui ait écrasé son enfant. Elle était censée s'occuper de Natalie, c'était sa responsabilité, pas la mienne — elle me l'a assez fait comprendre. Elle aurait au moins pu s'en occuper correctement. » Mais cette hargneuse auto-justification était aussi banale et hors de propos que les excuses que se trouve un enfant qui a cassé un vase.

Nous savions tous les deux qu'il nous fallait quitter Lathbury Road. « Nous ne pouvons pas rester ici, disait Helena. Nous devrions chercher une maison près du centre. Après tout, c'est ce que tu as toujours voulu. Tu n'as jamais vraiment aimé cet endroit. »

Le sous-entendu était clair : tu as ce que tu voulais ; grâce à sa mort, nous allons déménager.

Six mois plus tard, nous nous sommes installés à St John Street, dans une maison georgienne tout en hauteur, avec une porte d'entrée donnant sur la rue et pas de place pour se garer. Lathbury Road était une maison familiale ; celle-ci, une maison pour célibataire ou couple sans enfants. Le changement me convenait, car j'aimais être près du centre, et l'architecture georgienne, même hypothétique et exigeant de constants travaux d'entretien, a plus de cachet que l'architecture édouardienne. Nous n'avions plus fait l'amour depuis la mort de Natalie, et Helena prit alors une chambre pour elle. Sans que nous en ayons jamais discuté, je savais qu'elle voulait dire par là qu'il n'y aurait pas de seconde chance, que j'avais tué non seulement sa fille bien-aimée mais tout espoir d'un autre enfant, de ce fils que j'aurais préféré, pensait-elle. Mais nous étions en octobre 1994, et la question ne se posait plus. Ce qui ne signifie pas que nous vivions complètement séparés, bien sûr. Le sexe et le mariage sont plus compliqués que cela. De temps à autre, je franchissais les quelques pas qui séparaient nos chambres. Elle me tolérait. Mais entre nous s'était ouvert un gouffre plus large, plus permanent, que je ne faisais nul effort pour franchir.

Cette étroite maison de cinq étages est trop grande pour moi, mais avec notre population en baisse, il est peu vraisemblable qu'on me reproche de ne pas la partager. Il n'y a pas d'étudiants pour réclamer des chambres, pas de jeunes familles sans domicile pour troubler la conscience des plus privilégiés. Je l'occupe tout entière, passant d'un étage à l'autre au gré de mes activités quotidiennes, comme pour marquer méthodiquement de mon empreinte de propriétaire le vinyle, la moquette, les tapis, le parquet. Au sous-sol, la salle à manger voisine avec la cuisine, d'où un large escalier de pierre conduit au jardin. Au-dessus, deux petites pièces ont été réunies en une, qui sert de séjour, de bibliothèque, de salle de musique et de télévision — un endroit idéal pour recevoir mes étudiants. Au premier étage se trouve un vaste salon en forme de L, composé lui aussi de deux pièces, ainsi qu'en témoignent les deux cheminées discordantes. Par la fenêtre de derrière, j'ai vue sur le petit jardin clos avec son unique bouleau argenté. Devant, deux hautes et élégantes fenêtres donnent sur un balcon et la rue.

N'importe qui pourrait en la voyant se faire une idée assez claire du propriétaire de cette pièce. Manifestement un universitaire : trois parois sont couvertes de livres du plancher au plafond. Un historien : le titre des ouvrages l'indique. Un homme qui s'intéresse essentiellement au XIXe siècle : non seulement les livres, mais les tableaux et la décoration proclament son obsession : figurines commémoratives du Staffordshire, toiles de genre victoriennes, papier peint William Morris. Pièce aussi d'un homme qui aime son confort et vit seul. Il n'y a pas de photos de famille, pas de jeux de société, pas de désordre, pas de poussière, pas de fouillis féminin, peu de chose en fait attestant qu'on y vit. Un visiteur pourrait en outre deviner que rien ici n'a été hérité, que tout a été acheté. Il n'y a aucun de ces objets uniques ou bizarres, vénérés ou tolérés parce qu'on les a toujours vus, pas de portraits de famille, pas de tableaux médiocres auxquels on a donné une place parce qu'ils parlent d'ancêtres. C'est la pièce d'un homme qui s'est élevé dans le monde en s'entourant des symboles de sa réussite et de ses manies. Mrs Kavanagh, la femme d'un des domestiques du collège, vient trois fois par semaine nettoyer pour moi et me donne toute satisfaction. Je n'ai aucune envie d'avoir recours aux Séjourneurs auxquels j'ai droit en tant qu'ex-conseiller du gouverneur de l'Angleterre.

La pièce que je préfère est située sous le toit, une petite mansarde avec une cheminée charmante en fer forgé et carreaux peints, meublée seulement d'un bureau et d'une chaise, mais avec tout le nécessaire pour faire du café. Une fenêtre sans rideaux donne sur le campanile de St Barnabas, et, au loin, le flanc verdoyant de Wytham Wood. C'est ici que j'écris mon journal, prépare mes cours et séminaires, rédige mes articles historiques. La porte d'entrée est quatre étages au-dessous, ce qui n'est pas pratique pour répondre aux coups de sonnette ; mais j'ai pris mes dispositions pour qu'aucun visiteur inattendu ne vienne compromettre mon indépendance.

L'année dernière, en février, Helena m'a quitté pour Rupert Clavering, de treize ans plus jeune qu'elle, qui combine l'apparence d'un joueur de rugby acharné avec, force m'est de l'admettre, une sensibilité d'artiste. Il dessine des jaquettes de livres et des affiches, et cela fort bien. Je me rappelle quelque chose qu'elle a dit au cours de nos discussions d'avant le divorce, où je m'efforçais de ne laisser entrer ni acrimonie ni passion : que je n'avais couché avec elle à intervalles soigneusement calculés que parce que je voulais que des besoins plus subtils que l'assouvissement d'un grossier désir sexuel président à mes liaisons avec mes étudiantes. Ce ne sont évidemment pas ses paroles exactes, mais c'est ce qu'elle voulait dire. Je crois qu'elle nous a surpris tous les deux par son intuition.

6

La tâche consistant à écrire son journal — car Theo y voyait une tâche et non pas un plaisir — faisait désormais partie de sa vie surorganisée, s'ajoutant le soir à une routine hebdomadaire à moitié dictée par les circonstances, à moitié cultivée délibérément dans le but d'imposer un ordre et un sens à une existence devenue informe. Le Conseil d'Angleterre avait décrété que tous les citoyens devraient, en plus de leur travail habituel, prendre part à deux séances hebdomadaires de formation dans des matières qui pourraient les aider à survivre au cas où ils compteraient parmi les derniers représentants de la civilisation. Le choix était libre. Xan avait toujours eu la sagesse d'offrir un choix aux gens dans des domaines où le choix était sans importance. Theo avait décidé de travailler deux heures à l'hôpital John Radcliffe, non parce qu'il se sentait à l'aise dans sa hiérarchie antiseptique ou imaginait que ses soins aux malades et aux vieux, qui à la fois le terrifiaient et lui répugnaient, pouvaient en rien être plus agréables pour ceux qui en bénéficiaient que pour lui-même, mais parce qu'il estimait que le savoir acquis pourrait lui être personnellement utile, et que l'idée n'était pas mauvaise, le besoin s'en faisant sentir, de savoir où il pourrait avec un peu d'adresse mettre la main sur des médicaments. La seconde séance de deux heures, il la passait plus plaisamment à s'initier aux travaux d'entretien d'une maison, trouvant dans la bonne humeur et les rudes commentaires critiques des artisans chargés de l'enseignement un précieux contrepoids à la tatillonne pédanterie du milieu universitaire. Son emploi rémunéré consistait à enseigner aux étudiants adultes à plein ou à mi-temps qui, avec les rares anciens élèves préparant une licence ou une thèse, justifiaient l'existence de l'Université. Deux fois par semaine, le mardi et le vendredi, il dînait au réfectoire. Le mercredi, il ne manquait jamais l'office du soir à Magdalen Chapel. Un petit nombre de collèges ayant des étudiants plus excentriques que la normale ou une détermination obstinée à ignorer la réalité continuaient à utiliser leur chapelle à des fins religieuses, et certains en étaient même revenus au rituel de l'Eglise anglicane. Mais le chœur de Magdalen comptait parmi les plus appréciés, et Theo se déplaçait pour l'entendre chanter, et non pour participer à un culte archaïque.

L'incident se produisit le quatrième vendredi de janvier. Alors qu'il se rendait à Magdalen comme à l'accoutumée, il avait tourné de St John Street dans Beaumont Street et approchait de l'entrée de l'Ashmolean Museum lorsqu'une femme s'avança vers lui en poussant un landau. La bruine avait cessé, et comme elle arrivait à sa hauteur, elle s'arrêta pour retirer la couverture imperméable et rabattre la capote. La poupée apparut, installée bien droite contre les coussins, les deux bras, mains gantées, posés sur l'édredon, parodie d'enfant à la fois pathétique et sinistre. Surpris et rebuté, Theo demeura comme hypnotisé. Les iris glacés, d'une grandeur anormale, plus bleus que ceux d'aucun œil humain, d'un azur rutilant, semblaient fixer sur lui leur regard aveugle qui pourtant suggérait une intelligence latente, étrangère et monstrueuse. Les cils, brun-noir, dessinaient des pattes d'araignée sur la porcelaine délicatement peinte, et une abondance adulte de cheveux frisés jaillissait de dessous l'étroit bonnet bordé de dentelle.

Il y avait des années qu'il n'avait pas vu une poupée ainsi exhibée ; mais vingt ans plus tôt, elles faisaient fureur. Leur fabrication, parallèlement à la production de landaus, était le seul secteur de l'industrie du jouet qui eût durant une décennie continué à prospérer, sortant toute une gamme de modèles pour répondre au désir de maternité frustré, certains bon marché et sans goût, mais d'autres d'une facture et d'une beauté exceptionnelles, qui auraient pu, n'était Oméga auquel ils devaient l'existence, devenir de précieux héritages. Les plus coûteux — que certains dépassaient de beaucoup 2 000 livres — pouvaient s'obtenir dans différentes tailles : nouveau-nés, poupons de six mois, d'un an, enfants de dix-huit mois pouvant se tenir debout et marcher. Il se souvenait maintenant qu'on les appelait des Semestriels. A un certain moment, il était impossible de se promener dans High Street sans être gêné par les landaus et les groupes de fausses mères admiratives. Il croyait se rappeler qu'il y avait même eu des pseudo-naissances, et que les poupées cassées étaient cérémonieusement enterrées en terre consacrée. Que des églises pussent légitimement servir à ces mascarades, et des prêtres ordonnés y prendre part, n'avait-il pas fait l'objet d'une dispute ecclésiastique mineure au début des années 2000 ?

Le voyant regarder, la femme eut un sourire idiot, un sourire invitant à la complicité, aux félicitations. Puis, comme leurs yeux s'étaient rencontrés et qu'il avait baissé les siens pour qu'elle ne vît pas son profond mépris tempéré d'une vague pitié, elle tira brusquement le landau à elle et leva le bras dans un geste de rejet comme pour se protéger de ses importunités masculines. Un passant plus compréhensif s'arrêta pour lui parler. Une femme d'âge mûr dans un tailleur de tweed parfaitement coupé, la chevelure impeccable, s'approcha du landau, sourit à la fausse mère et se mit à la complimenter. L'autre, minaudant de plaisir, se penchant en avant, tapota l'édredon, rajusta le bonnet, écarta une mèche de cheveux. Et son interlocutrice se pencha à son tour pour chatouiller la poupée sous le menton comme elle l'eût fait d'un chat, gâtifiant à l'envi.

Plus déprimé et écœuré par ces simagrées que ne le justifiait sans doute une comédie aussi inoffensive, Theo avait déjà tourné les talons quand la deuxième femme empoigna tout à coup la poupée, l'arracha à ses couvertures et, sans un mot, la fit tourner deux fois au-dessus de sa tête en la tenant par les jambes pour la précipiter ensuite contre le mur de pierre avec une violence prodigieuse. Le visage vola en éclats et les fragments de porcelaine tombèrent en tintinnabulant sur le trottoir. Durant deux secondes, la fausse mère garda un silence absolu. Après quoi elle se mit à hurler. Le cri était affreux, un hurlement de suppliciée, un cri perçant, terrifié, inhumain et pourtant trop humain, impossible à arrêter. Elle était plantée là, le chapeau de travers, la tête renversée vers le ciel, et de sa bouche démesurément ouverte jaillissait une douleur atroce mêlée d'angoisse et de fureur. Elle parut d'abord ignorer que l'autre était restée sur place à l'observer avec un mépris silencieux. Puis la femme se décida à faire demi-tour et franchit d'un pas vif les grilles ouvertes donnant accès à la cour du musée, où elle disparut. Soudain consciente que l'agresseur lui échappait, la fausse mère partit alors au galop derrière elle, toujours hurlant, jusqu'au moment où, se rendant apparemment compte de la vanité de sa poursuite, elle revint au landau. Un peu plus calme, elle se mit à genoux et entreprit de ramasser les morceaux, sanglotant et gémissant doucement, essayant de les assembler comme les pièces d'un puzzle. Les yeux miroitants, horriblement réels, unis par un ressort, roulèrent aux pieds de Theo. Un instant, il fut tenté de les ramasser, de proposer son aide, de dire au moins quelques mots de réconfort. Il aurait pu lui faire valoir qu'elle pouvait s'acheter un autre enfant. Cette consolation, il n'avait pas été en mesure de l'offrir à sa femme. Mais son hésitation ne dura pas. Il décampa. La malheureuse demeura seule. Les femmes d'un certain âge, en particulier celles qui avaient atteint la maturité l'année d'Oméga, étaient d'une instabilité notoire.

Il arriva à la chapelle alors que le service s'apprêtait juste à commencer. L'un derrière l'autre, les huit hommes et huit femmes qui composaient le chœur allèrent prendre leur place, et leur apparition ralluma le souvenir des chœurs de jadis, des jeunes garçons qui entraient, l'air grave, avec une expression presque imperceptible de fanfaronnade enfantine, bras croisés tenant sur leur poitrine étroite les partitions du jour, face illuminée de l'intérieur, cheveux brossés en coiffe luisante, visage surnaturellement solennel au-dessus du col empesé. Theo chassa l'image, s'étonnant qu'elle fût si tenace alors que les enfants ne l'avaient jamais particulièrement touché. Il fixa les yeux sur le chapelain et se rappela la scène à laquelle il avait assisté quelques mois plus tôt, un jour qu'il était arrivé avant le début de l'office. Un jeune cerf du parc de Magdalen était, Dieu sait comment, entré dans la chapelle, où il se tenait aussi tranquillement à côté de l'autel que s'il avait été dans son habitat naturel. Le chapelain, poussant des cris d'orfraie, s'était rué sur lui, le bombardant de livres de prières, martelant ses flancs satinés. Surpris, l'animal avait docilement essuyé l'assaut avant de se décider à quitter la chapelle d'un pas léger et désinvolte.

Le chapelain avait alors tourné vers Theo un visage ruisselant de larmes. « Bon sang, pourquoi ne peuvent-ils pas attendre ? Maudits animaux. Ce sera à eux bien assez tôt. Pourquoi ne peuvent-ils pas attendre ? »

Devant le visage empreint de gravité, de suffisance, qu'il avait maintenant sous les yeux, et dans la paisible lumière des cierges, ce souvenir semblait se réduire à une scène bizarre issue d'un cauchemar à demi oublié.

L'assemblée, comme d'habitude, se résumait à moins de trente personnes, dont beaucoup étaient là aussi régulièrement que lui, si bien que Theo les connaissait. Mais il y avait aussi une nouvelle venue, une jeune femme, assise dans la travée opposée à la sienne, dont le regard était parfois difficile à éviter bien qu'elle ne donnât aucun signe de reconnaissance. La chapelle était faiblement éclairée, et dans le vacillement des cierges, son visage luisait d'une douce lumière, qui tantôt le dessinait clairement et tantôt lui donnait une apparence fantomatique. Mais il ne lui était pas inconnu. Cette femme, il l'avait déjà vue, et pas seulement entr'aperçue : vue face à face, durant un certain temps. Il s'efforça par tous les moyens de se souvenir, les yeux rivés sur sa tête penchée pendant la confession, l'air de regarder au-delà d'elle avec une pieuse concentration pendant la première lecture des Ecritures, mais sans cesse conscient d'elle, essayant de ramener son image à la surface de sa mémoire. A la fin de la deuxième lecture, alors qu'il commençait à s'irriter de son échec et que le chœur, décidément un peu âgé, ouvrait ses partitions et fixait les yeux vers son chef, dont la petite silhouette en surplis attendait, bras levés comme des pattes, l'attaque de l'orgue pour donner le départ, Theo se rappela. Elle avait brièvement suivi le cours sur « la vie et l'époque victoriennes » — ou « les femmes dans le roman victorien » — qu'il avait assuré dix-huit mois plus tôt pour Colin Seabrook. La femme de ce dernier venait d'être opérée d'un cancer, et le projet qu'il avait de partir en vacances avec elle dépendait de l'éventuel remplaçant qu'il pourrait trouver pour quatre de ses cours. Theo se souvenait encore de leur conversation, de ses protestations sans conviction.

« Ne crois-tu pas que tu devrais plutôt trouver un angliciste !

— J'ai essayé, mon vieux. Ils ont tous des excuses : l'heure ne leur convient pas ; ils sont trop occupés ; ce n'est pas leur période ; ils pourraient une fois, mais pas quatre. Allez, sois gentil, ce n'est qu'une heure : le jeudi, de six à sept. Et tu n'auras pas à t'inquiéter de la préparation. Je me suis limité à quatre livres, que tu dois connaître par cœur : *Mid-*

dlemarch, *Un portrait de femme*, *La Foire aux vanités* et *Cranford*. Tout cela pour quatorze élèves, des femmes quinquagénaires pour la plupart. Sans petits-enfants pour les occuper, elles ne savent que faire de leur temps — tu vois le genre. Charmantes, d'ailleurs, même si elles sont un peu conventionnelles. Tu vas les adorer. Et elles seront folles de t'avoir. La consolation de la culture, voilà ce qu'elles veulent, et en cela, elles ne font que suivre les recommandations de notre estimé gouverneur, ton cousin. Elles ne demandent rien d'autre que s'évader momentanément dans un monde plus agréable, plus stable. Nous en sommes tous là, mon cher, qu'on parle de culture ou d'érudition. »

En fait, les élèves étaient quinze, et non pas quatorze. Elle était entrée avec deux minutes de retard et avait tranquillement pris place au fond. Puis il avait vu, comme maintenant, sa tête se découper contre des panneaux de bois sombre. Quand s'était tari le flot des élèves suivant la filière normale, les classes qui leur étaient jusque-là réservées avaient été ouvertes à tous ceux qui souhaitaient parfaire leur culture, et le cours avait lieu dans une des belles salles lambrissées de Queen's College. Elle avait écouté, l'air attentif, son introduction sur Henry James, et dans le débat général qui s'était ensuivi, elle avait attendu pour prendre la parole qu'une grosse dame installée au premier rang se lançât dans un éloge extravagant des qualités morales d'Isabel Archer et déplorât son cruel destin avec des larmes dans la voix.

Elle éclata alors : « Je ne vois pas pourquoi il faudrait plaindre quelqu'un qui a tant reçu et qui en a fait si piètre usage. Elle aurait pu épouser Lord Warburton et aider ses gens, aider les pauvres. Elle ne l'aimait pas, d'accord, c'est une excuse, et elle avait d'autres ambitions qu'un mariage avec Lord Warburton. Mais quoi ? Elle n'a pas de talent créatif, pas de métier, pas de formation. Quand elle se retrouve riche grâce à son cousin, qu'est-ce qu'elle fait ? Elle se met à courir le monde avec Madame Merle — quelle idée ! Et ensuite, elle épouse ce prétentieux hypocrite et ne songe plus qu'à s'habiller pour ses réceptions du jeudi. Que devient son idéalisme ? Non, je préfère Henrietta Stackpole. »

La grosse dame avait protesté : « Oh, elle est si vulgaire !

— C'est ce que pense Mrs Touchett, et c'est ce que pense l'auteur. Mais au moins elle a du talent, et elle s'en sert pour gagner sa vie et pour aider sa sœur. » Puis elle ajouta : « Isabel Archer et Dorothea écartent toutes les deux des partis acceptables pour épouser de pompeux idiots, mais on sympathise davantage avec Dorothea. Peut-être parce que George Eliot respecte son héroïne alors qu'Henry James méprise la sienne, au fond. »

Elle s'était montrée provocante peut-être simplement pour dissiper l'ennui, Theo y avait songé. En tout cas, la discussion qui avait suivi avait été bruyante et animée, et la demi-heure qui restait avait pour une fois passé vite et de manière agréable. Si bien que, le jeudi suivant, il avait été déçu, et légèrement vexé, de ne pas la voir revenir.

Sa curiosité apaisée par la réminiscence, il put tranquillement écouter le deuxième motet. Depuis dix ans, la coutume voulait à Magdalen qu'on fît entendre une pièce enregistrée durant l'office du soir. Sur la feuille imprimée donnant le programme du service, Theo vit qu'on entendrait aujourd'hui le premier d'une série de motets anglais du XVe siècle, commençant par « Teach me, O Lord » et « Exult Thyself, O God », de William Byrd. Il y eut un bref silence pendant que l'*informator choristarum* se penchait pour enclencher l'enregistreur, puis les voix de garçons, douces, claires, asexuées, telles qu'il n'en existait plus depuis la mue du dernier choriste, s'élevèrent et emplirent la chapelle. Il regarda la fille, mais elle se tenait immobile, la tête renversée en arrière, les yeux fixés sur les nervures du plafond, en sorte qu'il ne pouvait voir d'elle que la courbe de son cou. Cependant, à l'autre bout de la rangée, il reconnut soudain quelqu'un : le vieux Martindale, un professeur d'anglais à la veille de la retraite quand lui-même commençait d'enseigner. Parfaitement immobile et le visage levé, lui aussi, il pleurait, et dans la lumière des cierges, les larmes qui suivaient le sillon profond de ses rides luisaient comme des perles. Le vieux Marty, seul, célibataire, qui toute sa vie avait adoré la beauté des garçons. Pourquoi, se demanda Theo, lui et ses semblables venaient-ils semaine après semaine chercher ce plaisir masochiste ? Ces voix d'enfants enregistrées, ils pouvaient parfaitement les écouter chez eux, alors pourquoi venir ici, où tout contribuait à aviver le regret du passé ? Pourquoi lui-même y venait-il ? Cette question, il en connaissait la réponse. Pour sentir. Sentir, sentir, sentir. Au risque que ce soit pénible, éprouver quelque chose.

La jeune femme quitta la chapelle avant lui, d'un pas rapide, presque à la dérobée. Mais lorsqu'il retrouva l'air frais, il fut surpris de la voir qui attendait.

Elle s'approcha de lui et demanda : « Puis-je vous parler ? C'est important. »

De l'entrée, une vive lumière déferlait dans le crépuscule, et pour la première fois il la vit clairement. Ses cheveux sombres et abondants, dont le brun profond s'animait de reflets dorés, étaient ramenés en arrière en une courte tresse disciplinée. Une frange tombait sur un haut front marqué de taches de son. Elle avait le teint clair pour une chevelure aussi foncée — une femme couleur de miel, avec un long cou et des pommettes hautes, des yeux écartés, de nuance indéfinissable, sous de forts sourcils droits, un long nez étroit, légèrement busqué, et une large bouche au dessin magnifique. Un visage préraphaélite. Rossetti eût aimé la peindre. Elle était habillée comme le voulait la mode — sauf pour les Omégas — d'une courte veste ajustée sur une jupe de lainage tombant à mi-mollet, au-dessous de laquelle il put voir qu'elle portait les chaussettes de couleur qui faisaient fureur cette année — les siennes étaient jaune vif. Un sac de cuir était accroché à son épaule gauche. Elle n'avait pas de gants, et il remarqua que sa main gauche était déformée. L'index et le majeur étaient fondus en un moignon sans ongle, et le dessus de la main présentait une énorme enflure. Cette main déformée reposait dans l'autre, qui semblait vouloir la bercer, la consoler. La femme ne faisait rien pour la cacher. Elle paraissait même proclamer son droit à l'existence dans un monde devenu toujours plus intolérant face aux imperfections physiques. Mais, songeait-il, elle avait au moins une compensation. Aucune femme ayant une difformité, souffrant d'une quelconque maladie physique ou mentale, n'était portée sur la liste de celles qui devraient engendrer une nouvelle race au cas où l'on découvrirait un mâle fécond. Elle échappait, au moins, aux humiliants et interminables examens que toutes les femmes devaient sinon subir tous les six mois jusqu'à quarante-cinq ans.

Elle dit encore, plus calmement : « Ce ne sera pas long. Mais je vous en prie, il faut que je vous parle, Dr Faron.

— Alors s'il le faut... » Il était intrigué, mais il n'arrivait pas à rendre sa voix aimable.

« Peut-être pourrions-nous aller dans le nouveau cloître. »

Ils firent demi-tour en silence. « Vous ne me connaissez pas, dit-elle.

— Non, mais je me souviens de vous. Vous êtes venue au deuxième cours que j'ai donné pour le Dr Seabrook. Grâce à vous, la discussion a été animée.

— Je crains de m'être laissé emporter. » Puis elle

ajouta, comme s'il était important de l'expliquer : « J'admire beaucoup *Un portrait de femme.*

— Mais je ne pense pas que vous ayez combiné cette rencontre pour me rassurer sur mes goûts littéraires. »

Dès qu'il eut prononcé ces mots, il les regretta. Elle rougit, et il sentit un recul instinctif, une perte de confiance en elle, et peut-être en lui. La remarque qu'elle avait faite l'avait déconcerté par sa naïveté, mais il n'aurait pas dû répondre avec cette ironie blessante. Le malaise qu'elle éprouvait était contagieux. Il espéra qu'elle n'allait pas l'embarrasser avec des révélations personnelles ou des demandes affectives. Il était difficile de concilier l'aisance pleine d'ardeur dont elle avait fait preuve dans la discussion et la gaucherie presque adolescente qu'elle montrait à présent. Essayer de s'excuser était inutile, et pendant une demi-minute ils marchèrent en silence.

« J'ai été déçu que vous ne reveniez pas, dit-il enfin. Le cours m'a paru bien morne la semaine suivante.

— Je serais revenue, mais on a changé mon horaire, on m'a mise dans une autre équipe. Il fallait que je travaille. » Elle n'expliqua pas où, ni à quoi, mais ajouta sans transition : « Je connais votre nom, bien sûr, mais vous ne savez probablement pas le mien. Je m'appelle Julian.

— Julian. C'est rare pour une femme. Est-ce que vous devez ce nom-là à Julian de Norwich ?

— Non, je ne pense pas que mes parents aient jamais entendu parler d'elle. Quand mon père est allé déclarer ma naissance, il a donné le nom de Julie Ann. C'est celui que mes parents avaient choisi. L'officier d'état civil a dû mal comprendre, et peut-être que mon père n'a pas été très clair. Il s'est passé trois semaines avant que ma mère remarque l'erreur : elle a pensé que c'était trop tard pour changer. Et puis je crois que le nom lui plaisait. C'est ainsi qu'on m'a baptisée Julian.

— Mais j'imagine qu'on vous appelle Julie.

— Qui, "on" ?

— Vos amis. Votre famille.

— Je n'ai pas de famille. Mes parents se sont fait tuer dans une émeute raciale en 2002. Mais pourquoi m'appellerait-on Julie ? Ce n'est pas mon nom. »

Elle était parfaitement polie, pas le moins du monde agressive. Il aurait pu penser que sa remarque l'avait stupéfiée, mais pourquoi ? C'était une remarque stupide, irréfléchie, peut-être même condescendante, mais elle n'avait rien de ridicule. En tout cas, si cette rencontre était le préliminaire à une demande de conférence sur l'histoire sociale au XIXe siècle, elle commençait de curieuse façon.

« Pourquoi vouliez-vous me voir ? » demanda-t-il.

Maintenant qu'elle se trouvait au pied du mur, il la sentait réticente à parler, non par gêne ou regret d'avoir pris l'initiative de le rencontrer, songea-t-il, mais parce qu'elle avait à dire quelque chose d'important et qu'il lui fallait trouver les mots justes.

Elle s'arrêta et leva les yeux vers lui. « Il se passe en Angleterre — en Grande-Bretagne — certaines choses qui ne vont pas. J'appartiens à un petit groupe d'amis pour qui il faut essayer d'y mettre fin. Vous avez été membre du conseil d'Angleterre. Le gouverneur est votre cousin. Avant d'agir, nous avons pensé que vous pourriez lui parler. Nous ne sommes pas vraiment sûrs que vous puissiez quoi que ce soit, mais deux d'entre nous, Luke — c'est un prêtre — et moi, pensions qu'il valait la peine d'essayer. Le chef du groupe est mon mari, Rolf. Il était d'accord pour que je vienne vous trouver.

— Pourquoi vous ? Pourquoi n'est-il pas venu lui-même.

— J'imagine que pour lui — et pour les autres —

je suis la seule qui ait une chance de vous convaincre.

— De me convaincre de quoi ?

— Simplement de nous rencontrer, que nous puissions vous expliquer ce que nous envisageons de faire.

— Et si vous me l'expliquiez maintenant, que je puisse décider si je dois ou non vous rencontrer ? Et d'abord, qu'est-ce que c'est que ce groupe dont vous me parlez ?

— Nous sommes cinq, c'est tout. Et nous n'avons encore rien commencé. Nous ne ferons peut-être rien du tout s'il y a un espoir de persuader le Gouverneur d'agir. »

Il dit prudemment : « Je n'ai jamais été membre du Conseil à part entière, seulement conseiller personnel du Gouverneur. Et depuis trois ans, je n'ai pas assisté à une seule séance, je ne vois plus le Gouverneur. Les liens qui nous unissent n'ont plus de signification pour nous. Mon influence sur lui n'est probablement pas plus grande que la vôtre.

— Mais vous pouvez le voir. Nous pas.

— Vous pouvez essayer. Il n'est pas totalement inaccessible. Des gens lui téléphonent, obtiennent parfois de lui parler. Il faut naturellement qu'il se protège.

— Contre le peuple ? Mais le voir, ou seulement lui parler, ce serait lui faire connaître notre existence, et peut-être même qui nous sommes — ce serait nous livrer à la Police de Sécurité. Non, c'est trop risqué.

— Vous le pensez vraiment ?

— Oh oui, fit-elle tristement. Pas vous ?

— Non, je ne crois pas. Mais si vous avez raison, vous prenez de toute manière un grand risque. Qui vous dit que vous pouvez me faire confiance ? Vous n'envisagez sûrement pas de mettre votre sécurité à ma merci sur la base d'un unique séminaire de littérature victorienne ? Est-ce que, dans votre groupe, quelqu'un d'autre me connaît ?

— Non. Mais deux d'entre nous, Luke et moi, avons lu certains de vos livres.

— Il est imprudent de juger de la probité personnelle de quelqu'un d'après ses écrits, remarqua-t-il sèchement.

— C'était le seul moyen que nous ayons. Nous savons que c'est un risque, mais c'est un risque à prendre. Acceptez de nous rencontrer, je vous en prie. Je vous en prie, entendez au moins ce que nous avons à dire. »

Il y avait dans sa voix une supplication manifeste, simple et directe, et tout à coup il crut comprendre pourquoi. Venir le trouver était son idée. Elle avait agi avec l'assentiment réticent du reste du groupe, peut-être même contre la volonté de son chef. Le risque qu'elle prenait était sien. S'il n'acquiesçait pas à sa demande, elle s'en retournerait les mains vides, humiliée. Il vit qu'il ne pouvait pas refuser.

« D'accord, dit-il alors même qu'il savait commettre une erreur. Je vous verrai. Où et quand a lieu votre prochaine réunion ?

— Dimanche à dix heures, à l'église St Margaret de Binsey. Vous connaissez ?

— Je connais Binsey, oui.

— Alors à dix heures. Dans l'église. »

Ayant obtenu ce qu'elle voulait, elle ne s'attarda pas. C'est à peine s'il l'entendit murmurer : « Merci. Merci. » Puis elle s'éloigna sans plus faire de bruit que les ombres qui peuplaient le cloître.

Il la laissa prendre une minute d'avance pour être sûr de ne pas la rattraper, après quoi, solitaire et silencieux, il rentra chez lui.

7

Samedi 30 janvier 2021

Ce matin à sept heures, Jasper Palmer-Smith a téléphoné pour me demander de passer le voir. L'affaire était urgente. Il ne m'a pas donné d'explication, mais il en donne rarement. Je lui ai dit que je pourrais venir tout de suite après le déjeuner. Ces convocations, toujours plus péremptoires, deviennent aussi de plus en plus fréquentes. Autrefois, il réclamait ma présence une fois par trimestre ; maintenant, c'est environ une fois par mois. Il a été mon professeur d'histoire, et c'était un merveilleux enseignant, surtout pour les élèves intelligents. En tant qu'étudiant, je n'ai jamais admis que je l'aimais bien ; je disais d'un ton d'indulgence désinvolte : « Jasper n'est pas mal. Je m'entends parfaitement avec lui. » A cette entente, il y avait une raison compréhensible sinon très honorable : j'étais son favori de ma volée. Il avait toujours un favori. Mais la relation était exclusivement scolaire ou presque. Il n'est pas gay, et il n'aime pas particulièrement les jeunes ; en fait, son horreur des enfants était devenue si légendaire qu'on avait grand soin de les tenir à l'écart les rares fois où il condescendait à accepter une invitation privée à dîner. Mais chaque année, il choisissait un étudiant — invariablement un garçon — pour le patronner. A notre avis, ses critères étaient, dans l'ordre, l'intelligence, la beauté, et l'esprit. Son choix prenait du temps, mais une fois fait, il était irrévocable. Pour l'élu, c'était une relation sans souci, car du moment où il avait été choisi, tout ce qu'il faisait était bien. Elle n'éveillait en outre ni ressentiment ni envie parmi ses condisciples, car JPS était par trop impopulaire pour être courtisé, et tout le monde admettait que le favori l'était devenu malgré lui. Pourtant, on lui promettait la mention très bien : ses prédécesseurs l'avaient tous obtenue. A l'époque où je fus choisi, j'étais assez vaniteux et confiant pour y croire, mais j'y voyais une probabilité dont je n'avais pas lieu de me soucier avant au moins deux ans. Cependant, je travaillais dur : je voulais lui plaire, justifier son choix. Avoir la préférence flatte toujours l'amour-propre, et l'on se sent tenu de faire quelque chose en contrepartie — ce qui explique nombre de mariages autrement incompréhensibles. Qui sait, d'ailleurs, si ce ne fut pas là le fondement de son propre mariage avec une collègue de cinq ans plus âgée que lui, professeur de mathématique à New College. Ils semblaient assez bien s'entendre, du moins en société, mais les femmes en général éprouvaient pour lui une intense aversion. Au début des années 1990, quand le harcèlement sexuel devint un sujet de plaintes à la mode, il lança une campagne infructueuse afin d'obtenir qu'un chaperon assistât à tous les cours privés donnés aux étudiants, faute de quoi, disait-il, ses collègues hommes et lui risquaient des accusations sans fondement. Personne ne s'entendait mieux que lui à saper la confiance d'une femme tout en la traitant avec une considération et une courtoisie si scrupuleuses qu'elles en étaient presque insultantes.

Il ressemblait à une caricature de l'idée populaire du professeur d'Oxford : front haut et dégarni, nez fin et légèrement crochu, lèvres minces et serrées. Il marchait le menton jeté en avant comme pour affronter une tempête, les épaules relevées, sa toge décolorée flottant autour de lui. On s'attendait à le voir peint en col montant, comme un personnage de *la Foire aux vanités,* tenant l'un de ses livres de ses délicats doigts fuselés.

Il me faisait parfois ses confidences et me traitait comme son successeur désigné. Ce qui, bien sûr, n'avait aucun sens : il me donnait beaucoup, mais il n'était pas en mesure de tout me donner. Cependant, l'impression qu'avait son favori du moment d'être en quelque sorte un prince héritier m'a amené par la suite à me demander si ce n'était pas sa façon à lui de faire face à l'âge, au temps, à l'inévitable usure du tranchant de l'esprit, son illusion d'immortalité personnelle.

Il proclamait souvent ses opinions sur Oméga, litanie d'idées rassurantes que partageaient nombre de ses collègues, notamment ceux qui étaient bien pourvus en vin ou avaient accès à la cave du collège.

« Je ne m'inquiète pas outre mesure. Oh, j'avoue que j'ai eu un instant de regret en apprenant qu'Hilda était stérile — il fallait bien que les gènes fassent valoir leurs droits ataviques, j'imagine. Mais dans l'ensemble, je suis content ; on ne peut pas pleurer des petits-enfants que l'on n'a jamais espéré avoir. Et de toute manière, cette planète est condamnée. Le soleil finira par exploser, ou refroidir, et une particule négligeable de l'univers va disparaître sans plus qu'un frémissement. Si l'homme est voué à périr, je ne vois pas de moyen moins douloureux que la stérilité universelle. Et puis, il y a des compensations personnelles, après tout. Pendant soixante ans, nous nous sommes pliés aux exigences du groupe le plus ignorant, le plus criminel et le plus égoïste de la société. Maintenant, pour le temps qui nous reste à vivre, nous n'aurons plus à subir l'importune barbarie des jeunes, leur boucan, le martèlement répétitif de leur pseudo-musique sortie d'ordinateurs, leur violence, leur égoïsme camouflé en idéalisme. Bon Dieu, nous allons peut-être même réussir à nous débarrasser de Noël, cette célébration annuelle de la culpabilité parentale et de l'avidité juvénile. J'entends que ma vie soit agréable, et quand elle ne le sera plus, eh bien, j'avalerai ma pilule finale avec une bouteille de bordeaux. »

Son plan de survie confortable jusqu'au dernier moment possible avait de même été adopté par des milliers de gens à l'époque où, avant la prise de pouvoir de Xan, la grande peur était l'effondrement total de l'ordre. Départ de la ville — en l'occurrence de Clarendon Square — pour une petite maison de campagne dans une région boisée, avec un jardin où cultiver des légumes, une rivière à proximité dont l'eau puisse être bue une fois bouillie, une cheminée et une provision de bois, des allumettes pour des années, une pharmacie avec des médicaments et des seringues, et surtout, de solides portes et de solides serrures contre la convoitise que pourrait susciter un jour leur sage économie chez les moins prévoyants. Chez Jasper, depuis quelques années, la prévoyance tournait toutefois à l'obsession. Dans le jardin, la réserve de bois a été remplacée par un bâtiment de brique dont la porte métallique se commande à distance. Un haut mur entoure le jardin, et la porte de la cave est cadenassée en permanence.

D'ordinaire, quand je lui rends visite, je trouve la grille ouverte en prévision de mon arrivée, et il me suffit de la pousser pour garer ma voiture dans l'allée. Cet après-midi, elle était fermée, et j'ai dû sonner. Quand Jasper est venu m'ouvrir, j'ai été frappé par le changement physique qui s'est opéré en lui depuis un mois. Il se tenait toujours droit, il gardait un pas ferme, mais en le voyant de plus près, j'ai constaté que la peau tendue sur l'ossature de son visage était devenue plus grise, qu'il y avait dans ses yeux caves une anxiété fiévreuse, presque une lueur de paranoïa, que je n'avais jamais remarquée auparavant. Si le vieillissement est inévitable, il n'est pas uniforme. Il existe des paliers où, pendant des années, le visage de nos amis, de nos connaissances, demeure pratiquement inchangé. Puis le temps accélère son mouvement, et, en l'espace d'une semaine, c'est la métamorphose. Aujourd'hui, il m'a semblé que Jasper avait pris dix ans en un mois.

Je l'ai suivi dans le vaste séjour dont les portes-fenêtres ouvrent sur la terrasse et le jardin. Ici comme dans son bureau, les murs sont tapissés de livres. Tout était, comme à l'ordinaire, parfaitement en ordre, chaque meuble, chaque livre, chaque bibelot, à la place qui semble lui avoir été assignée pour l'éternité. Mais pour la première fois, j'ai décelé de petits signes de négligence, un début de laisser-aller : des traces sur les vitres, quelques miettes sur le tapis, une fine couche de poussière sur la cheminée. Malgré le radiateur électrique allumé, la pièce était froide. Jasper m'a proposé un verre, et bien que le vin ne soit pas ma boisson favorite au milieu de l'après-midi, j'ai accepté. Sur la table où il range ses bouteilles, j'ai remarqué qu'il y en avait davantage que lors de ma dernière visite. Tous les prétextes lui sont bons pour en déboucher une, et il est l'une des rares personnes que je connaisse qui fasse de son meilleur bordeaux son vin de tous les jours.

Hilda était assise à côté de la cheminée, un cardigan jeté sur les épaules. Elle regardait droit devant elle, et quand je me suis approché pour la saluer, je n'ai eu droit qu'à un vague signe de tête. Chez elle, le changement est plus flagrant encore que chez Jasper. Des années durant, me semble-t-il, elle est restée la même : silhouette anguleuse, mais parfaitement droite, jupe de tweed bien coupée avec les trois plis creux habituels, chemisier de soie à col haut, cardigan de cachemire, chignon de cheveux gris soigneusement torsadés sur le sommet du crâne. Aujourd'hui, le devant du cardigan qui glissait de ses épaules était raidi de taches de nourriture, ses collants, crasseux, retombaient en plis lâches sur ses chaussures sales, et ses cheveux pendaient en mèches sur son visage, figé dans une expression de désapprobation revêche. Je me suis demandé, comme d'ailleurs lors de mes précédentes visites, ce qui au juste clochait, chez elle. Elle n'est certainement pas atteinte de la maladie d'Alzheimer : depuis la fin des années 1990, on en est pratiquement venu à bout. Mais il y a d'autres formes de sénilité que, malgré notre hantise des problèmes de l'âge, la science demeure incapable de soigner. Peut-être

Hilda est-elle simplement vieille, fatiguée, et n'en peut-elle plus de me voir. J'imagine que, dans la vieillesse, il peut y avoir avantage à se retirer dans un monde à soi — mais encore faut-il que ce monde ne soit pas un enfer.

Je me demandais pourquoi Jasper m'avait fait venir, mais je n'avais pas envie de lui poser directement la question. Il a fini par expliquer : « Il y a quelque chose dont je voulais te parler. Je pense à retourner à Oxford. C'est le dernier passage du Gouverneur à la télévision qui m'y a décidé. Il semble que l'idée soit de regrouper les gens dans les villes pour faciliter le travail des services publics et autres. Il dit que ceux qui veulent rester dans des régions éloignées sont libres de le faire mais qu'il ne pourra pas leur garantir d'être fournis en électricité et carburant. Nous sommes plutôt isolés, ici.

— Qu'en pense Hilda ? »

Il ne s'est même pas donné la peine de la regarder. « Hilda n'est pas en position de discuter. C'est moi qui m'occupe de tout. Si ça me simplifie la vie, nous devons le faire. J'ai pensé que nous pourrions tous les deux — je veux dire toi et moi — y trouver notre compte si je m'installais à St John Street. Tu n'as pas besoin de toute cette grande maison. Il y a amplement la place pour un second appartement, en haut. Je paierais l'aménagement, bien sûr. »

J'étais atterré. J'ai fait semblant de réfléchir, puis j'ai objecté : « Je ne crois pas que ce serait vraiment bien pour vous. D'abord, le jardin vous manquerait. Et puis tous ces escaliers, ce serait impossible pour Hilda. »

Après un silence, Jasper a demandé : « Tu as entendu parler du Quietus, j'imagine — le suicide collectif des vieillards ?

— Vaguement. Par ce que j'en ai lu dans les journaux ou vu à la télévision. »

Une image m'est revenue, la seule, je pense, qu'on ait jamais montrée à la télévision : des vieux vêtus de blanc poussés en chaise roulante ou soutenus pour monter à bord d'une espèce de barge, leurs voix chevrotantes entonnant un chant, le bateau s'éloignant lentement dans le crépuscule — une scène d'une sérénité enchanteresse, éclairée et filmée avec art.

J'ai dit : « La mort en troupeau ne m'attire pas. Le suicide devrait être une affaire privée, comme l'amour. Si l'on veut se tuer, les moyens ne manquent pas, alors pourquoi ne pas le faire confortablement dans son lit ? Pour ma part, je préférerais même un rasoir.

— Je n'en suis pas si sûr, a rétorqué Jaspers. Pour certains, ces rites de passage sont très importants. Sous une forme ou une autre, on les trouve partout dans le monde. La foule et le cérémonial ont quelque chose de rassurant, j'imagine. Et puis les survivants reçoivent une pension de l'Etat. Et pas rien, tu as vu ? Non, je comprends qu'on puisse se laisser séduire. Hilda en parlait justement, l'autre jour. »

J'avais peine à le croire. La Hilda que j'avais connue n'aurait certainement pas pensé grand bien de cette exhibition publique de sacrifice et d'émotion. Elle avait en son temps été un professeur de première envergure, plus intelligente que son mari, disait-on, mais toujours prête à prendre sa défense d'une langue venimeuse. Après son mariage, elle avait réduit son enseignement, publié moins, et l'asservissement de l'amour avait peu à peu entamé son talent et sa personnalité.

Avant de partir, j'ai suggéré : « Et si vous demandiez de l'aide ? Pourquoi ne pas faire appel aux Séjourneurs ? Vous y avez certainement droit. »

Il n'a pas voulu en entendre parler. « Je ne veux pas d'étrangers ici, et surtout pas des Séjourneurs. Ils ne m'inspirent aucune confiance. Je n'ai pas envie d'être assassiné sous mon toit. D'ailleurs ils ne savent pas ce que c'est que le travail. Qu'ils continuent à entretenir les routes, à curer les égouts et à ramasser les poubelles, là au moins, ils sont surveillés.

— Mais ceux qui travaillent à domicile sont soigneusement sélectionnés.

— Peut-être, mais je n'en veux pas. »

J'ai réussi à m'en aller sans rien promettre. Pendant le trajet qui me ramenait à Oxford, j'ai réfléchi au moyen de déjouer le projet de Jasper. Il faut toujours en passer par où il le désire. On dirait qu'il a attendu aujourd'hui pour me présenter une facture vieille de trente-sept ans, pour me faire payer ses leçons, ses conseils, les dîners dans de coûteux restaurants, les billets de théâtre et d'opéra. Mais l'idée me rebute de partager mon domicile, de perdre mon intimité, d'avoir à m'occuper d'un vieillard toujours plus difficile. Je dois beaucoup à Jasper, c'est vrai, mais je ne lui dois pas cela.

Arrivé en ville, j'ai vu une queue d'une centaine de mètres devant le bâtiment des examens, une foule sage et bien habillée de gens d'un certain âge, en majorité des femmes. Ils patientaient avec cet air serein, cette expression de complicité, de joie anticipée, typiques des files d'attente où chacun a déjà son billet, où l'entrée est assurée et où l'on sait que ce que l'on va voir, ou entendre, vaut la peine d'attendre. Un moment, j'ai été surpris, puis je me suis souvenu : Rosie McClure, l'évangéliste, est en ville. J'aurais dû comprendre tout de suite ; on a fait assez de battage. Rosie est la dernière en date des vedettes de télévision vendeuses de salut, et elle tire grand profit d'un article toujours très demandé, et qui, personnellement, ne lui coûte rien. Les deux premières années après Oméga, nous avions Roger le Lion et son comparse Sam le Mielleux, dont de nombreux téléspectateurs continuent d'ailleurs à suivre l'émission hebdomadaire. Roger est un orateur-né, puissant, un colosse à barbe blanche qui cultive consciemment l'image populaire d'un prophète de l'Ancien Testament et profère ses comminations d'une voix de stentor, à laquelle, curieusement, une touche d'accent d'Irlande du Nord donne un surcroît d'autorité. Son message est aussi simple que banal : la stérilité de l'homme est le châtiment de Dieu pour ses péchés, sa désobéissance. Le repentir seul peut apaiser le juste courroux du Tout-Puissant, et la meilleure façon de montrer son repentir est de contribuer généreusement aux frais de la croisade de Roger. Lui-même évite toutefois de demander de l'argent ; les appels de fonds sont le travail de Sam. Au début, ils faisaient une paire extraordinairement efficace, et leur grande maison de Kingston Hill est la concrétisation de leur succès. Les cinq premières années, le message faisait mouche : Roger tonnait contre la violence dans les villes, l'agression des vieillards, le viol des enfants, le mariage réduit au contrat d'argent, la généralisation du divorce, l'expansion de la malhonnêteté, la perversion de l'instinct sexuel. Mais la recette a fait long feu. Il devient difficile d'émouvoir en tonnant contre la licence dans un monde dominé par l'ennui, en condamnant les abus sexuels à l'égard des enfants alors qu'il n'y a plus d'enfants, en dénonçant la violence dans les villes quand les villes ressemblent toujours plus à des caveaux, à des mouroirs pour vieillards dociles. Avec son remarquable instinct de conservation, Roger n'a jamais fulminé contre la violence et l'égoïsme des Omégas.

Maintenant qu'il est sur son déclin, nous avons droit à Rosie McClure. Et la douce Rosie est dans notre ville. Elle est originaire de l'Alabama, mais elle a quitté les Etats-Unis en 2019, sans doute parce qu'elle y connaissait une trop grande concurrence. L'hédonisme religieux qu'elle prêche n'a rien de compliqué : Dieu est amour, et l'amour justifie toute chose. Elle a déterré un ancien succès des Beatles, un groupe de Liverpool très à la mode dans les années 1960, « All You Need Is Love », et plutôt qu'un cantique, c'est ce refrain répétitif qui sert de prélude à ses réunions. Le second avènement n'est pas pour l'avenir, mais pour maintenant, quand les fidèles rassemblés un à un à la fin de leur vie terrestre sont transmués en gloire. Rosie est remarquablement précise sur le chapitre des joies qui nous attendent. Comme tant de prédicateurs, elle voit que la contemplation du ciel pour soi n'offre guère de satisfaction si elle ne s'accompagne de la contemplation de l'enfer pour les autres. Mais l'enfer tel que le décrit Rosie n'est pas tant un lieu de supplices qu'une espèce d'hôtel de quatrième ordre, mal géré et inconfortable, où des hôtes incapables de s'entendre entre eux sont condamnés à subir pour l'éternité la compagnie les uns des autres, et à laver leur linge dans des conditions déplorables malgré l'abondance d'eau bouillante. Les joies du ciel sont de la même veine. « Il y a de nombreuses demeures dans la maison de mon Père », répète Rosie, et elle promet à ses adeptes que ces demeures sont adaptées à tous les goûts et à tous les degrés de vertu, le pinacle de la béatitude étant réservé aux élus. Mais tous ceux qui répondent à l'appel de Rosie sont assurés de trouver un endroit agréable, une Costa del Sol éternelle où abondent le manger et le boire, les plaisirs du soleil et du sexe. Le mal n'a pas de place dans la philosophie de Rosie. Elle ne voit rien de pire que les malheureux tombés dans l'erreur pour n'avoir pas compris la loi de l'amour. La réponse à la douleur est une aspirine ou un anesthésique, à la solitude, l'assurance de l'attention personnelle de Dieu, au deuil, la certitude des retrouvailles. Nul n'est appelé à de grands sacrifices car Dieu, étant Amour, n'a d'autre désir que le bonheur de Ses enfants.

L'accent est mis sur le dorlotement et la satisfaction de ce corps terrestre, et Rosie ne dédaigne pas de glisser dans ses prêches des conseils de beauté. Ses sermons sont merveilleusement mis en scène : cent choristes habillés de blanc sous des projecteurs au laser, fanfare, chanteurs de gospels et tout le tremblement. Les fidèles participent aux chœurs, rient, crient et gesticulent comme des marionnettes en folie. Rosie elle-même porte des tenues spectaculaires, dont elle change pour le moins trois fois durant chaque réunion. L'amour, proclame-t-elle, l'amour est tout ce qu'il faut. Et nul ne doit se sentir privé d'un objet d'amour, qui n'est pas forcément un être humain, qui peut être un animal — un chat, un chien — ; qui peut être un jardin ; qui peut être une fleur ; qui peut être un arbre. Le monde naturel est un tout, cimenté par l'amour, soutenu par l'amour, racheté par l'amour. On penserait que Rosie n'a jamais vu un chat avec une souris. A la fin de la réunion, les heureux convertis se précipitent en général dans les bras les uns des autres, et, sous le coup de l'enthousiasme, remplissent de billets les récipients qui servent à la collecte.

Au milieu des années 1990, les Eglises instituées, notamment l'Eglise d'Angleterre, ont abandonné la théologie du péché et de la rédemption pour une doctrine moins intransigeante, fondée sur l'idée de responsabilité sociale collective, et sur un humanisme sentimental. Rosie est allée plus loin : elle a virtuellement aboli la deuxième personne de la Trinité en même temps que Sa croix, qu'elle a remplacée par l'orbe doré d'un soleil en gloire, comme sur une clinquante enseigne victorienne. Le changement a connu un succès immédiat. Même pour des incroyants comme moi, la croix, qui stigmatise la barbarie de la bureaucratie et l'inéluctable cruauté de l'homme, n'a jamais été un symbole rassurant.

8

Le dimanche matin, un peu avant neuf heures et demie, Theo partit à pied pour Binsey en passant par Port Meadow. Il avait donné sa parole à Julian et se faisait un point d'honneur de ne pas y manquer. Mais il s'avouait qu'il avait une raison moins estimable pour remplir sa promesse. Ils savaient qui il était et où le trouver. Mieux valait rencontrer le groupe et en finir que de passer les mois suivants à redouter une rencontre avec Julian chaque fois qu'il se rendrait à la chapelle ou irait faire des courses au marché couvert. La journée était claire, l'air frais mais sec sous un ciel dégagé dont le bleu s'approfondissait ; l'herbe, encore raidie de givre, crissait sous ses pas. La rivière était un ruban chiffonné reflétant le ciel, et lorsqu'il traversa le pont et s'arrêta pour regarder en bas, un bruyant troupeau de canards et deux oies arrivèrent en vociférant, bec grand ouvert, comme s'il pouvait encore y avoir des enfants pour leur lancer du pain puis s'enfuir en criant, saisis d'une peur à demi feinte devant leurs tapageuses importunités. Le hameau était désert. Les quelques fermes situées sur la droite du pré communal étaient toujours debout, mais leurs fenêtres étaient presque toutes condamnées. Ici et là, on avait arraché les planches qui les bouchaient, et par les ouvertures, au-delà des fragments de vitres qui restaient accrochés aux cadres des fenêtres, on pouvait voir des murs qui s'écaillaient, des restes de papiers peints jadis choisis avec un soin inquiet mais maintenant en lambeaux, fragiles témoins d'une vie évanouie. Sur l'un des toits, les ardoises commençaient à glisser, révélant la pourriture de la charpente, et les herbes folles qui avaient envahi les jardins arrivaient à hauteur d'épaule.

L'auberge de la Perche, ainsi qu'il le savait, avait depuis longtemps fermé faute de clients. Tant qu'elle était ouverte, la traversée de Port Meadow avait été l'une de ses promenades favorites du dimanche matin. Maintenant, il lui semblait passer à travers le hameau comme le fantôme de ce moi ancien, et c'est avec les yeux d'un étranger qu'il voyait s'ouvrir devant lui l'étroite allée de marronniers qui, au nord-ouest de Binsey, conduisait à St Margaret. Quand donc avait-il fait cette balade pour la dernière fois ? Etait-ce sept ans auparavant ? Dix ans ? Il ne pouvait se souvenir ni à quelle occasion ni avec qui, si toutefois il n'était pas seul. Cependant, l'avenue avait changé. Les marronniers étaient certes toujours les mêmes, mais le chemin qu'ombraient leurs branches entrelacées n'était plus qu'un vague sentier jonché de feuilles pourrissantes et de débris de toutes sortes. Le conseil local désignait les chemins qu'il convenait d'entretenir, mais leur nombre ne cessait de diminuer. Les vieux n'avaient pas la force d'assurer ce travail, les adultes à qui incombait le maintien de la vie de l'Etat étaient trop occupés ailleurs, et les jeunes ne se souciaient guère de la préservation des campagnes. Pourquoi préserver ce qui leur échoirait en abondance ? Ils n'hériteraient que trop tôt d'un monde de terres sauvages, de cours d'eau purs, de forêts envahissantes et d'estuaires à l'abandon. On les voyait rarement dans la campagne, qui paraissait en fait les effrayer. Les bois, surtout, étaient devenus des lieux de menace où ils craignaient de pénétrer, comme s'ils avaient peur, une fois dans l'ombre d'une futaie où serpentait un sentier oublié, de ne jamais retrouver la lumière. Et ce n'était pas seulement le cas des jeunes. De plus en plus de gens cherchaient la compagnie de leurs semblables, quittant les villages isolés avant même qu'un décret officiel ou la simple prudence ne l'exigent, pour s'installer dans les quartiers urbains où le Gouverneur s'était engagé à fournir énergie et lumière si possible jusqu'au bout.

La maison solitaire dont il se souvenait était toujours plantée au milieu de son jardin à la droite de l'église, et Theo fut surpris de constater qu'elle était en partie du moins occupée. Il y avait des rideaux aux fenêtres, un filet de fumée sortait de la cheminée, et à gauche du chemin conduisant à la porte, on avait désherbé un coin de terre pour y faire pousser des légumes. Des haricots grimpants achevaient de sécher autour de leurs tuteurs, à côté de quelques rangées inégales de choux et de choux de Bruxelles jaunissants, à moitié cueillis. Alors qu'il était encore étudiant, il se rappelait avoir déploré que la paix de l'église et de la maison, dont on avait peine à croire qu'elles étaient si proches de la ville, fût gâchée par le brouhaha incessant de l'autoroute M 40. Aujourd'hui, on ne pouvait plus s'en plaindre, et un calme sans âge semblait envelopper la maison.

Ce calme fut rompu quand s'ouvrit brusquement la porte et qu'un vieillard en soutane délavée jaillit à l'extérieur, avançant d'un pas incertain, gesticulant comme pour chasser un animal récalcitrant et criant d'une voix tremblotante : « Pas de service ! Pas de service aujourd'hui. J'ai un baptême à onze heures.

— Je ne viens pas pour le service, rétorqua Theo. Je ne fais que visiter.

— Ils ne font jamais que ça. En tout cas, c'est ce qu'ils disent. Mais il me faut l'église à onze heures. Je ne veux plus personne dedans. Personne, à part ceux du baptême.

— Je ne pense pas rester si longtemps. C'est vous le curé de la paroisse ? »

Il s'approcha et fixa sur Theo un regard paranoïde. Theo se dit qu'il n'avait jamais vu personne d'aussi âgé, le crâne tendant la peau mince et tachée de son visage comme si la mort ne pouvait attendre de venir le prendre.

Le vieillard expliqua : « Ils ont tenu une messe noire mercredi dernier. Je les ai entendus chanter et crier toute la nuit. C'est mal. J'aurais voulu les empêcher, mais je n'ai rien pu faire. Et si vous croyez qu'ils nettoient, pas du tout — ils ont laissé plein de sang, de plumes, de vin répandu par terre. Sans parler du suif, noir, qui ne s'en va pas. Ça ne part pas, vous savez. Et ils me laissent tout ça — débrouille-toi. Non, ce n'est pas juste. C'est mal.

— Pourquoi ne fermez-vous pas l'église ? » demanda Theo.

Le vieux prit un air de conspirateur. « Parce qu'ils ont pris la clé, voilà pourquoi. Et je sais qui. Oh oui, je sais qui l'a. » Toujours grommelant, il repartit en trébuchant vers la maison, où il s'arrêta sur le pas de la porte et se retourna pour crier : « A onze heures, dehors ! A moins que vous ne veniez pour le baptême. Je ne veux plus voir personne dedans à onze heures. »

Theo continua en direction de l'église. C'était un petit bâtiment de pierre avec un clocheton ressemblant à une cheminée, si bien qu'on aurait pu la prendre pour une simple maison. Le cimetière était envahi d'herbe, une haute herbe sèche comme du foin. Sur les pierres tombales, le lierre avait oblitéré les noms. Quelque part dans cette jungle se trouvait le puits de saint Frideswide, autrefois lieu de pèlerinage, mais qu'un pèlerin moderne aurait eu du mal à découvrir. Cependant, l'église était manifestement fréquentée. De chaque côté du porche, un pot de terre cuite contenait un rosier, dont les branches maintenant dénudées portaient encore quelques boutons gelés.

Julian l'attendait sous le porche. Sans tendre la main ni sourire, elle dit : « Merci d'être venu. Nous sommes tous là. » Et elle poussa la porte. Il la suivit dans la pénombre de l'intérieur, où il fut assailli par une forte odeur d'encens dissimulant une odeur plus sauvage. A sa première visite, vingt-cinq ans plus tôt, il avait été transporté par le silence des lieux, une paix hors du temps où semblait flotter l'écho d'un plain-chant oublié de longue date, d'anciennes prières emplies de ferveur et de désespoir. Tout cela avait disparu. Autrefois, c'était un lieu où le silence était davantage que l'absence de bruit. Aujourd'hui, c'était un bâtiment de pierre ; rien de plus.

Il avait pensé les trouver groupés quelque part à l'attendre. Mais il vit qu'ils s'étaient dispersés dans l'église, comme si quelque dispute ou un irrépressible besoin de solitude les avait contraints à se séparer. Ils étaient quatre, trois hommes et une femme — une grande femme debout à côté de l'autel. Tandis qu'il entrait à la suite de Julian, ils se regroupèrent tranquillement dans l'allée centrale.

Il avait compris qui était le chef, le mari de Julian, avant de le voir s'avancer vers lui comme pour le défier. Maintenant, ils se tenaient face à face comme deux adversaires en train de se mesurer. Ni l'un ni l'autre ne tendit la main. Ni l'un ni l'autre ne sourit.

C'était un jeune homme très brun, avec un beau visage un peu boudeur, des yeux vifs et méfiants dans des orbites profondes, des sourcils marqués et des mèches rebelles accusant la proéminence des pommettes. Ses lourdes paupières étaient semées de poils noirs, en sorte que cils et sourcils paraissaient se rejoindre. Les oreilles étaient grandes et décollées, avec le lobe en pointe, des oreilles de lutin qui ne s'accordaient pas avec l'expression inflexible de la bouche, la puissante mâchoire résolument serrée. Ce n'était pas le visage d'un homme en paix avec lui-même ni avec le monde, et pourquoi l'aurait-il été quand il ne s'en était fallu que de quelques années qu'il ne partageât la distinction et autres privilèges des Omégas ? Sa génération, comme la leur, avait été suivie, étudiée, dorlotée, gâtée, protégée en vue du moment où, devenus adultes, les mâles allaient produire du sperme qu'on espérait fécond. C'était une génération programmée pour l'échec, l'ultime déception des parents qui l'avaient élevée et de la race qui avait investi en elle tant de soins attentifs et d'espoir.

Lorsqu'il parla, ce fut d'une voix plus aiguë que Theo ne s'y attendait, avec des inflexions cassantes et une pointe d'accent qu'il n'aurait su identifier. Sans laisser à Julian le temps de faire les présentations, il déclara : « Inutile que vous sachiez nos noms. Les prénoms suffiront. Julian est ma femme. Voici Miriam, Luke et Gascoigne. Gascoigne est son prénom. Son grand-père l'a choisi en 1990 pour Dieu sait quelle raison. Miriam était sage-femme. Luke est prêtre. Nos activités actuelles ne vous concernent pas. »

La femme seule s'avança pour tendre la main à Theo. C'était une Noire, probablement de la Jamaïque, et l'aînée du groupe — plus âgée que lui-même, imagina Theo, entre le milieu et la fin de la cinquantaine. La courte brosse de ses cheveux crépus était mêlée de blanc. Le contraste entre fils noirs et blancs était si marqué que la chevelure paraissait poudrée, ce qui lui donnait un air à la fois hiératique et décoratif. Elle était grande, et de stature gracieuse, avec un visage allongé aux traits fins, dont la peau café-au-lait était si peu ridée qu'elle semblait démentir la blancheur des cheveux. Son pantalon de velours noir, les hautes bottes dans lesquelles il était fourré, son pull à col roulé marron et son blouson de cuir étaient élégants et quasi exotiques en comparaison de la tenue pratique que portaient les trois hommes. Elle salua Theo d'une vigoureuse poignée de main et d'un clin d'œil de connivence, mi-interrogateur mi-amusé, comme s'ils étaient déjà complices.

A première vue, il n'y avait rien de remarquable chez le garçon — il paraissait effectivement bien jeune quoiqu'il ne pût avoir moins de trente et un ans — qu'ils appelaient Gascoigne. Il était petit et un peu grassouillet, avec une bonne tête ronde aux cheveux frisés, de grands yeux et le nez retroussé — un visage d'enfant qui avait pris de l'âge mais pas essentiellement changé depuis la première fois où, de son berceau, il avait contemplé le monde avec cet air d'innocence étonnée qui donnait à penser qu'il le trouvait étrange, mais pas inamical.

Luke, dont Julian lui avait déjà parlé comme d'un prêtre, il s'en souvenait, était nettement plus âgé que Gascoigne ; il devait avoir quarante ans passés. Il était tout en longueur et pour ainsi dire étiolé, avec des poignets délicats mais de grandes mains noueuses, comme si, enfant, il s'était développé plus rapidement que sa force, et sans jamais atteindre ensuite la robustesse de la maturité. Ses cheveux blonds tombaient en frange de soie sur le haut front de son visage pâle et sensible ; ses yeux, largement espacés, étaient gris et doux. Il n'avait rien d'un conspirateur ; à côté de la virilité agressive de Rolf, sa fragilité était d'autant plus évidente. Il adressa un bref sourire à Theo, et son visage un peu mélancolique s'en trouva momentanément transformé ; mais il ne parla pas.

Rolf dit : « Julian vous a expliqué pourquoi nous avons accepté de vous voir. » A l'entendre, c'était Theo le solliciteur.

« Vous voulez que j'use de mon influence auprès du Gouverneur. Mais en fait d'influence, il faut que vous sachiez que je n'en ai aucune. J'ai perdu toute espèce de droit en renonçant à ma position de conseiller. J'écouterai ce que vous avez à dire, mais je ne crois pas que je puisse faire quoi que ce soit pour influencer le conseil ou le gouverneur d'Angleterre. Je n'ai jamais eu aucun pouvoir. C'est en partie pour cette raison que j'ai démissionné.

— Vous êtes son cousin, son seul parent vivant, rétorqua Rolf. Vous avez plus ou moins été élevés ensemble. La rumeur veut que vous soyez la seule personne qu'il ait jamais écoutée.

— Eh bien la rumeur se trompe.» Puis Theo demanda : « Quelle sorte de groupe êtes-vous ? Est-ce que vous vous réunissez toujours dans cette église ? Vous êtes un genre d'organisation religieuse ? »

Ce fut Miriam qui répondit : « Non. Comme vous l'a dit Rolf, Luke est prêtre, mais il n'a pas de paroisse, pas de travail à plein temps. Julian et moi sommes chrétiennes, les autres pas. Nous nous réunissons dans les églises parce qu'elles sont à disposition, ouvertes, gratuites, et généralement vides, en tout cas celles que nous choisissons. Mais il faudra peut-être qu'on abandonne celle-ci. D'autres commencent à y venir. »

Rolf intervint d'une voix impatiente, trop catégorique : « La religion et le christianisme n'ont rien à voir là-dedans. Rien ! »

Mais Miriam poursuivit comme si elle ne l'avait pas entendu : « Toutes sortes d'originaux se réunissent dans les églises. Nous ne sommes qu'une bande d'excentriques parmi d'autres. Personne ne nous demande rien. Et pour ceux qui poseraient la question, nous sommes le Cranmer Club. Nous nous réunissons pour étudier le rituel de l'Eglise anglicane sur la base de l'ancien Livre des prières publiques.

— C'est notre couverture », précisa Gascoigne. Il parlait avec la satisfaction d'un enfant qui vient d'apprendre un secret d'adultes.

Theo se tourna vers lui. « Vraiment ? Et qu'est-ce que vous allez répondre quand la Police de Sécurité vous demandera de réciter la collecte du premier dimanche de l'avent ? » Devant l'embarras de Gascoigne, il ajouta : « Comme couverture, ce n'est pas très convaincant.

— Si vous n'avez pas de sympathie pour nous, ce n'est pas une raison pour nous mépriser, dit calmement Julian. Cette couverture n'est pas censée convaincre la PS. Si elle met le nez dans nos affaires, aucune couverture ne tiendra. Nous serons démasqués en dix minutes. Nous le savons. Cette couverture nous donne une raison, un prétexte pour nous retrouver régulièrement, et dans des églises. Nous n'en faisons pas une profession de foi. Nous n'en parlons que si c'est nécessaire, si quelqu'un nous pose des questions.

— Je sais que les collectes sont des prières, dit Gascoigne. Vous la connaissez, vous, celle dont vous venez de parler ? » Il n'était pas accusateur, seulement intéressé.

Theo dit : « J'ai été élevé dans l'Eglise anglicane. L'église où m'emmenait ma mère quand j'étais enfant devait être un de ses derniers bastions. Je suis historien. Je m'intéresse à l'Eglise victorienne, aux anciennes liturgies, aux cultes d'autrefois...

— Tout cela n'a rien à voir, trancha Rolf. Comme dit Julian, si la PS nous prend, elle ne va pas perdre son temps à nous interroger sur l'ancien catéchisme. Nous ne sommes pas en danger, pour l'instant — à moins que vous ne nous trahissiez. Qu'est-ce que nous avons fait ? Rien, sauf parler. Avant de passer aux actes, deux d'entre nous ont pensé qu'on pourrait essayer d'adresser une requête au gouverneur de l'Angleterre, votre cousin.

— Trois d'entre nous, rectifia Miriam. La majorité. Je me suis rangée du côté de Luke et Julian. Moi aussi, je pensais que cela valait la peine d'essayer. »

Rolf l'ignora. « Vous faire venir ici n'était pas mon idée, je ne vous le cache pas. Je n'ai pas de raison d'avoir confiance en vous. Je n'avais pas particulièrement envie de vous voir.

— Et moi, je n'avais pas particulièrement envie de venir, nous sommes quittes, répliqua Theo. Vous voulez que je parle au Gouverneur ? Pourquoi ne le faites-vous pas vous-mêmes ?

— Parce qu'il ne nous écoutera pas. Alors que vous, peut-être, il vous écoutera.

— Et si j'accepte de le voir, s'il m'écoute, que voulez-vous que je dise ? »

La question était si abruptement posée qu'ils restèrent un moment perplexes à se regarder les uns les autres comme s'ils se demandaient lequel devait répondre.

Rolf se décida : « C'est parce qu'il a été élu que votre cousin est devenu gouverneur, mais il y a de ça quinze ans, et depuis, il n'y a plus eu d'élections. Il prétend gouverner par la volonté du peuple, mais c'est un despote, un tyran. »

Theo remarqua d'un ton sec : « Pour le lui dire, il vous faudra trouver un messager bien courageux.

— Et les Grenadiers sont son armée privée, expliqua Gascoigne à son tour. C'est à lui qu'ils prêtent serment. Ils ne sont pas au service de l'Etat, ils sont à son service à lui. Il n'a pas le droit d'utiliser ce nom. Mon grand-père était simple soldat chez les Grenadiers. D'après lui, c'était le meilleur régiment de l'armée britannique. »

L'ignorant lui aussi, Rolf reprit : « Il y a des choses qu'il pourrait faire sans attendre une nouvelle élection. Il pourrait supprimer les examens de sperme. C'est du temps perdu, c'est dégradant, ça ne sert à rien. Et il pourrait laisser les conseils régionaux et locaux choisir leurs propres présidents. Ce serait au moins un début de démocratie.

— Il n'y a pas seulement les examens de sperme, intervint Luke. Les examens gynécologiques obligatoires ne sont pas moins dégradants. Et puis il faudrait mettre fin aussi aux Quietus. Je sais que tous les vieux qui s'y soumettent sont censés être volontaires. Au début, c'était peut-être le cas. Et peut-être qu'il y en a toujours. Mais souhaiteraient-ils mourir si on leur donnait de l'espoir ? »

« Quel espoir ! » fut tenté de demander Theo.

Julian s'en mêla : « Nous voulons aussi qu'il soit fait quelque chose pour les Séjourneurs. Il n'est pas juste, alors que nos Omégas ont l'interdiction d'émigrer, que nous en importions avec d'autres jeunes de pays moins riches pour faire tout notre sale boulot, nettoyer les égouts, enlever les ordures, s'occuper de nos vieux, séniles, incontinents.

— Ils ne demandent qu'à venir, remarqua Theo. Ils trouvent ici une meilleure qualité de vie.

— Ils trouvent à manger, oui, fit Julian. Et quand ils deviennent vieux — l'âge limite est soixante ans, non ? — on les renvoie chez eux sans leur demander leur avis.

— Leurs pays y sont aussi pour quelque chose. Ils devraient apprendre à mieux gérer leurs affaires. Et puis les Séjourneurs ne sont pas si nombreux. Il y a un quota. Leur nombre est soigneusement contrôlé.

— Pas seulement leur nombre, mais leur état de santé, leur casier judiciaire. On ne prend que les meilleurs et on s'en débarrasse lorsqu'on n'en veut plus. Et qui en profite ? Pas ceux qui en auraient le plus besoin. Les conseillers et leurs amis. Pauvres Omégas étrangers ! Personne ne se soucie d'eux, ici. Ils travaillent pour une bouchée de pain, ils vivent dans des camps, les hommes sont séparés des femmes. Et bien sûr, on ne leur accorde pas la citoyenneté. C'est un genre d'esclavage légalisé. »

Theo dit : « Je vous vois mal lancer une révolution pour des questions comme celles des Séjourneurs ou des Quietus. Les gens s'en fichent.

— Eh bien, on voulait leur apprendre à ne pas s'en ficher, rétorqua Julian.

— Mais comment voulez-vous ? Les gens s'en fichent parce qu'ils n'ont pas d'espoir, parce qu'ils vivent sur une planète mourante. Tout ce qu'ils demandent c'est la sécurité, le confort, le plaisir. Le gouverneur de l'Angleterre est en mesure d'assurer la première, c'est plus que ne le peuvent la plupart des gouvernements étrangers. »

Rolf, qui les avait écoutés sans rien dire, demanda brusquement : « A quoi ressemble-t-il, le Gouverneur ? C'est quel genre d'homme ? Vous devez le savoir, vous avez grandi avec lui.

— Ça ne me donne pas accès à ses pensées.

— Tout ce pouvoir — plus que personne n'en a jamais eu, en tout cas dans ce pays —, tout ce pouvoir entre ses mains, il y prend du plaisir ?

— J'imagine. Il ne paraît pas pressé de l'abandonner. » Puis Theo ajouta : « Si c'est la démocratie que vous voulez, il vous faut trouver un moyen de revitaliser le conseil local. C'est là qu'elle commence.

— Et c'est là qu'elle finit, riposta Rolf. Sinon, l'autorité du Gouverneur ne pourrait s'exercer à ce niveau-là. Vous avez vu Reggie Dimsdale, le président d'ici ? Il a soixante-dix ans, pas de couilles, et il emmerde tout le monde. La seule raison pour laquelle il fait son boulot, c'est parce qu'il lui donne droit à double ration d'essence et à deux Omégas étrangers pour s'occuper de son immense baraque et lui torcher le derrière quand il se fait dessous. Pour lui, pas question de Quietus.

— Mais il a été élu. Tous les présidents sont élus.

— Par qui ? Vous votez ? Qui s'en soucie ? Pourvu que quelqu'un fasse le boulot, les gens n'en demandent pas plus. Et vous savez comment ça marche. Le président du conseil local ne peut pas être nommé sans l'approbation du conseil de district, qui doit avoir l'approbation du conseil régional, qui doit avoir celle du conseil d'Angleterre. Le Gouverneur contrôle le système du sommet à la base, vous le savez bien. Et c'est la même chose en Ecosse et dans le Pays de Galles. Ils ont chacun leur gouverneur, mais nommé par qui ? Xan Lyppiatt se ferait appeler gouverneur de Grande-Bretagne si le titre avait pour lui la même connotation romantique. »

Rolf ne manquait pas d'intuition, songea Theo. Il se rappelait une conversation avec Xan. « Premier ministre ? Non. Je ne veux pas du titre d'un autre, surtout s'il est chargé d'un tel poids de traditions et de devoirs. On s'attendrait à ce que j'organise des élections tous les cinq ans. Et pas davantage protecteur, qui sent plutôt l'échec. Gouverneur m'ira parfaitement. Mais gouverneur de Grande-Bretagne et d'Irlande du Nord ? Je n'y trouve pas l'écho romantique que je cherche. »

Julian dit : « On n'arrivera à rien avec le conseil local. Vous vivez à Oxford, vous êtes citoyen, comme tout le monde. Il faut lire le compte rendu des réunions, voir un peu de quoi ils discutent. Entretien des terrains de golf et de boules. Etat des sanitaires du club. Décisions concernant les allocations de travail. Plaintes à propos des rations d'essence. Demandes d'attribution de Séjourneurs. Auditions pour le chœur mixte du coin. Y a-t-il suffisamment de gens qui souhaitent des leçons de violon pour qu'il vaille la peine d'engager un professionnel à plein temps ? Et puis ça discute encore et toujours du maintien de l'ordre alors qu'il semblerait que la question ne se pose plus maintenant que les criminels en puissance ont à craindre d'être déportés à la colonie pénitentiaire de Man.

— Protection, confort, plaisir, ce n'est tout de même pas suffisant ! s'exclama Luke.

— C'est ce que les gens veulent, c'est ce qui les intéresse. Qu'est-ce que le Conseil pourrait offrir de plus ?

— Compassion, justice, amour.

— Aucun Etat ne s'est jamais soucié de l'amour, aucun ne s'en souciera jamais.

— Mais la justice ? s'indigna Julian. Est-ce qu'un Etat ne doit pas se soucier de la justice ? »

Rolf s'impatientait : « La justice, la compassion, l'amour, tout ça, c'est des mots. Mais c'est du pouvoir qu'il s'agit. Le Gouverneur est un tyran qui se prétend chef démocratique. Il devrait être responsable devant le peuple, la volonté du peuple.

— La volonté du peuple, fit Theo, quelle belle expression ! Mais voilà, en ce moment, le peuple semble ne rien vouloir d'autre que protection, confort et plaisir. » Il pensait : je sais ce qui te dérange, c'est le pouvoir dont jouit Xan, pas la façon dont il l'exerce. Le petit groupe n'avait pas de réelle cohésion ; sans doute lui manquait-il un but commun. Gascoigne bouillait d'indignation parce que les Grenadiers n'étaient plus les Grenadiers, Miriam pour une raison qui demeurait encore obscure,

Julian et Luke par idéalisme religieux, et Rolf par jalousie, par ambition. En tant qu'historien, il aurait pu citer une douzaine de cas parallèles.

Julian dit : « Parle-lui de ton frère, Miriam. Parle-lui d'Henry. Mais peut-être qu'on pourrait s'asseoir ? »

Ils s'assirent sur un banc pour écouter Miriam — une bande dépareillée de fidèles plus ou moins enthousiastes, songeait Theo.

« Henry s'est fait envoyer dans l'île il y a dix-huit mois. Pour vol avec violence. En fait de violence, il n'y en a pas vraiment eu. Il a dévalisé une Oméga, et il l'a bousculée. Ce n'était rien qu'une bousculade, mais elle est tombée, et elle a prétendu au tribunal qu'Henry en avait profité pour lui donner des coups de pied dans les côtes. C'était faux. Je ne prétends pas qu'Henry ne l'a pas poussée — il a eu des problèmes depuis l'enfance — mais il ne lui a pas donné de coups de pied alors qu'elle se trouvait par terre. Il lui a arraché son sac et il l'a bousculée pour s'enfuir. Ça se passait à Londres, juste avant minuit. En tournant le coin de Ladbroke Grove, il est tombé sur la police. Il n'a jamais eu de chance.

— Au tribunal, vous y étiez ?

— Avec ma mère, oui. Mon père est mort il y a deux ans. Nous avons trouvé un avocat à Henry, et nous l'avons payé, mais il n'était pas vraiment concerné. Il a pris notre argent, et il n'a rien fait. On voyait bien qu'il était d'accord avec l'accusation pour qu'Henry soit envoyé dans l'île. Vous pensez, la victime était une Oméga. Ce n'était pas fait pour arranger son cas. Et puis Henry est noir. »

Rolf dit impatiemment : « Epargne-nous un cours sur le racisme. C'est la bousculade qui l'a fait condamner, pas sa couleur. On n'envoie personne à la colonie pénitentiaire sauf pour crime de violence contre la personne ou cambriolage avec récidive. Henry a été condamné deux fois pour vol simple, mais jamais pour cambriolage.

— Il avait piqué dans un magasin, expliqua Miriam. Ce n'était pas grave. Un foulard pour l'anniversaire de maman, et une tablette de chocolat. Tout ça quand il avait douze ans. Enfin, Rolf, ce n'était qu'un gamin ! Ça remonte à plus de vingt ans.

— S'il a renversé la victime, dit Theo, il s'est rendu coupable de violence, qu'il lui ait ou non donné des coups de pied.

— Mais il ne l'a pas renversée. Il l'a bousculée et elle est tombée. Il ne l'a pas fait exprès.

— Le jury a dû voir les choses autrement.

— Il n'y avait pas de jury. Plus personne ne veut être juré. Plus personne ne veut s'en mêler. Plus personne ne veut se mouiller. Il a été jugé selon les nouvelles dispositions, par un juge et deux magistrats. Mais habilités à reléguer les gens. Et à vie. Il n'y a pas de remise de peine : une fois dans l'île, on n'en sort jamais. C'est un peu dur, non, pour une bousculade involontaire ? Ma mère en est morte. Henry était son seul fils, et elle savait qu'elle ne le reverrait jamais. Après sa condamnation, elle a tourné la tête contre le mur, c'est tout. Mais je suis contente qu'elle soit morte. Au moins, elle n'a pas su le pire. » Elle regarda Theo et dit simplement : « Moi, je sais. Henry m'a raconté. Il est revenu à la maison.

— Vous voulez dire qu'il s'est évadé de l'île ? Je croyais que c'était impossible.

— Henry l'a fait. Il a trouvé un vieux canot pourri qui avait échappé à l'attention des troupes chargées de préparer l'île pour sa nouvelle affectation. Les bateaux qui ne valaient pas la peine d'être emmenés ont tous été brûlés, mais celui-là était caché, ou peut-être qu'on l'avait jugé complètement inutilisable. Henry a toujours été habile de ses mains. Il l'a réparé en secret et il a fabriqué deux rames. Et puis, il y a quatre semaines, le 3 janvier, il a attendu qu'il fasse nuit pour filer.

— C'était de la folie.

— Oh non, c'était la sagesse même. Ou bien il s'en sortait, ou bien il se noyait, et se noyer valait mieux que rester dans l'île. Il a réussi. Il est revenu à la maison. Je vis — enfin, peu importe où je vis. C'est un cottage en bordure de village. Il est arrivé un peu après minuit. J'avais eu une rude journée, je voulais me coucher tôt. J'étais fatiguée, mais nerveuse, alors je me suis fait une tasse de thé en rentrant, et je me suis endormie dans mon fauteuil. J'ai dû dormir une vingtaine de minutes, après quoi je me suis rendu compte que je n'étais pas mûre pour aller au lit. Vous savez ce que c'est. On est au-delà de la fatigue. Se déshabiller paraît un effort impossible.

« C'était une nuit très sombre, sans étoiles, et le vent se levait. D'habitude, j'aime le bruit du vent quand je suis bien au chaud chez moi, mais ce soir-là, non : ses sifflements, ses gémissements dans la cheminée n'avaient rien d'agréable. J'étais déprimée, j'avais le cafard, je pensais à maman, qui était morte, à Henry, que je ne reverrais jamais. Puis je me suis dit que je devais me secouer et aller me coucher. Et c'est alors que j'ai entendu frapper à la porte. Il y a une sonnette, mais il ne s'en est pas servi. Il a seulement donné deux petits coups avec le heurtoir, juste de quoi se faire entendre. J'ai collé mon œil au judas, mais on ne voyait que du noir. Il était plus de minuit et je me demandais qui pouvait venir si tard. Finalement, j'ai ouvert la porte. Il y avait une forme sombre effondrée contre le mur. Il n'avait eu que la force de frapper avant de tomber inconscient. J'ai réussi à le traîner à l'intérieur et à le ranimer. Je lui ai donné un peu de soupe, du cognac, et au bout d'une heure, il a pu parler. Il avait envie de parler, alors je l'ai laissé parler en le berçant dans mes bras.

— Il était dans quel état, au juste ? » demanda Theo.

C'est Rolf qui répondit : « Crasseux, puant, sanglant, maigre à faire peur. Il avait marché depuis la côte.

— Je l'ai lavé et je lui ai bandé les pieds avant de le mettre au lit, reprit Miriam. Il ne voulait pas rester seul, alors je me suis étendue à côté de lui, tout habillée. Ni l'un ni l'autre nous n'avons pu dormir. Et il s'est remis à parler. Il a parlé pendant plus d'une heure. Moi, je ne disais rien. Je le tenais dans mes bras et j'écoutais. Enfin, il s'est tu, et j'ai compris qu'il s'était endormi. Je suis restée à le tenir, l'écoutant respirer, gémir. Parfois, il poussait un grognement, puis il se mettait à hurler et se dressait d'un bond sur son séant, mais je le rassurais, je l'apaisais comme un enfant et il se rendormait. A côté de lui, je pleurais en silence à cause de ce qu'il m'avait dit. Oh, mais la colère était là aussi. Je sentais la colère brûler dans ma poitrine comme un charbon ardent.

« L'île, c'est l'enfer. Les hommes qu'on y a envoyés sont presque tous morts, et ceux qui restent sont des démons. C'est la famine. Bien sûr, ils ont des semences, du blé, des machines, mais la plupart sont des citadins qui ne connaissent rien à la culture, qui n'ont pas l'habitude de travailler de leurs mains. Maintenant, toutes les réserves de nourriture sont épuisées ; il ne reste rien dans les champs, rien dans les jardins. Certains de ceux qui meurent se font manger. Je vous le jure. C'est arrivé. L'île est dirigée par des criminels effroyables, des sadiques, et à Man, ils peuvent battre, torturer, tourmenter, sans personne pour les arrêter, sans personne pour les voir. Les autres ne durent pas longtemps : ceux qui voudraient que ça change, les doux, les faibles, ceux qui ne devraient pas être là. Certaines femmes sont parmi les pires. Henry m'a raconté des choses que je ne peux pas répéter et que je n'oublierai jamais.

« Le lendemain, ils sont venus le prendre. En douceur. Ils ont discrètement cerné le cottage puis ils sont venus frapper à la porte. »

Theo demanda : « Qui était-ce ?

— Six Grenadiers et six hommes de la Police de Sécurité. Un homme complètement épuisé, et ils en ont envoyé douze pour l'arrêter. Les pires étaient ceux de la PS. Je crois que c'étaient des Omégas. D'abord, ils ne m'ont rien dit. Ils sont montés directement le chercher au premier. Quand il les a vus, il a poussé un cri. Je n'oublierai jamais ce cri. Jamais, jamais... Ensuite ils ont voulu s'en prendre à moi, mais un officier, un Grenadier, leur a dit de me laisser. Il a dit : "C'est sa sœur, il était naturel qu'il vienne ici, et elle, elle n'avait pas le choix, il fallait bien qu'elle l'aide."

— On a pensé que lui-même devait avoir une sœur, commenta Julian, quelqu'un qui ne le laisserait jamais tomber, sur qui il savait qu'il pourrait toujours compter. »

Rolf dit impatiemment : « A moins qu'il n'ait pensé qu'en se montrant humain il pourrait obtenir quelque chose de Miriam. »

Miriam hocha la tête. « Non, ce n'était pas ça. Il voulait être gentil. Je lui ai demandé ce qui allait arriver à Henry. Il n'a pas répondu, mais un type de la PS a dit : "Qu'est-ce que vous croyez ? Allez, ne vous inquiétez pas, on vous remettra ses cendres." Puis le capitaine de la PS m'a expliqué qu'ils auraient pu l'arrêter dès qu'il a débarqué, mais qu'ils avaient préféré le suivre jusqu'à Oxford. Pour voir où il allait, j'imagine, et parce qu'ils voulaient qu'il se sente en sécurité avant de l'arrêter.

— C'est le genre de raffinement qui les excite, fit Rolf avec colère.

— Une semaine plus tard, le paquet est arrivé. Un paquet lourd comme deux livres de sucre, et la même forme, enveloppé de papier, avec une étiquette à la machine. A l'intérieur, il y avait un sac en plastique rempli de poudre blanche. On aurait dit de l'engrais pour le jardin, plus rien à voir avec Henry. Et puis il y avait une note dactylographiée, sans signature : "Tué lors d'une tentative d'évasion." Rien d'autre. J'ai creusé un trou dans le jardin. Je me souviens qu'il pleuvait, et quand j'ai mis les cendres dans le trou, c'était comme si tout le jardin pleurait. Mais moi, je ne pleurais pas. Les souffrances d'Henry étaient terminées. Tout valait mieux que d'être renvoyé dans l'île.

— Il n'était pas question de le renvoyer là-bas, dit Rolf. Il faut que personne ne sache qu'il est possible de s'évader. D'ailleurs, ils vont sûrement prendre de nouvelles précautions maintenant. Ils vont se mettre à surveiller la côte. »

Julian posa la main sur le bras de Theo et le regarda dans les yeux. « On ne devrait pas traiter des êtres humains comme ça. Peu importe ce qu'ils ont fait, qui ils sont, on ne devrait pas traiter les gens comme ça. Il faut que nous y mettions fin. »

Theo remarqua : « Evidemment, c'est mal, mais ce n'est rien en comparaison de ce qui se passe dans d'autres régions du monde. Le problème est de savoir ce que le pays est prêt à supporter pour avoir un gouvernement sain.

— Qu'est-ce que vous entendez par gouvernement sain ? demanda Julian.

— Un ordre public digne de ce nom, pas de corruption en haut lieu, pas de menace permanente de crimes ou de guerre, une distribution équitable des ressources et des biens, le respect de la vie individuelle.

— En ce cas, nous n'avons pas un gouvernement sain, dit Luke.

— Nous avons le meilleur gouvernement possible, étant donné les circonstances. C'est avec un vaste soutien populaire que s'est créée la colonie pénitentiaire de Man. Aucun gouvernement ne peut agir avant que la volonté morale du peuple ne soit mûre.

— Alors il faut changer cette volonté morale, répliqua Julian. Il faut changer le peuple. »

Theo rit. « Oh, c'est ce genre de révolution que vous avez en tête ? Pas le système mais les cœurs, les esprits. De tous les révolutionnaires vous êtes les plus dangereux, ou du moins vous le seriez si vous aviez la moindre idée de la façon dont commencer, la moindre chance de réussir. »

Comme si elle était sincèrement curieuse de connaître sa réponse, Julian demanda : « Vous, vous commenceriez de quelle façon ?

— Je ne commencerais pas. L'histoire nous enseigne ce qui arrive aux gens qui veulent changer le monde. Vous en avez vous-même au cou un excellent rappel. »

Julian leva sa main gauche déformée et toucha brièvement la croix. A côté de la chair enflée, celle-ci semblait un talisman bien petit, bien fragile.

Rolf dit : « On se trouve toujours des excuses pour ne pas agir. Le fait est que le Gouverneur dirige la Grande-Bretagne comme un fief personnel. Les Grenadiers sont son armée privée, et les hommes de la Police de Sécurité, ses espions, ses bourreaux.

— Vous n'avez aucune preuve de ce que vous avancez.

— Qui a tué le frère de Miriam ? A-t-il été exécuté après un procès dans les règles ou liquidé subrepticement ? Ce que nous voulons, c'est une vraie démocratie.

— Avec vous à sa tête ?

— Ça vaudrait sûrement mieux pour tout le monde.

— C'est exactement ce qu'il devait penser en venant au pouvoir.

— Autrement dit, vous refusez de parler au Gouverneur ? » demanda Julian.

Rolf éclata : « Evidemment qu'il refuse. Il n'en a jamais eu l'intention. Le faire venir était une perte de temps. Une idée stupide et dangereuse.

— Je n'ai pas dit que je refusais de le voir, rétorqua calmement Theo. Mais je ne peux pas aller le trouver sur de simples rumeurs, surtout s'il m'est interdit de lui dire d'où je tiens mes informations et comment elles me sont parvenues. Avant de prendre une décision, il faut que j'assiste à un Quietus.

Quand est-ce que le prochain a lieu ? Est-ce que l'un de vous sait ? »

Julian prit sur elle de répondre. « Ils ont cessé de les annoncer, mais la nouvelle se répand d'elle-même, évidemment. Il doit y avoir un Quietus pour femmes mercredi, dans trois jours, à Southwold. Vous connaissez ? C'est à une douzaine de kilomètres au sud de Lowestoft.

— Ce n'est pas très commode.

— Peut-être pas pour vous, dit Rolf, mais pour eux si. Comme il n'y a pas de train, ils ne risquent pas d'avoir des foules ; la route est longue, les gens ne vont pas gaspiller leur essence pour aller voir mémé dire adieu à la vie en chemise de nuit blanche au son de "Plus près de Toi, mon Dieu". Et puis comme il n'y a qu'un accès par route, ils pourront contrôler combien de gens viennent et les surveiller ; ils pourront arrêter les coupables si jamais il devait y avoir des ennuis. »

Julian demanda : « Combien de temps faudra-t-il attendre votre réponse ?

— Je déciderai si je dois voir le Gouverneur tout de suite après le Quietus. Au cas où j'irais le trouver, mieux vaudrait attendre une semaine avant de convenir d'une nouvelle rencontre.

— Mieux vaudrait même attendre quinze jours, renchérit Rolf. Si vous voyez le Gouverneur, on va probablement vous mettre sous surveillance.

— Mais comment saurons-nous si vous acceptez de le voir ? insista Julian.

— Je vous laisserai un message après le Quietus. Vous connaissez le Cabinet des plâtres, à Pursey Lane ?

— Non, fit Rolf.

— Moi si, répondit Luke. C'est une section de l'Ashmolean où sont présentés des moulages en plâtre et des copies en marbre de statues grecques et romaines. On y allait avec notre professeur de dessin. Je l'ai fréquenté des années. Mais je ne savais pas qu'il était toujours ouvert.

— Il n'y avait pas de raison particulière pour le fermer, dit Theo. Il ne demande qu'un minimum de surveillance. Et quelques vieux érudits prennent encore plaisir à le visiter. Les heures d'ouverture sont affichées à l'extérieur. »

Rolf était méfiant. « Pourquoi là plutôt qu'ailleurs ?

— Parce que je m'y rends volontiers et que le gardien a l'habitude de me voir. Parce qu'on y trouve des cachettes possibles. Mais surtout parce que ça me plaît — contrairement au reste de l'entreprise.

— A quel endroit précis laisserez-vous ce message ? demanda Luke.

— Au rez-de-chaussée, à droite en entrant, sous la tête du Diadumène. Dans le catalogue, elle porte le numéro C38, que vous retrouverez sur le buste. Si vous ne pouvez pas vous souvenir du nom, vous devriez vous rappeler ce numéro, il me semble. Sinon je peux l'écrire...

— C'est l'âge de Luke, dit Julian, ce sera facile. Mais cette statue, il faudra la soulever ?

— Ce n'est pas une statue, juste une tête, et il ne sera pas nécessaire d'y toucher. Il y a un interstice entre la base et le socle. Vous trouverez ma réponse sur une carte. Rien de compromettant, simplement "oui" ou "non". Vous pourriez aussi me téléphoner, bien sûr, mais j'imagine que vous trouveriez ça dangereux.

— Nous nous efforçons de ne jamais téléphoner, expliqua Rolf. Même si nous n'avons encore rien commencé, nous prenons les précautions de base. Tout le monde sait que les lignes sont sous écoute. »

Julian demanda : « Si votre réponse est oui et que le Gouverneur accepte de vous voir, quand est-ce que vous nous ferez savoir ce qu'il a dit ?

— Il faudra attendre quinze jours, répéta Rolf. Mettons le mercredi deux semaines après le Quietus.

Je vous rencontrerai alors quelque part à Oxford, à pied, et de préférence dans un espace ouvert.

— Les espaces ouverts, on peut les surveiller avec des jumelles, remarqua Theo. Deux personnes qui se retrouvent au milieu d'un parc, d'un pré ou d'un campus risquent d'attirer l'attention. Un bâtiment public est plus sûr. Je rencontrerai Julian au Pitt Rivers. »

Rolf ricana : « Vous semblez apprécier les musées.

— C'est que ce sont des endroits où on peut flâner en toute légitimité.

— Bon, acquiesça Rolf, je vous retrouverai donc le mercredi en question au Pitt Rivers, à midi.

— Ce n'est pas vous que je veux voir, c'est Julian. Vous l'avez chargée de prendre contact avec moi ; c'est elle qui m'a amené ici aujourd'hui ; c'est elle que je verrai mercredi en quinze au Pitt Rivers — à midi — et je veux qu'elle vienne seule. »

Il était près de onze heures quand Theo les laissa dans l'église. Il s'arrêta un moment sous le porche, regarda sa montre, puis contempla une fois encore le cimetière délaissé. Il regrettait d'être venu, de s'être laissé embarquer dans cette entreprise vaine et contrariante. L'histoire de Miriam l'avait touché plus qu'il ne voulait bien l'admettre. Il aurait préféré ne jamais l'avoir entendue. Mais qu'attendait-on de lui, que pouvait faire qui que ce soit ? C'était trop tard, maintenant. Il ne croyait pas que le groupe courût un quelconque danger. Les craintes qu'il avait entendu formuler relevaient de la paranoïa. Et lui qui, comptant sur un sursis, avait espéré qu'il n'y aurait pas de Quietus avant des mois ! Mercredi n'était pas un bon jour. Il faudrait qu'il change son programme au dernier moment. Et puis il n'avait pas vu Xan depuis trois ans. S'il devait le revoir, ce serait désagréable et humiliant de se trouver dans le rôle de solliciteur. Il s'en voulait autant qu'il en voulait au groupe. Ces amateurs, ces frustrés, il pouvait les mépriser, bien sûr, mais ils l'avaient mené par le bout du nez ; ils lui avaient envoyé celui de leurs membres auquel ils savaient qu'il aurait du mal à dire non. Pourquoi cette difficulté à refuser ? Pour l'instant, c'était une question qu'il n'avait pas envie d'approfondir. Il se rendrait au Quietus comme il l'avait promis et leur laisserait un message au Cabinet des plâtres. Mais il espérait alors pouvoir leur opposer un NON qui serait justifié.

L'équipe du baptême arrivait, précédée du vieux prêtre, qui portait maintenant une étole et poussait de petits cris d'encouragement pour faire avancer son maigre troupeau : deux femmes d'âge mûr et deux hommes déjà vieux, ceux-ci en costumes bleus, leurs compagnes coiffées de chapeaux à fleurs complètement incongrus au-dessus de leurs manteaux d'hiver. Elles portaient chacune un paquet enveloppé d'un châle blanc d'où dépassaient les plis de robes de baptême bordées de dentelle. Theo se préparait à les croiser, les yeux pudiquement détournés, lorsque les deux femmes lui barrèrent pratiquement la route et tendirent vers lui leurs paquets pour qu'il les admire. Les deux chatons, les oreilles aplaties sous des bonnets enrubannés, avaient l'air à la fois ridicule et touchant. L'opale liquide de leurs yeux grands ouverts reflétaient l'incompréhension, mais ils ne manifestaient aucune inquiétude à être ainsi emmaillotés. Il se demanda s'ils étaient drogués, puis se dit qu'ils avaient sans doute été soignés, traités, manipulés comme des bébés depuis leur naissance et qu'ils en avaient l'habitude. Il se posa aussi certaines questions à propos du prêtre. Qu'il eût reçu l'ordination ou qu'il s'agît d'un imposteur — et il n'en manquait pas —, le rite auquel il se prêtait n'était guère orthodoxe. L'Eglise d'Angleterre, que n'unissaient plus ni doctrine ni liturgie communes, s'était à ce point fragmentée que ses multiples sectes cultivaient les croyances les plus invraisemblables, mais il était douteux qu'aucune encourageât le baptême d'animaux. S'il y avait encore eu des enfants, on se serait plutôt attendu à ce que le nouvel archevêque — une femme qui se disait rationaliste-chrétienne — interdît de les baptiser sous prétexte de combattre la superstition. De toute manière, il n'était pas en mesure de contrôler ce qui se passait dans chaque église, et si les deux chatons n'appréciaient certainement pas la douche froide qui les attendait, ils seraient bien les seuls à s'en soucier. Cette mascarade était en somme une conclusion parfaitement adaptée à cette matinée de folie. S'éloignant en hâte, Theo rejoignit d'un pas vigoureux le havre de bon sens et de paix que représentait pour lui sa maison.

9

Le matin du Quietus, Theo s'éveilla sous le poids d'un malaise diffus, trop léger pour être qualifié d'angoisse : une vague dépression comme celle que laisse parfois un mauvais rêve dont on ne parvient pas à se souvenir. Avant même de tendre la main vers l'interrupteur, il savait ce que la journée lui réservait. Il avait toute sa vie cultivé l'habitude de s'inventer de petits plaisirs pour compenser le désagrément de ses obligations. Normalement, il aurait déjà établi un itinéraire comprenant un bon restaurant où déjeuner, une église à visiter, un détour par un village intéressant. Mais il ne pouvait y avoir de compensations pour un voyage dont la mort constituait le but. Mieux valait arriver à destination aussi vite que possible, voir ce qu'il avait promis de voir, rentrer, dire à Julian qu'il n'y avait rien que ni lui ni le groupe pussent faire, et chasser de son esprit toute cette aventure déplaisante. Ce qui signifiait écarter la route la plus pittoresque, via Bedford, Cambridge et Stowmarket, en faveur de la M40, de la M25 puis de la A12, qui lui permettrait de rejoindre la côte du Suffolk. Moins direct et plus ennuyeux, le trajet serait certainement plus rapide, et de toute manière il ne s'attendait pas à y prendre plaisir.

Mais il roula vite. La A12 était en bien meilleur état qu'il ne le pensait étant donné que les ports de la côte est étaient pour ainsi dire laissés à l'abandon. Il battit tous ses records : à deux heures déjà il avait rejoint Blythburgh et l'estuaire. La marée descendait, mais au-delà de l'étendue boueuse frangée de roseaux, l'eau s'étalait comme un foulard de soie, et un soleil intermittent mettait de l'or aux vitraux de l'église de Blythburgh.

La dernière fois qu'il était venu dans la région remontait à vingt-huit ans. Helena et lui avaient décidé de passer le week-end à Southwold, au Cygne ; Natalie avait tout juste six mois. A l'époque, leurs moyens ne leur permettaient rien de mieux qu'une Ford d'occasion. Le porte-bébé de Natalie avait été soigneusement arrimé sur le siège arrière, et le coffre était rempli de l'attirail que nécessitait son jeune âge : petits pots, appareil à stériliser les biberons, volumineux paquets de couches. Au moment d'arriver à Blythburgh, Natalie s'était mise à pleurer, et Helena avait décrété qu'elle avait faim, qu'il fallait la nourrir maintenant, qu'on ne pouvait attendre d'être à l'hôtel. Pourquoi ne pas s'arrêter au Cerf blanc, à Blythburgh ? On y trouverait certainement de quoi faire chauffer du lait. Ils pourraient en même temps déjeuner et nourrir Natalie. Cependant, le parc à voitures du pub était plein, et il redoutait l'embarras et le dérangement qu'occasionneraient l'enfant et les exigences d'Helena. Son insistance pour faire encore les quelques kilomètres qui les séparaient de Southwold avait été mal accueillie. Helena, qui s'efforçait en vain de calmer l'enfant, avait à peine eu un coup d'œil pour l'eau miroitante, pour la grande église ancrée comme un majestueux navire parmi les roselières. Le week-end avait commencé sous le signe du ressentiment et s'était poursuivi dans la mauvaise humeur. Bien entendu, c'était sa faute à lui. Il préférait blesser les sentiments de sa femme et affamer sa fille plutôt que d'affronter un pub plein d'étrangers. Il aurait tant voulu avoir un souvenir de Natalie qui ne fût pas teinté de culpabilité et de regret.

Il décida presque sur un coup de tête de déjeuner au pub. Aujourd'hui, le parc à voitures était vide. Et dans la salle au plafond bas, les bûches qu'il se souvenait d'avoir vues flamber dans la cheminée avaient fait place à un radiateur électrique. Il était le seul client. Le tenancier, très vieux, lui servit une bière locale. Elle était excellente, mais pour toute nourriture, il dut se contenter de pâtés précuits que l'homme mit à chauffer dans un four à micro-ondes. Pour se préparer à l'épreuve qui l'attendait, il avait espéré mieux.

Il se hâta de rejoindre sa voiture et retrouva sans difficulté la route de Southwold. La campagne du Suffolk, rase et nue sous le ciel d'hiver, lui parut inchangée, mais la route, elle, s'était beaucoup détériorée, et il eut bientôt l'impression d'accomplir une course d'obstacles. Cependant, aux abords de Reydon, il vit qu'une équipe de Séjourneurs, encadrée de surveillants, entreprenait de réparer le revêtement de la chaussée. Il ralentit, et les visages basanés se tournèrent vers lui tandis qu'il passait. Leur présence l'étonna. Southwold ne faisait certainement pas partie des villes désignées comme centres de population. Alors pourquoi se donnait-on la peine d'entretenir l'accès ?

Maintenant, il avait dépassé l'écran d'arbres protégeant du vent le parc et les bâtiments de l'école St Felix. Un grand panneau placé à l'entrée lui apprit qu'on en avait fait le Centre d'artisanat du Suffolk oriental. Sans doute n'était-il ouvert que durant l'été ; en tout cas, on ne voyait personne nulle part, et les pelouses n'étaient pas entretenues. Il franchit

Bight Bridge et entra dans la petite ville, dont les maisons peintes paraissaient dormir. Il y avait trente ans, sa population était essentiellement composée de vieux : anciens soldats promenant leurs chiens, couples de retraités hâlés, l'œil vif, longeant bras dessus, bras dessous le bord de mer. Aujourd'hui, la ville était pratiquement déserte. C'est tout juste s'il vit deux vieux assis sur un banc devant l'hôtel de la Couronne, mains jointes — des mains noueuses et brunes — sur la poignée de leurs cannes.

Il décida de se garer dans la cour du Cygne et de prendre un café avant de se rendre sur la plage. Mais l'hôtel était fermé. Tandis qu'il remontait dans sa voiture, une femme entre deux âges portant un tablier à fleurs sortit toutefois par une porte latérale, qu'elle ferma à clé derrière elle.

« J'espérais pouvoir prendre un café, lança-t-il. Est-ce que l'hôtel est fermé définitivement ? »

Elle avait un visage avenant, mais elle était nerveuse, et elle regarda autour d'elle avant de répondre. « Non, monsieur, seulement aujourd'hui. En signe de respect. A cause du Quietus, vous comprenez. Mais peut-être ne savez-vous pas ?

— Si, si, je sais. »

Et pour briser le sentiment de profond isolement qui pesait sur les rues et les bâtiments, il ajouta : « Je suis venu ici il y a trente ans. Ça n'a pas tellement changé. »

Elle s'approcha de la voiture et posa la main sur le bord de la fenêtre. « Oh, que si, cher monsieur, ça a bien changé. Mais le Cygne est toujours un hôtel. Evidemment, les clients se font rares ; les gens quittent la ville. L'évacuation a été décidée, vous comprenez. Le gouvernement ne veut plus s'occuper de nous. Les gens déménagent à Ipswich, à Norwich. Et voilà. »

Pourquoi tant de hâte ? se demanda-t-il. Xan était certainement en mesure d'assurer la survie de l'endroit pendant encore vingt ans.

Pour finir, il laissa sa voiture à l'extrémité de Trinity Street et prit à pied le chemin menant à la jetée par le haut de la falaise. La mer gris sale se soulevait paresseusement sous un ciel laiteux où l'horizon commençait de s'éclairer, comme si le capricieux soleil allait faire une nouvelle percée. Au-dessus de cette pâle transparence, de gros paquets de nuages gris et noirs dessinaient un rideau à demi levé. Dix mètres en contrebas, il voyait le ventre moucheté des vagues qui venaient rouler sur la grève leur charge de sable et de galets. En même temps que sa peinture blanche, la rambarde qui bordait le chemin avait perdu son air pimpant ; dévorée de rouille, elle avait cédé à plus d'un endroit. Et la pente herbeuse séparant la promenade de la plage semblait ne plus avoir été fauchée depuis des années. La rangée de chalets multicolores aux noms ridicules et charmants qui s'alignaient jadis face à la mer comme de rutilantes maisons de poupée présentait maintenant des manques, comme une mâchoire édentée ; et ceux qui demeuraient debout menaçaient ruine : précairement amarrés à des pieux enfoncés dans le sable, ils n'attendaient que la prochaine tempête pour être balayés. A ses pieds, les hautes herbes sèches encore chargées de graines s'agitaient par à-coups dans la brise toujours renaissante sur cette côte orientale.

Apparemment, l'embarquement devait se faire non de la jetée même mais d'un ponton construit tout exprès à côté. Il voyait à distance les deux bateaux plats, le pont enguirlandé de fleurs, et, au bout du ponton dominant la jetée, un petit groupe de personnages dont certains, crut-il, étaient en uniforme. A moins de cent mètres devant lui, trois cars étaient arrêtés sur la promenade. Comme il approchait, les passagers commencèrent à descendre. D'abord descendirent quelques musiciens en veste rouge et pantalon noir, qui restèrent là à bavarder, le cuivre de leurs instruments luisant dans le soleil. L'un d'eux donna pour rire une bourrade à un autre.

Pendant quelques secondes, ils firent mine de boxer, puis, las de chahuter, ils allumèrent une cigarette et se mirent à contempler la mer. A leur tour, les vieux sortaient maintenant des cars, certains sans aide, d'autres appuyés sur une infirmière. La soute d'un des véhicules fut ouverte, et des chaises roulantes apparurent, où l'on installa les derniers passagers, incapables de marcher.

Theo demeura à distance à regarder la chancelante cohorte trébucher sur le chemin en pente qui coupait la falaise pour rejoindre la promenade inférieure. Brusquement, il comprit ce qui se passait. On conduisait les vieilles vers les chalets pour y revêtir leurs robes blanches, ces chalets qui, pendant tant d'années, avaient retenti de rires d'enfants, et dont les noms évocateurs de joyeuses vacances lui revenaient maintenant en mémoire : Chez Pete, Brise marine, Ma cabane, Ecume de mer. Il se tenait à la rambarde rouillée et regardait en bas les vieilles monter péniblement les marches qui donnaient accès aux chalets. Les membres de la fanfare regardaient, eux aussi : manifestement, on ne comptait pas sur leur aide. Après un bref conciliabule, ils éteignirent leurs cigarettes, empoignèrent leurs instruments et se décidèrent enfin à descendre. L'atmosphère était sinistre. Les volets clos des maisons victoriennes alignées derrière lui disaient que les jours heureux ne reviendraient jamais. En bas, la plage était déserte ; le cri rauque des mouettes troublait seul le silence.

Une fois prêtes, les vieilles quittaient les chalets pour se ranger en file. Elles portaient toutes de longues robes blanches, peut-être de simples chemises de nuit, et, par-dessus, des capes blanches et des châles de laine. Il faisait froid. Il était content d'avoir mis son manteau de tweed. Chaque femme tenait un petit bouquet, et leur cortège semblait une caricature de cortège nuptial. Il se demanda qui avait préparé les fleurs, qui avait ouvert les chalets et disposé là les robes qu'elles devaient revêtir. Malgré son aspect décousu et presque spontané, l'événement devait avoir été soigneusement programmé. Pour la première fois, il remarqua que, sur cette section de la promenade, les chalets avaient été réparés et repeints.

La fanfare se mit à jouer, et la procession s'ébranla lentement en direction de la jetée. Quand retentirent les cuivres, il éprouva un sentiment d'indignation en même temps qu'une intense pitié. Ils jouaient des airs pleins d'entrain, des mélodies de l'époque de ses grands-parents, des marches de la Seconde Guerre mondiale qu'il reconnut d'abord sans se rappeler les noms. Puis quelques titres lui revinrent : « Bye Bye Blackbird », « Somebody Stole My Girl », « Somewhere over the Rainbow ». Comme le cortège atteignait la jetée, la musique changea et il reconnut « Plus près de Toi, mon Dieu ». Le premier couplet terminé, l'air reprit et un curieux miaulement s'éleva : les vieilles s'étaient mises à chanter. Maintenant, certaines se balançaient au son de la musique, essayaient de gauches pirouettes en soulevant leur robe. Theo se dit qu'elles pourraient bien avoir été droguées.

Il se décida à descendre vers la jetée. Désormais, le spectacle se déroulait directement sous ses yeux. Un groupe d'une vingtaine de personnes, des parents, des amis, mais surtout des membres de la Police de Sécurité, se tenait sur la promenade. Les deux bateaux plats devaient être d'anciennes barges, mais il n'en restait que la coque, et l'on y avait installé des rangées de bancs. Il y avait deux soldats dans chacune des embarcations, qui, une fois les vieilles à l'intérieur, se penchaient, semblait-il, pour leur attacher les chevilles ou y fixer des poids. A voir le canot à moteur amarré à côté, on pouvait imaginer que, les barges hors de vue, les soldats enlèveraient les bouchons de sable et monteraient à bord du canot pour regagner la terre. Sur la rive, la fanfare venait de terminer le « Nimrod » d'Elgar. Les chants avaient cessé, et l'on n'entendait plus que le bruit des vagues se brisant sur la grève, et, ici et là, des bribes de commandements que le vent portait jusqu'au rivage.

Theo en avait plus qu'assez. Il avait envie de s'en aller. Il avait une folle envie de partir, de prendre sa voiture pour fuir cette petite ville qui ne lui parlait que de désespoir, de décrépitude, de vide et de mort. Mais il avait promis à Julian d'assister à un Quietus ; il se devait de rester jusqu'au moment où les bateaux auraient disparu en mer. Comme pour affirmer sa résolution, il descendit les marches de ciment conduisant de la promenade à la plage. Personne ne tenta de le refouler. Parmi les infirmières, les soldats, les musiciens, tous ceux qui participaient à la macabre cérémonie, personne même ne semblait remarquer sa présence.

Il se produisit alors une soudaine agitation. Tandis qu'on l'aidait à monter dans le bateau le plus proche, une femme poussa un cri et se débattit violemment. L'infirmière qui la soutenait se trouva prise au dépourvu et, avant qu'elle ait pu faire un geste, la femme se jeta à l'eau et tenta de regagner la rive. Sans réfléchir, Theo enleva son lourd manteau et courut dans sa direction, les galets crissant sous ses pas, l'eau glacée lui mordant les chevilles. Elle n'était plus qu'à une vingtaine de mètres, maintenant, et il pouvait la voir distinctement, avec ses cheveux blancs en bataille, sa chemise de nuit collée au corps, ses seins pendants, ses bras où plissait une peau fripée. Une vague arracha son vêtement de l'épaule gauche, et il vit, obscène, sa poitrine dénudée qui ballottait comme une méduse. Elle criait toujours — un cri perçant, comme un sifflement d'animal torturé. Et tout à coup, il la reconnut : Hilda Palmer-Smith. Atterré, il redoubla d'efforts pour la rejoindre, mains tendues en avant.

Puis, comme ses mains tendues allaient atteindre ses poignets, un des soldats qui se trouvaient sur la jetée sauta à l'eau et, avec la crosse de son pistolet, la frappa méchamment sur le côté du crâne. Elle tomba en arrière, agitant les bras. Le sang qui coulait de sa tempe fut tout de suite lavé par une nouvelle vague, qui la submergea, la souleva et la laissa écartelée dans un foisonnement d'écume. Elle tenta de se redresser, mais l'homme frappa encore. Theo l'avait rejointe et la tenait par une main. Cependant, quelqu'un l'empoigna aux épaules et le poussa de côté tandis qu'une voix, calme et autoritaire, lui disait d'un ton presque aimable : « Ne vous en mêlez pas, monsieur. Ne vous en mêlez pas. »

La vague suivante, plus forte que les autres, lui fit perdre pied. Lorsqu'il eut réussi à se remettre debout, il la vit encore qui flottait sur le dos, ses jambes grêles écartées, nue jusqu'à la ceinture. Il poussa un grognement et repartit vers elle, mais à son tour il reçut alors un coup sur la tête. Il sentait le gravier du fond lui écorcher le visage, le sel lui brûler les narines et la gorge, le sang bourdonner à ses tempes. Il cherchait quelque chose à quoi se raccrocher, mais les galets, le sable, tout se dérobait sous sa main. Et une autre vague déferla, qui l'entraîna dans son reflux. A demi conscient, il essaya de redresser la tête, de respirer, d'éviter la noyade.

Mais on ne voulait pas qu'il se noyât. Grelottant, crachant, presque vomissant, il sentit que deux mains puissantes le prenaient par-dessous les aisselles, le soulevaient hors de l'eau comme un enfant. Puis quelqu'un le tira sur la plage. Il était le visage contre terre, bras ballants, impuissant. Les galets rabotaient ses genoux ; les rochers lacéraient sa peau sous son pantalon détrempé. Et pendant tout ce temps, il sentait l'odeur forte de la mer, il entendait le bruit sourd et rythmé du ressac. Enfin, le halage cessa ; on le largua sans ménagements sur le sable sec ; on jeta sur lui son manteau. Il vit comme une ombre passer au-dessus de lui et se retrouva seul.

Il tenta de lever la tête, conscient pour la première fois de la douleur lancinante qui, à chaque pulsation, semblait se dilater et se contracter comme une chose vivante. Mais à peine l'avait-il décollée du sol que sa tête retombait. Au troisième essai, il réussit pourtant à la soulever de quelques centimètres et entrouvrit les yeux. Ses paupières comme tout son visage étaient encroûtés de sable ; il pouvait à peine respirer. De longues algues s'étaient entortillées autour de ses doigts, mêlées à ses cheveux. Il avait l'impression qu'on l'avait arraché à quelque tombe marine avec tout l'appareil de son trépas. Mais avant de perdre conscience, il se rendit compte qu'on l'avait traîné dans l'étroit espace séparant deux chalets. Ceux-ci étaient construits sur pilotis, et, sous les fondations, à moitié enfouis dans le sable, il identifia les vestiges de lointaines vacances : du papier d'argent, une bouteille en plastique, l'armature déglinguée d'une chaise longue, une pelle d'enfant cassée. Il essaya péniblement de s'en approcher, tendit la main pour s'en saisir comme si, par la même occasion, il eût pu s'assurer la sécurité et la paix. Mais l'effort était trop grand et, fermant ses yeux brûlants, il poussa un soupir et sombra dans les ténèbres.

Lorsqu'il revint à lui, sa première pensée fut qu'il faisait complètement nuit. Se tournant sur le dos, il vit un ciel vaguement moucheté d'étoiles, et, devant lui, la pâle luminosité de la mer. Et il se rappela où il était, ce qui était arrivé. La tête lui faisait toujours mal, mais la douleur, désormais continue, s'était atténuée. Il passa la main sur son crâne, où il se découvrit une bosse grosse comme un œuf de poule ; pourtant, il lui sembla que ce n'était pas grave. Il n'avait pas la moindre idée de l'heure, et il ne pouvait distinguer les aiguilles de sa montre. Il frotta ses membres engourdis pour leur redonner vie, mit son manteau après en avoir secoué le sable, et descendit d'un pas lourd jusqu'au rivage, où il s'agenouilla pour se baigner le visage. L'eau était glaciale. La mer s'était calmée et une lune fugitive y ouvrait un couloir de lumière miroitante. La surface étale qui s'étendait devant lui était complètement vide. Il songea aux noyés, toujours attachés à leurs bancs, pris dans les membrures du bateau, aux cheveux blancs dansant gracieusement avec le courant. De retour vers les chalets, il se reposa quelques minutes sur une marche pour rassembler ses forces. Il vérifia le contenu de ses poches. Son calepin de cuir était trempé, mais il était bien là, et son contenu était intact.

Il remonta jusque sur la promenade. Celle-ci était mal éclairée, mais un réverbère lui permit de consulter sa montre. Il était sept heures. Il s'était évanoui et était resté endormi près de quatre heures. Lorsqu'il eut rejoint Trinity Street, il constata avec soulagement que sa voiture était toujours là. Autrement, il n'y avait aucun signe de vie. Il hésitait. Il commençait à frissonner, et il se sentait un furieux besoin de manger et de boire quelque chose de chaud. L'idée de regagner Oxford dans son état présent lui semblait impossible, mais son envie de quitter Southwold était presque aussi impérieuse que sa faim et sa soif. Cependant, alors qu'il était là à se tâter, il entendit une porte se fermer derrière lui et se retourna. Une femme avec un petit chien en laisse sortait d'une des maisons bordant le square. C'était la seule maison où il pût voir quelque lumière, et à la fenêtre du rez-de-chaussée, il remarqua un écriteau proposant chambres et petit déjeuner.

Sans plus réfléchir, il traversa la rue et dit à la femme : « J'ai eu un accident. Je suis trempé jusqu'aux os. Je ne crois pas que je sois en état de rentrer chez moi ce soir. Est-ce que vous avez une chambre ? Je m'appelle Faron, Theo Faron. »

Elle était plus âgée qu'il ne l'avait d'abord pensé, avec un visage rond et tanné, ridé comme un ballon qui se dégonfle, des yeux comme des billes, et une petite bouche de forme délicate, qui avait certainement été jolie, mais qui ne cessait de mâchonner comme pour savourer l'arrière-goût du dernier repas.

Elle ne parut ni étonnée ni alarmée par sa demande, et elle répondit d'une voix agréable : « J'ai une chambre, oui — si vous voulez bien attendre que Chloe ait fait ses besoins. Il y a juste à côté un endroit réservé aux chiens. Nous faisons attention à garder la plage propre. Si elle était sale, il y avait toujours des mères pour se plaindre à cause des enfants — les vieilles habitudes restent. Je sers également à dîner. Est-ce que le dîner vous intéresse ? »

Elle leva le visage vers lui, et, pour la première fois, il vit une lueur d'inquiétude dans ses yeux pétillants. Il répondit qu'il serait ravi de manger.

Trois minutes plus tard, elle était de retour, et il la suivit dans un petit salon. Petit presque à en étouffer. Et encombré de vieilleries : chintz délavé, animaux de porcelaine envahissant le dessus de la cheminée, photos dans des cadres d'argent, coussins de patchwork empilés sur les sièges, le tout baignant dans un parfum de lavande. Il eut le sentiment de se trouver dans un sanctuaire. Dans cette pièce aux murs tapissés de papier fleuri régnait une impression de confort et de sécurité telle qu'il n'en avait jamais connu au cours de son enfance inquiète.

Elle dit : « Je crains de ne pas avoir grand-chose au réfrigérateur, ce soir, mais je peux vous proposer une soupe et une omelette.

— Ce sera parfait.

— La soupe n'est pas maison, hélas, mais je mélange deux boîtes pour la rendre plus intéressante et j'y ajoute un petit quelque chose, un oignon ou du persil haché. Elle devrait vous plaire. Est-ce que je vous installe dans la salle à manger, ou ici, devant le feu ? Ce serait peut-être plus agréable.

— Ici, oui, ce sera très bien. »

Il s'assit dans un fauteuil capitonné, les jambes allongées devant le radiateur électrique, à regarder la vapeur qui montait de son pantalon en train de sécher. Cependant, il n'eut pas longtemps à attendre. La soupe arriva bientôt — un mélange de champignons et de poulet agrémenté de persil, devina-t-il. Elle était bien chaude, et étonnamment bonne, et le petit pain comme le beurre qui l'accompagnaient étaient frais. Ensuite, elle lui apporta une omelette aux fines herbes et lui demanda si, pour finir, il prendrait du thé, du café ou du chocolat. Il aurait préféré de l'alcool, mais il ne semblait pas qu'il y en eût au programme. Il opta pour le thé, et elle le laissa le boire seul de même qu'elle l'avait laissé manger seul.

Quand il eut fini, elle reparut comme si elle avait attendu à la porte, et expliqua : « Je vous ai mis dans la chambre de derrière. C'est parfois bon de ne plus entendre le bruit de la mer. Et ne vous inquiétez pas, le lit est aéré. Je suis très maniaque là-dessus. Je vous ai mis deux bouillottes. Si vous avez trop chaud, ce n'est pas difficile à enlever. Et puis j'ai enclenché le chauffe-eau : vous pouvez prendre un bain. »

Après des heures passées dans le sable humide, il avait mal partout, et l'idée d'un bain était alléchante. Mais maintenant que sa faim et sa soif étaient apaisées, il avait surtout très sommeil. Non, il ne pourrait pas attendre que la baignoire soit pleine.

« Je me baignerai plutôt demain matin, si vous voulez bien », dit-il.

La chambre était située au deuxième étage et, comme promis, elle donnait sur l'arrière de la maison. S'écartant pour le faire entrer, l'hôtesse dit : « Je n'ai pas de pyjama assez grand pour vous, mais je peux vous prêter une vieille robe de chambre, une robe de chambre de mon défunt mari. »

Qu'il n'eût pas de bagage avec lui ne paraissait pas la troubler. Un radiateur électrique rougeoyait à côté d'une petite cheminée victorienne. Avant de s'en aller, elle l'éteignit, et il prit conscience que le prix qu'elle lui demandait ne couvrirait pas celui du chauffage s'il brûlait toute la nuit. Du reste, il faisait assez chaud. Aussitôt la porte fermée, il se déshabilla, se mit au lit, glissa dans la chaleur, le confort et l'oubli.

Le petit déjeuner lui fut servi au rez-de-chaussée, dans une salle à manger qui donnait sur la rue. Il s'y trouvait cinq tables, couvertes chacune d'une nappe blanche à l'ancienne, et ornées d'un petit vase de fleurs artificielles. Mais il était le seul client.

Cette modeste pièce, avec son air de promettre plus qu'elle ne pouvait tenir, ralluma le souvenir des dernières vacances qu'il avait passées avec ses parents. Il avait alors onze ans, et durant une semaine ils avaient séjourné dans une petite pension située sur les hauts de Brighton. Il avait plu presque tous les jours. De ces vacances, il se rappelait l'odeur d'imperméables humides, la mer toujours grise contemplée d'un abri où tous trois se tenaient blottis, l'errance dans les rues en quête d'une distraction qui fût dans leurs moyens jusqu'à ce que vînt enfin l'heure de rentrer pour le repas du soir. Ce repas, ils le prenaient dans une salle à manger tout à fait comme celle-ci, chaque famille occupant sa table et, peu habituée à être servie, attendant dans un silence embarrassé, mais patient, que la propriétaire, avec son entrain de commande, arrivât avec les plateaux — les deux plats de légumes et la viande. La mauvaise humeur et l'ennui avaient gâché tout son séjour. Pour la première fois aujourd'hui, il songea combien peu de joie ses parents avaient eue et combien peu lui, leur enfant unique, avait contribué à leur maigre bonheur.

Elle lui servit avec empressement un petit déjeuner complet — œufs, bacon, pommes de terre rôties —, manifestement partagée entre le désir de profiter de sa présence et l'idée qu'il devait préférer être seul. Il mangea en hâte, impatient qu'il était de partir.

Au moment de payer, il lui dit : « C'était gentil de

m'accepter — un homme seul, sans le moindre bagage... D'autres auraient hésité à me donner une chambre.

— Oh non, voyons, je n'étais pas du tout inquiète. Je n'étais pas surprise de vous voir. Vous étiez la réponse à mes prières.

— Je crois bien qu'on ne m'a jamais rien dit d'aussi gentil.

— C'est pourtant vrai. Je n'avais plus personne depuis des mois ; je me sentais inutile. Il n'y a rien de pire que de se sentir inutile quand on est vieux. Alors j'ai demandé à Dieu de m'indiquer ce que je devais faire, s'il valait la peine de continuer. Et vous êtes venu. Il vous a envoyé. Vous l'avez sûrement constaté : quand on a des soucis, quand on a des problèmes qui nous dépassent, il suffit de demander et Il répond.

— Non, dit-il en comptant son argent, j'avoue que je n'ai pas cette expérience-là. »

Elle continua comme si elle n'avait pas entendu : « Je sais, bien sûr, que le jour viendra où il me faudra renoncer. Notre petite ville se meurt. On n'en a pas voulu comme centre de population. Maintenant, les nouveaux retraités ne viennent plus, et la jeunesse s'en va. Mais tout ira bien. Le Gouverneur a donné sa promesse qu'on s'occuperait de chacun. On me mettra probablement dans un petit appartement de Norwich. »

Dieu lui envoie de temps à autre un client pour la nuit, songea-t-il, mais pour l'essentiel, c'est sur le Gouverneur qu'elle compte. Et tout à trac, il lui demanda : « Vous avez vu le Quietus, hier ?

— Le Quietus ?

— Oui, il y a eu un Quietus, hier. Les bateaux. Près de la jetée.

— Vous devez faire erreur, Mr Faron, rétorqua-t-elle d'un ton ferme. Il n'y a pas eu de Quietus ici. Nous n'avons rien de tel à Southwold. »

Dès lors, il eut le sentiment qu'elle avait hâte de lui

voir les talons. Il la remercia encore. Elle ne lui avait pas dit son nom, et il ne le lui demanda pas. Il allait ajouter : « Je me suis senti très bien chez vous ; il faudra que je revienne y passer quelques jours. » Mais il savait qu'il ne reviendrait jamais, et il estima que sa gentillesse valait mieux que ce genre de mensonges.

10

Le lendemain matin, il écrivit le seul mot OUI sur une carte postale, qu'il plia avec soin et minutie, écrasant de son pouce la pliure. Tracer ces trois lettres lui avait paru lourd de conséquences imprévisibles, un engagement à plus que sa visite promise à Xan.

Peu après dix heures, il cheminait sur les pavés étroits de Pusey Lane dans la direction du musée. Un seul gardien était de service, assis comme d'habitude à la table de bois faisant face à la porte. Il était très âgé et il dormait à poings fermés. Son bras droit, plié sur la table, soutenait une tête en pain de sucre hérissée de mèches grises. Sa main gauche paraissait momifiée, un ensemble d'os lâchement maintenus par un gant taché de peau parcheminée. Juste à côté gisait un livre de poche ouvert, le *Théétète* de Platon. Il s'agissait probablement d'un de ces lettrés qui, pour que le musée reste ouvert, venaient à tour de rôle en assurer bénévolement la surveillance. Qu'il dorme ou non, sa présence était superflue ; personne n'allait risquer la déportation à l'île de Man pour les quelques médaillons présentés en vitrine, et qui eût voulu, ou pu emporter la grande Victoire de Samafaya ou les ailes de la Niké de Samothrace ?

Theo étudiait l'histoire, et pourtant c'était Xan qui

lui avait fait découvrir le Cabinet des plâtres, où il l'avait conduit d'un pas léger, rayonnant de la même joie anticipée qu'un enfant qui s'apprête à montrer ses jouets, ses trésors. Et Theo était lui aussi tombé sous le charme. Pourtant, même ici, leurs goûts différaient. La préférence de Xan allait à la rigueur des statues classiques primitives du rez-de-chaussée, avec leur visage grave et impassible. Theo avait une prédilection pour les modèles hellénistiques plus doux, plus gracieux, présentés au sous-sol. Depuis, rien n'avait changé. Bric-à-brac d'un monde disparu, moules et statues étaient alignés côte à côte sous les hautes fenêtres qui les éclairaient, visages arrogants sur des torses sans bras, fronts ceints surmontés de boucles apprêtées avec élégance, dieux aveugles souriant en secret comme s'ils détenaient une vérité plus profonde que le message trompeur de leurs membres de glace : que les civilisations s'épanouissent et passent mais que l'homme demeure.

Pour autant que Theo le sût, le musée n'avait jamais plus reçu la visite de Xan, alors qu'au cours des ans il était devenu pour lui un lieu d'asile. Durant les mois terribles suivant la mort de Natalie et son déménagement à St John Street, il y avait trouvé un refuge bienvenu loin du chagrin et du ressentiment de sa femme. Assis sur l'une des chaises utilitaires disposées çà et là, il lisait ou réfléchissait dans cette atmosphère de paix que troublait rarement une voix humaine. Et quand, comme il arrivait parfois, un groupe d'écoliers ou des étudiants isolés pénétraient dans les lieux, il fermait son livre et partait. Pour apprécier la qualité unique qu'avait pour lui l'endroit, il fallait qu'il fût seul.

Avant de faire ce qu'il avait à faire, il revisita le musée, en partie parce que, même dans ce silence et ce vide, une crainte vaguement superstitieuse lui dictait de se comporter comme un visiteur ordinaire, en partie pour revoir ses pièces préférées et vérifier s'il éprouvait toujours le même enchantement : la tombe de la jeune mère attique, remontant au IVe siècle avant Jésus-Christ, la servante tenant l'enfant emmailloté, la tombe de la petite fille aux colombes, la douleur s'exprimant à travers près de trois mille ans. Il regarda, médita, se souvint.

Lorsqu'il remonta au rez-de-chaussée, il vit que le gardien dormait toujours. Dans la galerie, la tête du Diadumène était à sa place coutumière, mais elle ne lui procura pas la même émotion que lors de sa première visite, trente-deux ans plus tôt. Son plaisir était désormais détaché, intellectuel ; alors, il avait passé un doigt sur le front, suivi l'arête du nez, la courbe du menton, saisi de ce fiévreux mélange de respect et d'admiration qu'en cette grisante époque le grand art était toujours capable de susciter en lui.

Il tira de sa poche la carte pliée et la glissa entre la base et le socle, le bord à peine visible pour un œil averti. Quel que fût celui qu'enverrait Rolf pour la récupérer, il devrait pouvoir le faire simplement avec l'ongle, ou sinon avec un crayon ou une pièce de monnaie. Il n'était pas à craindre que quelqu'un d'autre la trouve, et même si c'était le cas, le message ne livrerait rien. Vérifiant que le bord de la carte demeurait néanmoins visible, il éprouva cette même irritation mêlée de gêne qu'il avait ressentie à l'église de Binsey. Maintenant, la conviction de se trouver malgré lui embarqué dans une entreprise aussi ridicule que futile était toutefois moins forte. L'image du corps à demi nu d'Hilda roulé par les vagues, de la crosse s'abattant sur sa tempe, du troupeau pitoyable guidé vers les bateaux, conférait dignité et sérieux même aux jeux les plus enfantins. Il n'avait qu'à fermer les yeux pour entendre à nouveau le long soupir succédant au ressac.

Le rôle de spectateur n'a certainement rien de honteux, mais lorsqu'un homme se trouve face à de telles abominations, il se doit de monter sur la scène. Il verrait Xan. Mais pour être honnête, ce qui le motivait, n'était-ce pas moins l'horreur du Quietus que le souvenir de sa propre humiliation, du coup soigneusement ajusté, de son corps traîné sur la plage et abandonné comme une vulgaire charogne ?

Comme il se dirigeait vers la sortie, le vieux gardien endormi sur sa table s'éveilla en sursaut et se redressa. Peut-être était-ce le bruit de pas qui, inconsciemment, l'avait soudain rappelé à son devoir. Dans le premier regard qu'il posa sur Theo se lisait une peur voisine de la panique. Et d'un seul coup Theo le reconnut. Il s'agissait d'un ancien professeur de lettres classiques à Merton, Digby Yule.

« Oh, je suis ravi de vous voir, crut bon de dire Theo. Comment allez-vous, monsieur ? »

La question sembla encore augmenter sa nervosité. Sa main droite s'était mise à tambouriner sur la table de manière apparemment incontrôlable. « Très bien, très bien, merci, Faron, bredouilla-t-il. Je me débrouille parfaitement. Et tout seul, vous savez. J'ai une chambre à Iffley Road et je m'en tire très bien. Je fais tout moi-même. La propriétaire n'est pas une femme facile — enfin, elle a ses problèmes — mais je ne lui cause aucun tracas. Je ne cause de souci à personne. »

De quoi avait-il peur, se demanda Theo. D'un appel anonyme à la PS signalant qu'il était devenu un poids pour autrui ? Ses sens semblaient avoir acquis une acuité surnaturelle. Il percevait la vague odeur de désinfectant, voyait sur le côté de la mâchoire de minuscules restes de crème à raser, comprenait au poignet qui dépassait à peine du veston fatigué que la chemise était propre mais non repassée. L'idée lui traversa l'esprit qu'il aurait pu dire : « Si vous n'êtes pas bien où vous êtes, venez vous installer chez moi, à St John Street. J'ai plus de place qu'il ne m'en faut, maintenant. Je vis seul. Je serais ravi d'avoir de la compagnie. »

Mais il vit aussitôt les aspects négatifs d'une telle proposition : elle serait ressentie à la fois comme présomptueuse et condescendante ; et puis l'homme était trop âgé pour s'en tirer avec les escaliers — ces escaliers qui constituaient une excuse si commode dès que sa générosité était sollicitée. Hilda non plus n'aurait pu s'en tirer avec les escaliers. Mais Hilda était morte.

Cependant, Yule expliquait : « Je ne suis là que deux fois par semaine : le lundi et le vendredi. Je remplace un collègue, vous comprenez. C'est bon de se sentir utile. Et puis j'aime tellement le silence d'ici. Dans aucun autre bâtiment d'Oxford on ne trouve la même qualité de silence. »

Peut-être mourrait-il tranquillement ici, assis à sa table, songea Theo. Ne serait-ce pas l'endroit idéal ? Et il eut alors la vision du vieil homme abandonné là, toujours à sa table, du dernier gardien verrouillant la porte, des années sans fin de silence ininterrompu, du frêle corps momifié ou pourrissant enfin sous le regard vide des statues de marbre.

11

Mardi 9 février 2021

Aujourd'hui, j'ai vu Xan pour la première fois depuis trois ans. Obtenir un rendez-vous n'a présenté aucune difficulté, même si ce n'est pas son visage à lui qui est apparu sur le téléviseur, mais celui de l'un de ses aides, un Grenadier avec le grade de sergent. Pour sa cuisine, sa garde, ses déplacements, Xan a à son service un petit détachement de son armée privée. Dès le début, il a exclu de sa cour tout employé femme : secrétaire, assistante personnelle, intendante ou cuisinière. Je me suis toujours demandé si c'était pour éviter ne fût-ce qu'un soupçon de scandale sexuel, ou si le type de dévouement qu'exigeait Xan était fondamentalement masculin, hiérarchique, inconditionnel, dénué de passion.

Une voiture est venue me chercher. J'avais dit au Grenadier que je préférerais me rendre à Londres par mes propres moyens, mais il avait rétorqué d'un ton sans réplique : « Le Gouverneur vous enverra une voiture avec chauffeur. Elle sera à votre porte à neuf heures trente. »

Je m'attendais un peu à ce que ce soit toujours George, qui me servait régulièrement de chauffeur quand j'étais conseiller de Xan. Je l'aimais bien. Il avait un visage jovial, sympathique, avec des oreilles décollées, une grande bouche, un gros nez en trompette. Il parlait rarement, et seulement quand je lui adressais la parole — j'imagine que cette discrétion est de règle parmi les chauffeurs. Mais il émanait de lui — ou du moins je me plaisais à le croire — un esprit de bonne volonté générale, voire d'approbation, qui faisait de nos trajets ensemble des intermèdes de calme et de détente entre les frustrations des réunions du Conseil et la tristesse de la maison. Le chauffeur qui vint me chercher était plus mince, plus grand, d'une élégance presque agressive dans son uniforme apparemment neuf, et les yeux qui rencontrèrent les miens ne trahissaient rien, même pas de l'hostilité.

J'ai demandé : « Qu'est devenu George ?

— George est mort, monsieur. Un accident sur la A4. Je m'appelle Hedges. C'est moi aussi qui vous reconduirai. »

J'avais du mal à imaginer George, avec sa conduite adroite et prudente, victime d'un accident de la route. Mais je n'en demandai pas plus. Quelque chose me disait que ma curiosité ne serait pas satisfaite et que poser d'autres questions serait malavisé.

Il était inutile d'essayer de prévoir l'entretien ou d'imaginer comment Xan allait me recevoir après trois ans de silence. Nous nous étions quittés sans colère ni amertume, mais je savais bien qu'à ses yeux j'avais fait quelque chose d'inexcusable. Je saurais bientôt si c'était également impardonnable. Xan avait l'habitude d'avoir ce qu'il voulait. Il m'avait voulu à côté de lui, et je lui avais fait défaut. Pourtant, il avait accepté de me voir. Dans moins d'une heure, j'allais savoir s'il voulait que la rupture soit permanente. Je me demandais s'il avait dit à certains membres du Conseil que j'avais demandé un entretien. Je ne m'attendais pas à les voir, et je n'en avais aucune envie — cette partie de ma vie est terminée — ; mais je pensais à eux tandis que la voiture roulait sans heurt, et presque sans bruit, en direction de Londres.

Ils sont quatre. Martin Woolvington, responsable de l'Industrie et de la Production ; Harriet Marwood, chargée de la Santé, de la Science et des Loisirs ; Felicia Rankin, dont le portefeuille des Affaires étrangères, genre fourre-tout, inclut les Transports et le Logement ; et Carl Inglebach, ministre de la Justice et de la Sécurité. Les responsabilités qui incombent à chacun correspondent à un partage des tâches plus qu'elles ne confèrent une autorité absolue. A l'époque en tout cas où j'assistais aux réunions, il arrivait assez régulièrement que l'un empiète sur le domaine de l'autre, et les décisions étaient prises par l'ensemble du Conseil lors d'un vote où, en tant que conseiller de Xan, je n'avais aucune part. Aujourd'hui, je me demande parfois si ce n'est pas cette exclusion humiliante plutôt que la conscience de mon inefficacité qui a fini par rendre ma position intolérable. Non, l'influence ne remplace pas le pouvoir.

Justification de sa place au Conseil, l'importance que revêt pour Xan Martin Woolvington ne fait plus de doute, et elle doit encore s'être renforcée depuis mon départ. Nul n'est plus proche de Xan, nul ne peut davantage se comparer à un ami. Tous deux étaient lieutenants dans le même régiment, et Woolvington a été le premier que Xan a nommé au

Conseil. L'Industrie et la Production constituent l'un des portefeuilles les plus lourds, car il comprend l'agriculture, l'alimentation et l'énergie, ainsi que la direction du travail. Dans un conseil tout à fait remarquable par son niveau d'intelligence, la présence de Woolvington m'a d'abord surpris. Mais il n'est pas stupide ; l'armée britannique a cessé de valoriser la stupidité parmi ses commandants bien avant les années 1990, et la place de Martin est plus que justifiée par son intelligence pratique, non intellectuelle, et sa prodigieuse capacité de travail. Il ne prend que rarement la parole, mais ses interventions sont toujours pertinentes et sensées. Son dévouement à Xan est absolu. Durant les réunions du Conseil, il était le seul à griffonner. J'ai toujours pensé que griffonner était le signe d'une tension mineure, d'un besoin de tenir ses mains occupées, un expédient utile pour éviter de rencontrer les yeux des autres. Martin griffonnait comme personne. Il donnait l'impression qu'il répugnait à perdre son temps. Il pouvait écouter d'une oreille, élaborer dans son esprit un plan de bataille, un projet de manœuvres, et dessiner en même temps de minuscules soldats, qu'il parait d'ordinaire de l'uniforme des guerres napoléoniennes. Je le trouvais plutôt sympathique, car il était invariablement courtois et ne montrait en ma présence rien du secret ressentiment que ma susceptibilité croyait discerner chez les autres. Mais je n'ai jamais pensé que je le comprenais, et je doute qu'il lui soit jamais venu à l'esprit d'essayer de me comprendre. Le Gouverneur tenait à ma présence, il n'y avait pas à chercher plus loin. Au physique, il est un peu plus grand que la moyenne, avec des cheveux ondulés blonds et un beau visage fin qui m'a tout de suite fait penser à un acteur de cinéma des années 1930, Leslie Howard, tel que je l'avais vu sur une photographie. Par la suite, cette ressemblance s'est renforcée d'elle-même, de sorte que j'en venais à prêter à Martin une sensibilité, une intensité dramatique qui sans doute étaient étrangères à sa nature fondamentalement pragmatique.

Je ne me suis jamais senti à l'aise avec Felicia Rankin. Si Xan voulait pour collaboratrice une jeune femme qui soit aussi un juriste éminent, les possibilités ne manquaient pas. Je ne comprends pas pourquoi il a fixé son choix sur Felicia. Son aspect extérieur est extraordinaire. Qu'on la photographie ou qu'on la filme pour la télévision, on la prend invariablement de profil ou de trois quarts, et, vu ainsi, son visage donne une impression de calme beauté conventionnelle — structure classique, sourcils arqués, cheveux blonds ramassés en chignon. Mais qu'on la voie de face et la symétrie disparaît. C'est comme si sa tête était constituée de deux parties distinctes, dont chacune a son charme, mais qui, mises ensemble, produisent une impression de discordance qui, sous certains éclairages, confine à la difformité. L'œil droit est plus grand que le gauche, et le front, au-dessus, légèrement bombé ; l'oreille droite est de même plus grande que son pendant. Mais les yeux sont remarquables, immenses, avec des iris gris pâle. Quand je les regardais et que son visage était au repos, je me demandais quel sentiment on pouvait éprouver du fait d'être à la fois si proche et si éloigné de la beauté. Au Conseil, j'avais du mal à ne pas fixer les yeux sur elle, et plus d'une fois c'est son regard plein de mépris qui m'a forcé à détourner le mien. Aujourd'hui, je pense que la fascination morbide qu'elle exerçait sur moi a nourri notre antipathie réciproque.

Harriet Marwood, dont les soixante-huit ans font le membre le plus âgé du Conseil, est responsable de la Science, de la Santé et des Loisirs, mais sa fonction réelle m'est devenue évidente après la première réunion à laquelle j'ai pris part, et je pense qu'elle est évidente à l'ensemble du pays : Harriet est le vieux sage de la tribu, la grand-mère universelle, rassurante, consolante, toujours là, défendant son code de manières suranné avec la certitude que ses petits-enfants vont s'y conformer. Lorsqu'elle paraît à la télévision pour expliquer les dernières instructions, il est impossible de ne pas croire que tout est pour le mieux. Elle réussirait à donner un air éminemment raisonnable à une loi ordonnant le suicide universel : la moitié du pays passerait immédiatement à l'acte. Elle incarne la sagesse de l'âge, avec sa bienveillance à toute épreuve, son assurance sans compromis. Avant Oméga, elle dirigeait une école de filles, et l'enseignement était sa passion. Même devenue directrice, elle continuait d'enseigner. Mais ce qu'elle voulait, c'est enseigner aux jeunes. Le compromis que j'ai choisi, instruire les adultes, administrer à une classe vieillissante les niaiseries de l'histoire populaire et de la littérature plus populaire encore, ne lui inspirait que mépris. Désormais, elle insuffle au Conseil l'enthousiasme que, jeune femme, elle insufflait à ses élèves. Car ses collègues, et par extension le pays tout entier, sont devenus ses élèves, ses enfants. J'imagine que Xan l'apprécie pour des raisons dont je n'ai pas la clé. A mes yeux, elle est extrêmement dangereuse.

Ceux qui prennent la peine de réfléchir aux personnalités du Conseil disent que Carl Inglebach en est le cerveau, que l'organisation et l'administration grâce auxquelles le pays tient ensemble ont été mûries sous la haute coupole de son crâne, que sans son génie de gestionnaire le gouverneur d'Angleterre serait sans pouvoir. C'est le genre de choses qu'on dit volontiers à propos des puissants, et peut-être lui-même n'y est-il pas étranger. Mais j'en doute. Il ne se soucie pas de l'opinion publique. Ses principes sont simples. Il y a des choses au sujet desquelles on ne peut rien faire, et essayer de les changer est une perte de temps. Il y a des choses qu'il faut changer, et la décision une fois prise, le changement doit être opéré sans retard ni scrupules. Il est le plus sinistre des membres du Conseil, et le plus puissant après le Gouverneur.

Je n'ai rien dit à mon chauffeur avant le rond-point de Shepherd's Bush, où je me suis penché pour taper à la vitre de séparation et dire : « Si vous n'y voyez pas d'inconvénient, j'aimerais bien passer par Hyde Park, Constitution Hill et Birdcage Walk. »

Sans le moindre geste, d'une voix dénuée d'expression, il a répondu : « C'est la route que le Gouverneur m'a dit de prendre, monsieur. »

Nous sommes passés devant le palais, ses fenêtres closes, son mât sans drapeau, ses guérites vides, ses grandes grilles cadenassées. St James's Park m'a paru plus négligé que la dernière fois que je l'ai vu. C'est l'un des parcs dont le Conseil a décidé qu'il fallait assurer l'entretien, et en fait, un groupe de personnages portant la combinaison jaune et brun des Séjourneurs s'affairaient au loin à ramasser les détritus et, semblait-il, à tailler le bord des plates-bandes et massifs dans l'attente d'y planter des fleurs. Un soleil hivernal éclairait la surface du lac, où rutilaient les couleurs éclatantes d'un couple de canards mandarins semblables à des jouets. Sous les arbres, des vestiges de neige restaient de la semaine passée, et je vis avec intérêt, mais sans émotion, que la tache de blanc la plus proche était faite des premières perce-neige de l'année.

Il y avait très peu de circulation à Parliament Square, et les grilles donnant accès au palais de Westminster étaient fermées. C'est là que se rassemblent une fois par an les membres du Parlement, élus par les conseils des régions et des districts. Pas pour débattre ou promulguer des lois : la Grande-Bretagne est gouvernée par décret du conseil d'Angleterre. La fonction officielle du Parlement consiste à discuter, conseiller, recueillir des informations et faire des suggestions. Chacun des cinq membres du Conseil rend personnellement compte de ses activités dans ce que les médias appellent « message annuel à la nation ». La session ne dure pas plus d'un mois, et le programme en est fixé par le Conseil. Les questions débattues sont sans conséquences. Les résolutions adoptées à la majorité des deux tiers sont transmises au conseil d'Angleterre, qui peut à son gré les accepter ou les refuser. Le système a le mérite de la simplicité, et donne l'illusion d'être démocratique à un peuple qui n'a plus l'énergie de se demander comment et par qui il est gouverné dans la mesure où, comme promis par le Gouverneur, il est libéré de la peur, libéré du besoin, libéré de l'ennui.

Durant les premières années d'Oméga, le roi, qui attendait d'être couronné, ouvrait le Parlement avec l'apparat d'autrefois, mais il s'y rendait à travers des rues pratiquement désertes. De puissant symbole de continuité et de tradition, il est devenu un témoin archaïque et superflu de ce que nous avons perdu. C'est toujours lui qui ouvre le Parlement, mais sans cérémonie, en tenue de ville, traversant Londres sans que personne lui prête attention.

Je me souviens d'une conversation que j'ai eue avec Xan la semaine précédant ma démission. « Qu'est-ce que tu attends pour faire couronner le roi ? Je te croyais soucieux de maintenir les usages.

— Je ne vois pas à quoi ça servirait. Les gens s'en fichent. Ils désapprouveraient le coût énorme d'une cérémonie qui a perdu son sens.

— C'est à peine si on entend parler de lui. Où est-ce qu'il est ? En résidence surveillée ? »

Xan ricana comme pour lui-même. « En fait de résidence, il s'agit toujours d'un palais ou d'un château. Rassure-toi, il ne manque de rien. De toute manière, je ne pense pas que l'archevêque de Canterbury accepterait de le couronner. »

Et je me souviens de ma réplique : « Ça n'a rien d'étonnant. Quand tu as nommé Margaret Shivenham à Canterbury, tu savais parfaitement que c'était une républicaine acharnée. »

A l'intérieur du parc défilaient à la queue leu leu

une compagnie de flagellants. Ils étaient nus jusqu'à la ceinture ; même par cette froide journée de février, ils ne portaient rien d'autre qu'un pagne de toile et des sandales. Tout en marchant, ils agitaient en rythme des lanières dont les nœuds lacéraient leurs dos déjà ensanglantés. Même à travers la vitre de la voiture, j'entendais le sifflement du cuir, le bruit mat des fouets mordant la chair nue. J'ai regardé la tête du chauffeur, la demi-lune de cheveux noirs méticuleusement coupés qui dépassait de la casquette, le grain de beauté qui, sur sa nuque, attirait mon regard de façon irritante depuis le début du voyage.

Décidé à tirer de lui une réponse, j'ai dit : « Je croyais que ce genre d'exhibitions était interdit.

— Seulement sur la voie publique, monsieur. Ils doivent penser que dans un parc ils sont libres de faire ce qu'ils veulent.

— Vous ne trouvez pas ce spectacle choquant ? Ce n'est pas pour rien que les flagellants ont été interdits. Les gens détestent la vue du sang.

— Je trouve surtout ce spectacle ridicule, monsieur. Si Dieu existe et qu'Il a décidé qu'Il en avait assez de nous, ce n'est pas une bande de tarés comme ceux-là qui va Lui faire changer d'avis.

— Vous croyez en Lui ? Vous croyez qu'Il existe ? »

Nous étions arrivés devant la porte de l'ancien ministère des Affaires étrangères, et la voiture était déjà arrêtée. Avant de sortir pour m'ouvrir, il s'est retourné et m'a regardé dans les yeux. « Peut-être que Son expérience a foiré. Peut-être qu'Il est déçu, c'est tout. Il voit dans quel pétrin nous sommes, et Il ne sait pas comment nous en sortir. Peut-être qu'Il n'a pas envie de nous en sortir. Tout ce que Son pouvoir Lui permet, c'est peut-être de tirer le rideau. Alors c'est ce qu'Il fait. Il peut être n'importe qui, n'importe quoi, j'espère qu'Il rôtit dans l'enfer qu'Il a inventé. »

Il avait parlé avec une violence extraordinaire,

mais lorsqu'il s'est planté au garde-à-vous pour me tenir la portière, il portait à nouveau son masque d'impassibilité glacée.

12

Le Grenadier en faction à la porte était de ceux que connaissait Theo. Il le salua et sourit comme si Theo n'avait jamais cessé de remplir ses fonctions. Puis un autre Grenadier, celui-ci inconnu, s'avança vers lui, lui fit un salut militaire et lui demanda de le suivre. Ensemble, ils montèrent l'escalier d'honneur.

Xan n'avait pas voulu du 10 Downing Street, comme bureau ni comme résidence ; il avait préféré s'établir dans l'ex-ministère des Affaires étrangères et du Commonwealth, face à St James's Park. Il avait son appartement privé au dernier étage, où, comme le savait Theo, il vivait dans cette simplicité confortable et bien ordonnée que les domestiques et l'argent permettent seuls d'assurer. La pièce de devant qui, vingt-cinq ans plus tôt, était réservée au ministre, servait à la fois de bureau à Xan et de salle du Conseil.

Sans frapper, le Grenadier ouvrit la porte et l'annonça.

Theo se trouva alors non seulement face à Xan, mais à l'ensemble du Conseil. Ses membres avaient pris place à la petite table ovale qu'il connaissait bien, mais tous du même côté, et plus près les uns des autres qu'à l'accoutumée. Xan était au centre, entre Felicia et Harriet, respectivement flanquées de Martin et de Carl. Un seul siège vide était placé directement en face de Xan. De toute évidence, la mise en scène était calculée pour décontenancer Theo, et elle eut momentanément cet effet. Devant les cinq paires d'yeux qui l'observaient, il ne put s'empêcher d'hésiter sur le pas de la porte, rougissant de contrariété et de gêne. Mais au choc de la surprise succéda un élan de colère dont il décida de tirer parti. Ils avaient pris l'initiative, mais il n'y avait pas de raison qu'ils la gardent.

Les mains de Xan reposaient sur la table, doigts légèrement pliés. Theo remarqua tout de suite la bague, et il comprit qu'on y comptait. Elle aurait du reste été difficile à dissimuler. Au médium de la main gauche, Xan arborait la bague du couronnement, l'anneau nuptial de l'Angleterre, le grand saphir entouré de diamants et surmonté d'une croix de rubis. Il le regarda, sourit et dit : « Une idée d'Harriet. Si c'était du toc, ce serait d'une vulgarité consternante. Le peuple a besoin de ce genre de gris-gris. Mais n'aie pas peur, je n'ai pas l'intention de me faire sacrer à l'abbaye de Westminster par Margaret Shivenham. Elle est si ridicule avec sa mitre que je serais incapable de garder mon sérieux durant toute la cérémonie. Tu te dis qu'autrefois je ne l'aurais pas portée ?

— Autrefois, répondit Theo, tu n'en aurais pas éprouvé le besoin. » Et il fut tenté d'ajouter : « Et tu n'aurais pas éprouvé le besoin de me dire que c'était une idée d'Harriet. »

Xan désigna le siège vide. Theo s'assit et dit : « J'ai demandé une entrevue personnelle avec le gouverneur d'Angleterre, et je pensais qu'elle m'était accordée. Je n'ai pas sollicité un poste ; je ne suis pas ici pour passer un examen.

— Voilà trois ans que nous ne nous sommes pas vus, répliqua Xan. Je pensais que tu aurais plaisir à retrouver tes vieux — comment diriez-vous, Felicia ? — amis, camarades, collègues ?

— Je dirais “connaissances ”, répondit Felicia. Je n'ai jamais compris quelle était au juste la fonction de Faron alors qu'il était conseiller du Gouverneur, et les trois ans qui ont passé depuis qu'il ne l'est plus ne m'ont pas éclairée. »

Woolvington leva les yeux de son griffonnage. Le Conseil devait siéger depuis quelque temps. Il avait déjà réuni toute une compagnie de fantassins. « Ça n'a jamais été très clair, dit-il. Mais le Gouverneur voulait Faron pour conseiller ; pour moi, c'était suffisant. D'ailleurs, pour autant que je m'en souvienne, si Faron n'a jamais fait grand-chose, il n'a jamais non plus empêché grand-chose. »

Xan sourit, mais sans que son sourire atteignît ses yeux. « Tout cela, c'est du passé — laissons le passé où il est. Bienvenue, Theo. Parle. Dis-nous ce que tu as à dire. Nous sommes tous des amis. » Il donnait à ces mots banals des allures de menace.

Les circonlocutions ne serviraient à rien. Theo se lança : « Mercredi dernier, j'ai assisté au Quietus de Southwold. Autant dire un assassinat. La moitié des suicidés paraissaient drogués, et ceux qui avaient conscience de ce qui se passait n'étaient certainement pas tous volontaires. J'ai vu des femmes traînées sur le bateau et enchaînées. J'en ai vu une assommée sur la plage. Est-ce qu'on abat nos vieux comme des animaux ? Quand le Conseil parle de sécurité, de confort, de plaisir, est-ce que cette parade meurtrière fait partie du programme ? C'est ça, mourir dans la dignité ? Je suis ici parce que j'estime que vous devez savoir ce qui se fait au nom du Conseil. »

Cependant, il pensait : « Je suis trop violent. Je me les mets à dos avant même d'avoir commencé. Du calme. »

Felicia dit : « Le Quietus dont vous parlez a été mené en dépit du bon sens. La situation n'est pas toujours facile à maîtriser. J'ai demandé un rapport. Il semble que certains gardes aient outrepassé les ordres.

— Outrepassé les ordres ! On peut tout excuser avec cette formule. Et je ne vois pas pourquoi on a besoin de gardiens armés, pourquoi on a besoin de chaînes, si ces gens vont de bon gré à la mort ?

— Le Quietus dont vous parlez a été mal géré, répéta Felicia avec une impatience non déguisée. Des mesures seront prises contre les responsables. Le Conseil prend note de votre préoccupation, préoccupation justifiée et tout à fait louable. C'est tout ? »

Xan fit comme s'il n'avait pas entendu la question. « Quand mon tour viendra, dit-il, je prendrai ma capsule chez moi, dans mon lit, et si possible seul. Je n'ai jamais vraiment vu l'intérêt de ces Quietus que vous semblez tant apprécier, Felicia. »

Felicia rétorqua : « Ils ont commencé de façon spontanée. Une vingtaine d'octogénaires d'un home du Sussex ont décidé d'organiser une sortie à Eastborne, et là, main dans la main, ils ont fait le plongeon depuis Beachy Head. C'est devenu une mode. Puis un ou deux conseils locaux ont cru bon de prendre les choses en main. Peut-être que sauter d'une falaise était pour les vieux un moyen commode d'en finir, mais il fallait ensuite s'occuper des corps — et des survivants, car je crois qu'il est arrivé que certains survivent. Toute cette pagaille ne pouvait pas durer. Mettre sur pied des sorties en mer était la solution qui s'imposait. »

Harriet se pencha en avant pour expliquer de sa voix raisonnable et persuasive : « Les gens ont besoin de rites de passage, ils souhaitent mourir en compagnie. Vous vous sentez la force de finir seul, Gouverneur, mais la plupart d'entre nous apprécient alors le contact d'une main humaine.

— Si vous croyez que la femme que j'ai vue mourir a eu droit au contact d'une main humaine ! s'indigna Theo. C'est tout juste si j'ai pu lui tendre la mienne. Non, ce à quoi elle a eu droit, c'est un coup de crosse sur la tête. »

Sans interrompre ses griffonnages, Woolvington grogna : « Nous mourons tous seuls. Nous devons subir la mort comme un jour nous avons subi la naissance. Ce sont deux expériences qui ne se partagent pas. »

Harriet Marwood se tourna vers Theo. « Le Quietus est absolument volontaire, bien sûr. Toutes les précautions sont prises. Il faut signer un formulaire — en deux exemplaires, c'est bien ça, Felicia ?

— En trois exemplaires, corrigea sèchement cette dernière. Un pour le conseil local, un pour les héritiers, et un que le participant au Quietus garde jusqu'à sa montée en bateau et qui va ensuite au bureau du Recensement.

— Comme tu vois, dit Xan, Felicia a les choses bien en main. Autre chose, Theo ?

— Oui. La colonie pénitentiaire de Man. Vous savez ce qui s'y passe ? Vous êtes au courant des meurtres, de la famine, de l'anarchie galopante ?

— Oui, fit Xan. La question est de savoir comment toi, tu es au courant ? »

Theo ne répondit pas. La question impliquait une menace dont il avait pleinement conscience.

Felicia dit : « Je crois me souvenir que vous étiez présent, en votre qualité quelque peu ambiguë de conseiller, lorsque nous avons discuté de la fondation de cette colonie. Votre seule objection concernait la population résidante et son transfert. Le transfert s'est fort bien passé. Chacun a pu s'installer dans la région qui lui plaisait. Nous n'avons pas eu de plaintes.

— Je pensais que la colonie serait convenablement organisée, qu'il y aurait tout le nécessaire pour y vivre décemment.

— Mais il y a tout le nécessaire : des maisons, de l'eau, de quoi faire pousser de la nourriture.

— Il y a tout le nécessaire aussi pour créer l'anarchie. Au XIXe siècle, quand nos condamnés étaient déportés en Australie, les colonies là-bas avaient des gouverneurs, plus ou moins libéraux, plus ou moins draconiens, mais qui tous veillaient à maintenir l'ordre et la paix. La population n'était pas laissée à la merci des criminels les plus forts, les plus endurcis.

— Vraiment ? rétorqua Felicia. C'est affaire d'opinion. Et les conditions ne sont pas comparables. Vous connaissez la logique du système pénitentiaire. Si des gens choisissent d'agresser, de voler, de violer, de terroriser et d'exploiter autrui, qu'ils vivent avec leurs semblables. Si c'est la société qu'ils veulent, qu'ils l'aient. Pour peu qu'il y ait quelque vertu en eux, ils devraient être à même de s'organiser intelligemment pour vivre en paix les uns avec les autres. Sinon, eh bien ! ils voient à quoi aboutit le désordre qu'ils sont si prompts à imposer à leur prochain. A eux de choisir. »

Harriet intervint : « Et s'il fallait un gouverneur et des gardiens pour faire régner l'ordre, où les trouverions-nous ? Vous êtes volontaire ? Non ? Alors, qui voulez-vous qui le soit ? Les gens en ont assez des crimes et de la criminalité. Ils refusent aujourd'hui de vivre dans la peur. Si je ne m'abuse, vous êtes né en 1971 ? Vous devez vous souvenir des années 1990, de la montée de la violence, des femmes craignant de sortir seules même dans leur quartier, des vieux vivant reclus chez eux — parfois quitte à brûler vifs à l'abri de leurs verrous —, des vandales en état d'ivresse semant la terreur dans les petites villes de province, des enfants prenant pour modèle les plus dangereux de leurs aînés, des grilles, des systèmes d'alarme les plus insensés suffisant à peine à protéger ses biens... On a tout essayé pour guérir la criminalité, tous les types de prétendus traitements, tous les types de régimes pénitentiaires. La rigueur et les sévices n'ont abouti à rien ; mais l'indulgence et la compréhension non plus. Maintenant, depuis Oméga, les gens nous disent : "Trop, c'est trop." Ni les prêtres, ni les psychiatres, ni les psychologues, ni les criminologues, personne n'a trouvé la réponse. Grâce à l'île de Man, nous garantissons une vie libre de la peur. Sans cette liberté-là, les autres ne riment à rien.

— L'ancien système avait pourtant ses avantages, ironisa Xan. La police était bien payée. La bourgeoisie fournissait des travailleurs sociaux, les juges, les magistrats, tout un petit monde dont la prospérité dépendait du crime. Et vos confrères n'étaient pas les derniers à en profiter, Felicia, eux qui mettaient toute leur habileté juridique à faire condamner des gens pour que leurs collègues aient la satisfaction d'obtenir en appel un changement de verdict. Aujourd'hui, hélas, nous n'avons plus les moyens d'encourager la délinquance, même si certains devaient y trouver leur compte. Mais tu as sans doute encore d'autres sujets de préoccupation que la colonie pénitentiaire de Man ?

— En effet, répondit Theo. La façon dont sont traités les Séjourneurs n'est pas du goût de tout le monde. Nous les importons comme de la marchandise et nous les exploitons comme des esclaves. Et pourquoi le quota ? S'ils veulent venir, qu'on les laisse venir. Et qu'on les laisse partir quand ils le veulent. »

Woolvington avait achevé deux lignes de cavaliers, qui paradaient élégamment au haut de la page. Il leva la tête et dit : « L'immigration libre ? Ce n'est tout de même pas cela que vous préconisez ? Rappelez-vous ce qui s'est passé dans les années 1990. Toute l'Europe en a eu assez de ces hordes d'envahisseurs venus de pays dotés d'autant d'avantages naturels que le nôtre, qu'ils avaient par bêtise, indolence et lâcheté laissés péricliter aux mains de gouvernants incapables, et qui prétendaient ici profiter des résultats qu'avaient apportés des siècles d'intelligence, de travail et de courage, tout cela en pervertissant, en détruisant incidemment la civilisation à laquelle ils se prétendaient si désireux de s'assimiler. »

Depuis lors, le discours n'a guère changé, songea

Theo. Mais quel que soit celui qui le tient, c'est la voix de Xan qu'on entend. Il dit : « Aujourd'hui, les choses sont différentes. Il n'y a pénurie de rien, ni de ressources, ni d'emplois, ni de logements. Limiter l'immigration dans un pays sous-peuplé qui se meurt n'est pas une politique particulièrement généreuse.

— La politique ne l'est jamais, remarqua Xan. La générosité est l'affaire des individus, pas des gouvernements. Quand un gouvernement se montre généreux, c'est avec l'argent des contribuables. Ce qui est en jeu, c'est toujours l'argent, la sécurité, l'avenir des individus. »

Carl Inglebach prit alors la parole pour la première fois. Il était assis comme Theo l'avait vu des douzaines de fois : un peu en avant sur son siège, les deux poings serrés posés exactement côte à côte sur la table, comme pour cacher un trésor qu'il était néanmoins important que le Conseil sût en sa possession, ou comme s'il s'apprêtait, par jeu, à faire passer un penny d'une main dans l'autre sans qu'on pût jamais dire dans laquelle il était. Avec son crâne poli et ses yeux noirs luisants, il ressemblait — et devait être fatigué de se l'entendre dire — à Lénine, un Lénine bon enfant. Comme il avait horreur de porter la cravate, cette ressemblance était encore accusée par le style de veste, toujours admirablement coupée, qu'il avait adopté : une veste à col montant qui se boutonnait sur l'épaule gauche. Mais il avait beaucoup changé. Au premier coup d'œil Theo comprit qu'il était atteint d'une maladie mortelle, peut-être même proche de la mort. Les os de son crâne et de son visage saillaient sous une peau jaunâtre, et le cou décharné qui sortait du col ressemblait à un cou de tortue. Theo avait déjà vu cet air-là. Les yeux seuls étaient restés les mêmes, étincelant dans leurs orbites de minuscules point de lumière. Pourtant, sa voix n'avait rien perdu de sa force. Toute l'énergie qui lui restait semblait se concentrer dans son esprit et dans la voix, belle et sonore, qui permettait à cet esprit de s'exprimer.

« Vous êtes historien. Vous savez quels maux ont été perpétrés au cours des âges pour assurer la survie des nations, des sectes, des religions, même des familles. Tout ce que l'homme a fait de bien et de mal, il l'a fait dans la connaissance qu'il est façonné par l'histoire, que sa vie est brève, incertaine, négligeable, mais qu'il existe un avenir pour la nation, la race, la tribu. Cet espoir a fini par nous être enlevé ; il n'existe plus que dans l'esprit des fous, des fanatiques. L'homme est diminué s'il vit sans connaître son passé ; mais sans espoir d'avenir, il n'est plus qu'une bête. Nous voyons partout dans le monde la perte de cet espoir, la fin de la science et de l'invention — sauf là où il s'agit de prolonger la vie et d'ajouter à son confort, à son agrément —, la fin de l'attention portée à notre monde physique, à notre planète. Qu'importe aujourd'hui l'ordure que nous allons laisser à nos éphémères héritiers ? Les émigrations massives, les grands tumultes internes, les guerres religieuses et tribales des années 1990 ont fait place à une anomie universelle qui laisse la terre inculte et le bétail sans soins, qui voit se généraliser la guerre civile, la famine, la spoliation du faible par le fort. Nous assistons au retour des vieux mythes, des vieilles superstitions, et même des sacrifices humains, parfois à grande échelle. Si ce pays a dans une large mesure échappé à cette catastrophe générale, c'est grâce aux cinq personnes installées autour de cette table. C'est grâce surtout au gouverneur de l'Angleterre. De ce conseil aux conseils locaux, notre système maintient un semblant de démocratie pour ceux qui s'en soucient encore. Notre pays bénéficie d'une administration humaine qui, dans une certaine mesure, tient compte des aspirations et des talents de chacun, qui assure la poursuite du travail alors même que les travailleurs n'ont personne à qui laisser les fruits de leur labeur. Malgré le désir inévitable de dépenser, de consommer, de satisfaire des besoins immédiats, nous avons une monnaie forte et une inflation négligeable. Les dispositions que nous avons prises vont permettre à la dernière génération qui aura la chance de vivre dans cette pension multiraciale qu'est devenue la Grande-Bretagne d'avoir jusqu'au bout de quoi se nourrir, se soigner, s'éclairer. Au vu de ces réalisations, est-il réellement scandaleux que certains Séjourneurs soient mécontents, que certains vieux fassent le choix de mourir ensemble, que l'anarchie règne dans la colonie pénitentiaire de Man ? »

Harriet observa : « Les décisions qui ont été prises ne vous concernaient plus, il me semble. Vous vous êtes défilé avant. On ne peut pas ainsi se dérober à une responsabilité et venir ensuite se plaindre du résultat auquel ont abouti les efforts des autres. Les historiens ne vivent heureux que dans le passé. Retournez-y.

— Il n'y a que là qu'il soit à sa place, renchérit Felicia. Même quand il a tué sa fille, il reculait. »

Dans le silence tendu qui accueillit cette méchante plaisanterie, Theo parvint à dire : « Je ne conteste pas les résultats que vous avez obtenus, mais je ne vois pas pourquoi la bonne organisation, le confort, la protection, tout ce que vous offrez aux citoyens serait incompatible avec certaines réformes. Pourquoi ne pas abandonner les Quietus ? Si des gens choisissent de se suicider — et j'admets que c'est une façon raisonnable d'en finir —, donnez-leur les pilules nécessaires, mais renoncez aux campagnes de persuasion, à la contrainte. Envoyez des hommes restaurer l'ordre sur l'île de Man. Laissez tomber les contrôles de sperme et les examens gynécologiques obligatoires ; ils sont dégradants et ne riment plus à rien. Fermez les boutiques porno dirigées par l'Etat. Traitez les Séjourneurs comme des êtres humains et non comme des esclaves. Tout cela peut se faire facilement. Une signature du Gouverneur suffit. C'est tout ce que je demande. »

Xan dit : « Pour ce conseil, il semble que ce soit beaucoup. Tes suggestions auraient plus de poids si tu étais assis, comme tu le pourrais, de ce côté-ci de la table. Mais ta position, aujourd'hui, est celle de n'importe quel citoyen. Tu veux des résultats mais tu fermes les yeux sur les moyens d'y arriver. Tu veux que le jardin soit beau mais ton nez est trop délicat pour souffrir l'odeur du fumier. »

Xan se leva, aussitôt imité par le reste du Conseil. Mais il ne tendit pas la main. Theo vit alors que le Grenadier qui l'avait introduit s'était glissé à côté de lui comme en réponse à un signal secret. Il s'attendait presque à sentir une main s'abattre sur son épaule. Sans ajouter un mot, il fit demi-tour et sortit à sa suite de la salle du Conseil.

13

La voiture attendait. En le voyant, le chauffeur sortit pour lui ouvrir la porte. Mais tout à coup, Xan apparut à côté de lui. Il dit à Hedges : « Prends par le Mall et attends-nous devant la statue de la reine Victoria », puis, se tournant vers Theo, il ajouta : « Nous allons traverser le parc à pied. Attends-moi, je vais chercher mon pardessus. »

Une minute plus tard, il était de retour avec le pardessus de tweed qu'on lui voyait toujours à la télévision lorsqu'il était filmé en extérieurs : légèrement cintré, à pèlerine, dans ce style Régence qui était brièvement réapparu au début des années 2000. Le manteau était vieux, mais il l'avait gardé.

Theo se souvenait du jour où il l'avait acheté, de la

conversation qu'ils avaient eue : « Tu as vu le prix ? C'est de la folie.

— Il me durera toute la vie.

— Ça m'étonnerait. En tout cas, la mode, elle, ne va pas durer.

— Je me fiche de la mode. Le modèle me plaira encore davantage quand je serai seul à le porter. »

Aujourd'hui, il était bien le seul.

Ils traversèrent la route en direction du parc. Xan dit : « Cette visite n'était pas très sage. Il y a des limites à la protection que je peux vous assurer à toi et à tes petits copains.

— J'ignorais que j'avais besoin de protection. Je suis un citoyen libre ; j'ai demandé comme j'en avais le droit un entretien avec le gouverneur démocratiquement élu de ce pays. Pourquoi faudrait-il que je sois protégé, par toi ou n'importe qui d'autre ? »

Xan ne dit rien, et sur sa lancée, Theo poursuivit : « Pourquoi est-ce que tu fais ça ? Qu'est-ce qui t'intéresse dans ta position ? » Lui seul, pensait-il, pouvait et osait poser cette question.

Les yeux fixés sur le lac comme si son attention avait soudain été captée par quelque chose d'invisible aux autres, Xan mit un moment avant de répondre. Pourquoi hésite-t-il ? se demandait Theo. Cette question, il doit déjà l'avoir cent fois retournée dans sa tête. Enfin, Xan reprit sa marche et dit : « Je fais ça d'abord parce que j'y prends plaisir. Le pouvoir, j'imagine. Mais ce n'est pas tout. Je n'ai jamais supporté de voir quelqu'un faire mal ce que je sais pouvoir bien faire. Les cinq premières années ont suffi à calmer mon enthousiasme, mais alors, il était trop tard. Il fallait que quelqu'un se charge de la besogne, et les seuls qui y sont disposés sont les quatre personnes qui m'entourent. Tu préférerais Felicia ? Harriet ? Martin ? Carl ? Carl ferait certainement le poids, mais il est malade, il est condamné. Quant aux trois autres, ils seraient incapables de maintenir l'unité du Conseil, sans parler de celle du pays.

— Autrement dit, tu agis par devoir ? Tu te sacrifies au bien public ?

— Tu as déjà vu quelqu'un abandonner le pouvoir, le vrai pouvoir ?

— Ça existe.

— Et tu l'as vu ensuite, mort vivant ? Mais ce n'est pas le pouvoir, pas seulement. Je vais te dire la vraie raison. Je ne m'ennuie pas. Quoi que je fasse par ailleurs, je ne m'ennuie jamais. »

Ils marchèrent un moment en silence, longeant le lac. Puis Xan dit : « Les chrétiens croient que la parousie est arrivée mais que leur Dieu les rassemble un à un plutôt que de descendre plus spectaculairement dans les nuages de gloire promis. Ainsi, le Ciel peut contrôler les admissions. Le traitement des rachetés en robe blanche est facilité. J'aime imaginer Dieu s'occupant de logistique. Mais ils ont renoncé à l'espoir d'entendre le rire d'un enfant. »

Comme Theo ne rétorquait rien, Xan lui demanda tranquillement : « Qui sont ces gens ? Il vaut mieux me le dire.

— Il n'y a pas de gens.

— Cette salade, dans la salle du Conseil, tu n'y as pas pensé tout seul. Oh, je ne veux pas dire que tu n'en es pas capable. Mais tu ne te soucies plus de rien depuis trois ans, et tu n'étais guère concerné avant. On t'a endoctriné.

— On ne m'a pas endoctriné. Mais je vis dans le monde réel, même à Oxford. Je vais dans les magasins, je fais la queue aux caisses, je prends des bus, j'écoute. Et parfois des gens me parlent. Personne avec qui j'aie des liens particuliers. Mais je communique avec les autres.

— Quels autres ? Tes étudiants ?

— Non, personne en particulier.

— Curieux que tu sois devenu si abordable. Autrefois, tu te protégeais, tu étais inaccessible, comme sous une cloche de verre, enveloppé d'une membrane invisible. Enfin, quand tu parleras à ces mystérieux "autres", demande-leur s'ils peuvent faire mon travail mieux que moi. Et si oui, suggère-leur de venir me le dire en face. Comme émissaire, tu n'es pas très persuasif. Ce serait dommage qu'il nous faille fermer le Centre d'éducation pour adultes d'Oxford. Mais si l'endroit devient un foyer d'agitation, nous n'aurons pas le choix.

— Tu n'en penses pas un mot.

— C'est ce que dirait Felicia.

— Depuis quand est-ce que tu te soucies de Felicia ? »

Xan eut son petit sourire secret. « Tu as raison, bien sûr. Je me fiche pas mal de Felicia. »

Alors qu'ils franchissaient le pont enjambant le lac, ils s'arrêtèrent pour regarder dans la direction de Whitehall. Ici s'offrait, inchangée, l'une des vues les plus impressionnantes de Londres, les splendides et élégants bastions de l'Empire se dressant au milieu des arbres, au-delà d'un miroir d'eau. Theo se souvenait d'avoir flâné à cet endroit une semaine après être entré au Conseil ; il se revoyait contemplant la même vue, avec Xan dans le même pardessus. Et il se rappelait chaque mot qu'ils avaient dit aussi clairement que s'il venait d'être prononcé.

« Il faut laisser tomber ces examens de sperme obligatoires. Ils sont humiliants, et depuis plus de vingt ans qu'on les pratique, ils n'ont jamais donné de résultats. En plus, ils ne concernent que les hommes sains. Les autres, qu'est-ce qu'ils deviennent ?

— S'ils réussissent à se reproduire, tant mieux, mais nous n'avons pas l'équipement nécessaire pour nous occuper de ceux qui ne sont pas physiquement et moralement aptes.

— Votre tri se fait en fonction de la vertu autant que de la santé ?

— En un sens, oui. Si nous avions le choix, nous refuserions le droit de se reproduire à ceux qui ont des antécédents criminels.

— Pour vous, la vertu se mesure d'après le droit pénal ?

— Comment veux-tu la mesurer autrement ? L'Etat ne voit pas dans le cœur des hommes. D'accord, le procédé est rude et sommaire. Mais quels rejetons attendre des idiots, des incapables, des violents ?

— Dans votre nouveau monde, il n'y aura donc pas de place pour le voleur repenti ?

— Le dissuader de procréer n'empêchera pas qu'on applaudisse à son repentir. Et puis quoi, Theo, ce nouveau monde n'est pas en passe de se réaliser. Si nous planifions, si nous projetons, ce n'est que pour faire semblant que l'homme a un avenir. Qui croit encore que nous allons trouver du sperme fécond ?

— A supposer que vous en trouviez chez un psychopathe dangereux, est-ce que vous l'utiliseriez ?

— Evidemment. Si c'était le seul espoir, nous l'utiliserions. Nous utiliserons tout ce qui est utilisable. Mais les mères seront soigneusement choisies en fonction de leur santé, de leur intelligence, de leur moralité. La psychopathie, nous nous efforcerons de l'éliminer.

— Et les centres de pornographie, dans tout ça, est-ce qu'ils sont vraiment nécessaires ?

— Tu n'as pas besoin de les fréquenter. Il y a toujours eu de la pornographie.

— Tolérée, mais pas patronnée par l'Etat.

— La différence n'est pas si grande. Et ces centres, en quoi peuvent-ils nuire à des gens sans espoir ? Il n'y a rien comme occuper le corps pour apaiser l'esprit. »

Theo remarqua : « Mais leur fonction ne se limite pas à ça ?

— Bien sûr que non. Pour avoir l'espoir de se reproduire, il faut que l'homme s'accouple. S'il en perd l'habitude, tout est perdu. »

Lentement, ils se remirent en marche. Puis, rompant un silence devenu presque amical, Theo demanda : « Est-ce que tu vas souvent à Woolcombe ?

— Ce mausolée ? Non, l'endroit me déprime. Il fallait bien que j'aille de temps à autre y voir ma mère, mais je n'y suis plus retourné depuis cinq ans. Maintenant, plus personne ne meurt à Woolcombe. Ce qu'il faudrait là-bas, c'est un Quietus à la bombe. Curieux, non ? Presque toute la recherche médicale s'occupe de prolonger la vie et d'améliorer la santé chez les vieux, et c'est la sénilité qui progresse. A quoi bon prolonger la vie ? On les bourre de médicaments pour lutter contre l'amnésie, l'abattement, l'anorexie. La seule chose dont ils n'aient pas besoin, c'est de somnifères : on dirait qu'ils ne savent que dormir. Je me demande ce qui se passe dans leur tête durant ces longues périodes à demi conscientes. Ils ressassent des souvenirs, j'imagine, des prières.

— Une prière, oui, dit Theo : "Que je voie les enfants de mes enfants et la paix sur Israël". Est-ce que ta mère t'a reconnu avant de mourir ?

— Malheureusement oui.

— Tu m'as dit un jour que ton père la détestait.

— Je ne sais pas trop pourquoi. Pour te choquer, sûrement, pour t'impressionner. Mais rien ne te choquait, même quand tu étais enfant. Et aucun de mes exploits universitaires, militaires, politiques, ne t'a jamais vraiment impressionné, non ? Mes parents s'entendaient très bien. Mon père était gay, bien sûr. Tu ne le savais pas ? Autrefois, j'en étais désespéré, mais aujourd'hui, ça me paraît suprêmement anodin. Pourquoi n'aurait-il pas vécu comme il le désirait ? Moi, c'est toujours ce que j'ai fait. Ce détail explique le mariage, évidemment. Il voulait la respectabilité, il lui fallait un fils, alors il a choisi une femme qui serait tellement éblouie par son titre et Woolcombe qu'elle ne lui demanderait rien d'autre.

— Il ne m'a jamais fait d'avances. »

Xan rit. « Quel égocentrique ! Imagine-toi que tu

n'étais pas son type. Et puis il était bardé de conventions. Ses saletés, on ne les fait pas chez soi. Pour ça, il avait Scovell. Scovell était dans la voiture lors de l'accident. J'ai réussi à étouffer l'affaire. Qu'on sache m'était égal, mais lui ne l'aurait pas voulu. J'avais été un assez mauvais fils. Je lui devais bien ça. »

Sautant du coq à l'âne, Xan dit brusquement : « Nous ne serons pas les derniers hommes sur terre, toi et moi. Ce privilège reviendra à un Oméga — bonne chance à lui ! Mais si jamais nous restions tous les deux, qu'est-ce que tu crois que nous ferions ?

— Nous boirions. Nous boirions aux ténèbres en nous rappelant la lumière. Nous lancerions au vent une liste de noms avant de nous faire sauter la cervelle.

— Quels noms ?

— Michel-Ange, Léonard de Vinci, Shakespeare, Bach, Mozart, Beethoven. Jésus-Christ.

— Les grands noms de l'humanité. Laisse tomber ceux des dieux, des prophètes, des fanatiques. Pour moi, je voudrais que la saison soit l'été, le vin du bordeaux, et l'endroit le pont de Woolcombe.

— Et comme nous sommes anglais, après tout, nous finirions par Shakespeare, *la Tempête,* la tirade de Prospero.

— A condition que nous ne soyons pas trop vieux pour nous la rappeler. A condition que, le vin terminé, nous ayons encore la force de tenir une arme. »

Ils avaient atteint le bout du lac. Sur le Mall, devant la statue de la reine Victoria, la voiture attendait. Le chauffeur se tenait debout à côté, jambes écartées, bras croisés, les observant par-dessous la visière de sa casquette. Il avait la pose d'un geôlier, peut-être d'un bourreau. Theo se l'imagina un instant en cagoule, la hache au côté.

Puis il entendit Xan, Xan qui prenait congé : « Dis à tes amis, quels qu'ils soient, d'être raisonnables. Et s'ils sont incapables d'être raisonnables, dis-leur d'être prudents. Je ne suis pas un tyran, mais je ne peux pas me permettre d'être indulgent. Je prendrai les dispositions qui s'imposent. »

Il regarda Theo, qui, l'espace d'une seconde insolite, crut voir dans ses yeux un appel à la compréhension. Puis Xan répéta : « Dis-leur, Theo. Je ferai ce qui doit être fait. »

14

Theo ne s'habituait pas à traverser un St Giles désert. Le souvenir de ses premiers jours à Oxford, des rangées de voitures garées sous les ormes, de l'impatience croissante qu'il éprouvait à attendre de pouvoir enfin passer au milieu de la circulation quasi incessante, devait l'avoir marqué plus que bien des souvenirs plus agréables ou importants pour lui revenir aussi obstinément. L'absence de trafic lui était toujours une surprise, et, malgré lui, il continuait d'hésiter sur le bord du trottoir. Traversant la large rue avec un rapide coup d'œil à gauche et à droite, il prit la ruelle pavée passant devant le Lamb and Flag et gagna le musée. La porte était fermée ; il craignit un moment que le musée ne le fût également et s'en voulut de ne pas avoir pris la précaution de téléphoner. Elle s'ouvrit toutefois lorsqu'il en tourna la poignée, et, à l'intérieur, il vit que la porte de bois était entrebâillée. Il entra dans le vaste hall de métal et de verre.

Il faisait froid, plus froid, semblait-il, qu'à l'extérieur. Il n'y avait personne hormis une femme âgée, tellement emmitouflée que ses yeux seuls étaient visibles entre son écharpe à rayures et son bonnet, qui trônait au comptoir de la boutique. Les mêmes cartes postales étaient toujours en montre : images de dinosaures, de pierres précieuses, de chapiteaux sculptés, photographies des pères fondateurs de cette cathédrale profane à la confiance victorienne, John Ruskin et Sir Henry Ackland pris côte à côte en 1874, et Benjamin Woodward, avec son visage sensible et mélancolique. Il resta en silence à contempler le plafond massif soutenu par des piliers de fonte, les tympans ornés des arcs, se ramifiant avec tant d'élégance en feuilles, fruits, fleurs, arbres et arbustes. Mais il savait que l'excitation incongrue, et plutôt désagréable, à laquelle il était en proie n'était pas tellement due à l'architecture du bâtiment qu'à la perspective de rencontrer Julian, et il s'efforça de la maîtriser en se concentrant sur la subtilité du travail du métal, la beauté des motifs. Après tout, c'était sa période. C'était la confiance victorienne, le sérieux victorien ; le respect du savoir, du travail bien fait, de l'art ; la conviction que la vie tout entière de l'homme pouvait se vivre en harmonie avec le monde naturel. Il y avait trois ans qu'il n'était pas revenu dans ce musée, mais rien n'avait changé. En fait, rien n'avait changé depuis sa première visite, alors qu'il était étudiant, sauf qu'avait disparu le placard qui, à l'entrée, exhortait en vain les enfants à ne pas faire de bruit et à ne pas courir. Le dinosaure avait toujours la place d'honneur. Sa vue le ramena à l'école primaire de Kingston. Mrs Ladbrook avait épinglé au tableau une représentation du dinosaure et expliqué que cette énorme bête à la tête minuscule manquait du cerveau nécessaire pour s'adapter, si bien qu'elle avait disparu. A dix ans déjà, il trouvait cette explication peu convaincante. Avec son petit cerveau, le dinosaure s'était perpétué durant des millions d'années ; c'était mieux que l'*homo sapiens*.

Il franchit la voûte qui, à l'extrémité du bâtiment central, donnait accès au Pitt Rivers Museum, l'une des plus importantes collections ethnologiques du monde. Les objets exposés étaient si proches les uns des autres qu'il n'aurait su dire si elle était déjà là à l'attendre, cachée peut-être par le grand mât totémique. Mais lorsqu'il s'arrêta pour écouter, il n'entendit aucun pas répondre au bruit des siens. Le silence était absolu, et il comprit qu'il était seul, sans toutefois douter qu'elle allait venir.

Le Pitt Rivers lui parut encore plus encombré que lors de sa dernière visite. Dans les vitrines se pressaient des modèles réduits de bateaux, des masques, des ivoires et des bijoux, des amulettes et des offrandes votives qui semblaient s'offrir tacitement à son attention. Il passa outre. Ce n'était pas ce qu'il avait envie de voir. Enfin, il trouva l'objet qu'il cherchait. L'étiquette, brunie, passée, en était devenue presque illisible. Il s'agissait d'un collier composé de vingt-trois dents de cachalot, donné en 1874 par le roi Thakombo au révérend James Calvert, et légué au musée par l'arrière-petit-fils de ce dernier, officier d'aviation mort au début de la Deuxième Guerre mondiale. Theo retrouva la fascination qu'il avait éprouvée la première fois en songeant à la curieuse suite d'événements qui reliait le sculpteur des Fidji au jeune aviateur condamné. La Deuxième Guerre mondiale avait été la guerre de son propre grand-père, qui, lui aussi, avait été tué alors qu'il servait dans la RAF, abattu dans son bombardier lors du grand raid sur Dresde. Alors qu'il était étudiant, obsédé par le mystère du temps, il aimait à penser que ce maillon supplémentaire le liait à son tour à ce roi mort depuis longtemps dont les os reposaient à l'autre bout du monde.

Cependant, un bruit de pas le fit se retourner. Il attendit que Julian arrive à sa hauteur. Elle était tête nue mais portait un pantalon et une veste matelassée. Lorsqu'elle ouvrit la bouche, il en sortit un petit nuage de buée.

« Désolée d'être en retard. Je suis venue à bicyclette et j'ai crevé. Vous l'avez vu ? »

Elle n'avait pas pris la peine de lui dire bonjour. Il

savait que, pour elle, il n'était rien qu'un messager. Il s'éloigna de la vitrine et elle le suivit, regardant d'un côté et de l'autre, dans l'espoir, songea-t-il, de donner l'impression, même dans le vide évident des lieux, que leur rencontre était la rencontre fortuite de deux visiteurs. Ce n'était guère convaincant, et il se demanda pourquoi elle se donnait cette peine.

« Je l'ai vu, oui, répondit-il. J'ai vu le Conseil au complet puis j'ai vu le Gouverneur seul. Je crains d'avoir fait plus de mal que de bien. Il a compris qu'il y avait quelqu'un derrière ma visite. Maintenant, si vous passez aux actes, il est prévenu.

— Vous lui avez parlé des Quietus, de la façon dont les Séjourneurs sont traités, de ce qui se passe sur l'île de Man ?

— C'est ce que vous m'aviez demandé ; c'est ce que j'ai fait. Je ne m'attendais pas à obtenir grand-chose, et j'avais raison. Oh, il se peut qu'il fasse certains changements, mais il n'a rien promis. Il va probablement fermer peu à peu les boutiques porno et assouplir le règlement touchant les examens de sperme. C'est une perte de temps, de toute manière, et j'ai cru comprendre qu'il n'avait pas assez de techniciens de laboratoire pour continuer de les imposer à l'ensemble du pays. Beaucoup s'en fichent, il me semble. L'an dernier, j'ai raté deux rendez-vous sans que personne s'en inquiète. Pour les Quietus, je crois que tout ce qu'on peut espérer c'est qu'à l'avenir ils seront mieux organisés.

— Et pour la colonie pénitentiaire ?

— Rien. Il ne veut gaspiller ni hommes ni argent pour pacifier l'île. Et pourquoi prendrait-il cette peine ? La création de la colonie pénitentiaire est peut-être ce qu'il a fait de plus populaire.

— Et le régime des Séjourneurs ? La possibilité pour eux de devenir des citoyens, de vivre décemment, de rester s'ils en ont envie ?

— Tout cela lui paraît bien peu important comparé à ce qui compte vraiment : l'ordre, l'assurance que la race s'éteindra dans la dignité.

— La dignité ! Il n'y a pas de dignité quand on se soucie si peu de celle des autres. »

Ils s'étaient rapprochés du grand mât de totem, dont Theo caressa le bois. Sans même y jeter un coup d'œil, Julian poursuivit : « Il faudra donc que nous fassions ce que nous pouvons faire.

— Il n'y a rien que vous puissiez faire, à part vous faire tuer ou envoyer sur l'île de Man — en tout cas si le Gouverneur et le Conseil sont aussi impitoyables que vous le pensez. Et comme Miriam vous le dira, la mort est préférable à l'île. »

Comme si elle pensait à un plan sérieux, elle dit : « Peut-être que si une poignée de gens, une équipe d'amis, se faisaient exiler volontairement, ils pourraient aider à changer les choses. Peut-être pourrions-nous nous-mêmes demander à y aller. Pourquoi le Gouverneur s'y opposerait-il ? A lui, ça lui serait égal. Même un petit groupe pourrait faire de grandes choses avec beaucoup d'amour. »

Theo entendit le sarcasme dans sa voix. « En brandissant la Croix devant les sauvages, comme les missionnaires en Amérique du Sud ? Pour se faire, comme eux, massacrer sur les plages ? L'Histoire, vous ne connaissez pas ? Il n'y a que deux raisons à ce genre de folie. D'abord, le goût du martyre. Rien de neuf, là-dedans, à part l'aspect que prend la religion. J'y ai toujours vu un mélange malsain de masochisme et de sensualité, mais je sais que certains y trouvent leur compte. Ce qu'il y aura de nouveau, pour vous, c'est que votre martyre ne sera même pas commémoré. Dans soixante ou soixante-dix ans, il n'y aura plus personne pour l'apprécier, personne pour élever un autel aux nouveaux martyrs d'Oxford. Et la deuxième raison est encore pire. Xan la comprendrait parfaitement. Si vous réussissez, vous seriez pris par le pouvoir. Ah, l'île de Man pacifiée, les loups transformés en agneaux, les champs semés et récoltés, les malades soignés, les églises repeuplées, les rachetés embrassant les mains de leurs sauveurs ! Vous sauriez alors ce qu'éprouve le gouverneur de l'Angleterre, ce dont il jouit, ce dont il ne peut se passer. Le pouvoir absolu, même si ce n'est que sur un petit royaume. Je vois bien ce que cela a d'exaltant, mais vous n'y arriverez pas. »

Ils restèrent un moment côte à côte en silence, puis il dit gentiment : « N'y pensez plus. Ne gâchez pas le reste de votre vie pour une cause aussi vaine qu'impossible. Dans quinze ans — et c'est bien peu de temps — 90 pour cent de la population de la Grande-Bretagne aura plus de quatre-vingts ans. Il n'y aura plus d'énergie, alors, ni pour le mal ni pour le bien. Imaginez à quoi ressemblera ce pays. Les maisons vides, les routes à l'abandon, la nature reprenant partout le pouvoir, les derniers d'entre nous vivant accrochés les uns aux autres pour lutter contre le désespoir et la peur, la fin de toutes les facilités qu'assure la civilisation. Plus d'eau courante, plus d'électricité, le retour aux bougies, l'ultime bougie finissant par s'éteindre. Est-ce que ce qui se passe sur l'île de Man ne vous paraît pas dérisoire en comparaison ?

— S'il faut que nous mourions, dit-elle, nous pouvons choisir de mourir comme des êtres humains. Au revoir, et merci d'être allé trouver le Gouverneur. »

Il fit un dernier effort : « Je ne peux pas imaginer équipe plus mal armée que vous pour affronter l'appareil de l'Etat. Vous n'avez pas d'argent, pas de ressources, pas d'influence, pas de soutien populaire. Vous n'avez même pas une philosophie de révolte cohérente. Miriam fait ce qu'elle fait pour venger son frère. Gascoigne, semble-t-il, parce que les Grenadiers ne sont plus ce qu'ils étaient. Luke, par idéalisme chrétien, un idéalisme flou, nourri d'abstractions comme la compassion, la justice, l'amour. Rolf n'a même pas la justification de l'indignation morale. Son motif est l'ambition ; le pouvoir absolu du Gouverneur, il le voudrait pour lui. Et vous, vous marchez dans l'affaire parce que vous êtes sa femme. Il vous expose aux pires dangers par pure ambition personnelle. Mais rien ne vous oblige à le suivre. Quittez-le. Libérez-vous. »

D'une voix douce, elle expliqua : « Je suis sa femme, je ne peux pas le quitter. Mais vous vous trompez quant à mes motifs. Si je suis avec eux, c'est parce que je le dois.

— Oui, parce que Rolf le veut.

— Non, parce que Dieu le veut.

Dans son impuissance, il aurait pu se taper la tête contre le mât de totem. « Si vous croyez que Dieu existe, dit-il, vous devez croire qu'Il vous a donné votre esprit, votre intelligence pour vous en servir. Alors servez-vous-en. Je vous aurais cru trop fière pour vous ridiculiser de cette façon. »

Ce n'était pas le genre d'arguments auquel elle était sensible. « Si le monde peut être changé, rétorqua-t-il, c'est par des hommes et des femmes qui n'ont pas peur de se ridiculiser. Au revoir, Dr Faron. Et merci d'avoir essayé. »

Il la regarda s'en aller.

Elle ne lui avait pas demandé de ne pas les trahir. C'eût été superflu, mais il était heureux quand même que les mots n'aient pas été dits. D'ailleurs, qu'aurait-il pu promettre ? Il ne pensait pas que Xan tolérât la torture, mais pour lui, la menace de torture eût été suffisante. Et pour la première fois, l'idée lui vint qu'il pouvait se tromper sur Xan pour la plus naïve des raisons : parce qu'il était incapable d'imaginer qu'un homme hautement intelligent, qui avait de l'humour et du charme, un homme qu'il avait appelé son ami, pût être mauvais. Peut-être était-ce à lui, et non pas à Julian, qu'il fallait une leçon d'histoire.

15

Le groupe n'attendit pas longtemps. Deux semaines après sa rencontre avec Julian, alors qu'il allait prendre son petit déjeuner, Theo trouva une feuille de papier pliée au milieu du courrier. Le dessin minutieux d'un petit poisson, une sorte de hareng, tenait lieu d'en-tête à un texte imprimé. C'était un dessin appliqué, comme un dessin d'enfant. Il lut le message au-dessous avec une pitié exaspérée.

AU PEUPLE DE GRANDE-BRETAGNE

Nous ne pouvons fermer plus longtemps les yeux sur les maux de notre société.

Si nous devons mourir, que ce soit en hommes et femmes libres, comme des êtres humains, non comme des animaux. Nous adressons au gouverneur d'Angleterre les requêtes suivantes :

1. Qu'il organise des élections générales et soumette sa politique au peuple.

2. Qu'il accorde aux Séjourneurs les pleins droits civiques, y compris le droit d'avoir des maisons à eux, d'y faire venir leurs familles, et de pouvoir rester en Grande-Bretagne une fois leur contrat de service terminé.

3. D'abolir les Quietus.

4. De mettre fin aux déportations dans la colonie pénitentiaire de Man, et de prendre les dispositions nécessaires pour que ceux qui s'y trouvent déjà puissent mener dans la paix une vie décente.

5. De mettre fin aux examens de sperme et aux contrôles gynécologiques obligatoires, et de fermer les établissements publics de pornographie.

LES CINQ POISSONS

Les mots le frappèrent par leur simplicité, leur aspect raisonnable et essentiellement humain. Pourquoi était-il si certain qu'ils étaient l'œuvre de Julian ? Mais ils ne pouvaient déboucher sur rien. Qu'attendaient donc les Cinq Poissons ? Que les gens marchent en force sur les conseils locaux, prennent d'assaut l'ancien ministère des Affaires étrangères ? Le groupe n'avait pas d'organisation, pas de base de pouvoir, pas d'argent, pas de plan de campagne défini. Tout ce qu'il pouvait espérer, c'est amener les gens à réfléchir, à manifester leur mécontentement, à refuser de se soumettre aux examens prescrits. Mais quelle différence cela ferait-il ? Ces examens étaient pris toujours plus à la légère à mesure que l'espoir déclinait.

Le papier était de mauvaise qualité ; le message avait manifestement été imprimé par des amateurs. Ils devaient avoir une presse cachée dans une crypte d'église, dans une cabane perdue au fond des bois. Mais si la Police de Sécurité s'en mêlait, jusqu'à quand cet endroit resterait-il secret ?

Il lut une fois de plus les cinq requêtes. La première ne risquait guère d'inquiéter Xan. Le pays refuserait la dépense et le dérangement inhérents à des élections générales ; mais si Xan décidait quand même d'en organiser, son pouvoir serait confirmé par une écrasante majorité, qu'il se trouve ou non quelqu'un d'assez audacieux pour s'opposer à lui. Theo se demanda lesquelles des autres réformes auraient été réalisées si lui-même était resté conseiller de Xan. La réponse était claire. Il était aussi impuissant alors que les Cinq Poissons l'étaient aujourd'hui. S'il n'y avait pas eu d'Oméga, les buts proposés auraient valu qu'on se battît pour eux, qu'on souffrît pour eux. Mais s'il n'y avait pas eu d'Oméga, les maux dénoncés n'auraient pas existé. Se battre, souffrir, peut-être même mourir, pour une société plus juste, plus humaine, avait certes un sens, mais pas dans un monde sans avenir où, bientôt, les termes de justice et d'humanité, de combat et de société, retentiraient dans le vide sans plus personne pour les entendre. Sans doute Julian dirait-elle qu'il valait la peine de lutter, de souffrir, pour sauver fût-ce un seul Séjourneur de la façon indigne dont il était traité, pour empêcher fût-ce un seul délinquant d'être déporté à l'île de Man. Mais quoi que les Cinq Poissons entreprennent, ils n'obtiendraient pas même un résultat aussi dérisoire. Ils n'en avaient tout simplement pas les moyens. Relisant leurs requêtes, Theo sentit que s'évanouissait la sympathie qu'il avait tout d'abord éprouvée pour eux. Mulets humains privés de postérité mais qui néanmoins assumaient de leur mieux leur fardeau de chagrin et de regrets, la plupart de ses compatriotes, s'ils cherchaient des plaisirs compensatoires et se permettaient de petites vanités, s'efforçaient pourtant de montrer des égards les uns envers les autres comme pour les Séjourneurs qu'ils pouvaient rencontrer. De quel droit les Cinq Poissons voulaient-ils imposer à ces malheureux le poids futile de l'héroïsme ? Il emporta le papier aux cabinets, le déchira en quatre, le jeta dans la cuvette et tira la chasse. Une seconde, tandis qu'il regardait le tourbillon emporter les morceaux, il regretta de ne pas partager la passion, la folie, qui unissait ces croisés pitoyablement démunis.

16

Samedi 6 mars 2021

Ce matin après le petit déjeuner, Helena m'a téléphoné pour me convier à venir voir, à l'heure du thé, les chatons de Mathilda. Elle m'avait envoyé il y a cinq jours une carte postale m'annonçant leur naissance, mais sans m'inviter à une fête célébrant l'heureux événement. Je me demande s'ils en ont donné une ou s'ils ont préféré garder cette expérience pour eux dans l'idée que, plus tard, elle serait comme un phare éclairant les débuts de leur vie en commun. Mais même s'ils avaient cette idée en tête, je serais surpris qu'ils aient renoncé à ce qu'on considère d'ordinaire comme une obligation : offrir à ses amis la possibilité d'assister au miracle de la vie. L'habitude veut dans ces cas-là qu'on invite six personnes au maximum, qui se tiennent bien sûr à distance pour ne pas déranger la mère. Ensuite, si tout s'est bien passé, on partage un repas de fête souvent arrosé de champagne. Pourtant, l'arrivée d'une portée ne va pas sans une certaine tristesse. Le règlement touchant la reproduction des animaux domestiques est clair et appliqué avec rigueur. Mathilda devra maintenant être stérilisée, et, parmi ses petits, Helena et Rupert ne pourront garder qu'une femelle. Ou alors Mathilda sera autorisée à avoir une seconde portée, mais alors toute sa nichée lui sera enlevée sauf un mâle.

Après le coup de fil d'Helena, j'ai mis la radio pour entendre les nouvelles de huit heures. En entendant la date, j'ai pris conscience qu'il y avait un an tout juste qu'elle m'avait quitté pour Rupert. Est-ce un hasard si elle m'a invité chez eux aujourd'hui pour la première fois ? Je dis « chez eux » plutôt que « chez elle », car tout dans la banale maison qu'ils habitent dans le nord d'Oxford dit l'importance sacramentelle accordée à l'amour partagé : partage de la vaisselle et de la préparation des repas dans une belle cuisine hygiénique, même soumission à un régime équilibré, même volonté de se montrer honnête. Je m'interroge volontiers sur leur vie sexuelle — hygiénique également, sans doute, au rythme de deux fois par semaine — tantôt en m'en voulant de ma curiosité, tantôt en la jugeant parfaitement légitime. Quoi qu'il en fasse, le corps dont dispose Rupert aujourd'hui est, après tout, un corps que j'ai jadis connu presque aussi intimement que le mien. Un mariage raté est la confirmation la plus humiliante de la précarité de la séduction charnelle. Les amants peuvent explorer le corps aimé dans ses moindres détails ; ils peuvent atteindre ensemble les sommets d'une extase indicible ; mais il n'en reste rien ou presque lorsque l'amour ou le désir s'en sont allés, qu'on se retrouve avec des biens à partager, des factures d'avocats, tout un fatras de souvenirs à liquider ; quand la maison choisie, meublée et habitée sous le signe de l'espoir et de l'enthousiasme est devenue une prison ; quand les visages se sont figés dans une expression de mécontentement et que les corps ne sont plus vus comme des objets de désir mais d'un œil froid, désabusé, avec toutes leurs imperfections. Je me demande si Helena parle à Rupert de notre vie intime. Sûrement. Ne pas le faire demande plus de maîtrise de soi et de délicatesse que je ne lui en connais. Il y a un soupçon de vulgarité dans sa respectabilité sociale soigneusement entretenue, et j'imagine sans peine ce qu'elle doit lui dire.

« Theo se croyait un amant prodigieux, mais ce n'était que de la technique. Il avait l'air de se conformer à un manuel. Et il ne me parlait jamais, en tout cas pas vraiment. J'aurais pu être n'importe quelle femme. »

J'imagine qu'elle doit dire ça parce que je sais que c'est en partie vrai. Même si je n'ai pas tué volontairement son enfant unique comme elle a peut-être été parfois tentée de le croire, je lui ai fait davantage de mal qu'elle ne m'en a fait. Pourquoi l'ai-je épousée ? Je l'ai épousée parce qu'elle était la fille du directeur et qu'il en résultait un certain prestige ; parce qu'elle était, elle aussi, licenciée en histoire, et que j'en déduisais, sur le plan intellectuel, des intérêts communs ; enfin, parce que je la trouvais physiquement assez attirante pour convaincre mon cœur frugal que, si ce n'était pas de l'amour, c'était ce que je pouvais espérer de plus approchant. Etre le gendre du directeur m'a valu plus d'agacement que de plaisir (le père d'Helena était vraiment plus pontifiant qu'il n'est permis, en sorte qu'elle-même avait hâte de quitter la maison) ; en fait d'intérêts intellectuels, elle n'en avait aucun (c'est justement parce que son père dirigeait un collège qu'elle avait été admise à Oxford, et elle n'avait obtenu les notes nécessaires pour justifier cette admission qu'à force de travail) ; et quant à l'attrait sexuel, il dura, mais sans être épargné par la loi de l'usure, et pour disparaître complètement avec la mort de Natalie. Rien n'est plus efficace que la mort d'un enfant pour mettre au jour, au-delà de toute possibilité d'illusion, le vide d'un ménage boiteux.

Je me demande si Helena a plus de chance avec Rupert. Si leur vie sexuelle est heureuse, ils font partie de la minorité. On aurait pu penser qu'une fois éliminés les risques de grossesse, une fois devenues inutiles les précautions si peu érotiques de la pilule, des préservatifs et des calculs d'ovulation, le sexe, libéré, allait s'ouvrir à de nouveaux plaisirs. C'est le contraire qui s'est produit. Même ceux qui, en temps normal, n'auraient pas souhaité d'enfants ont apparemment besoin de penser qu'ils pourraient en avoir au cas où ils le désireraient. Complètement coupé de la procréation, le sexe est devenu comme une gymnastique sans objet. Les femmes se plaignent de plus en plus souvent d'orgasmes douloureux : le spasme se produit, mais sans la jouissance. Les journaux féminins consacrent d'abondants articles à ce phénomène désormais commun. Toujours plus critiques et intolérantes à l'égard des hommes depuis les années 1980, les femmes ont enfin de quoi justifier leur ressentiment séculaire. Non seulement nous ne pouvons plus leur donner d'enfant, mais nous sommes incapables de leur procurer du plaisir. Si le sexe reste un réconfort mutuel, il culmine rarement dans une extase commune. Les établissements porno patronnés par le gouvernement, la littérature toujours plus explicite, tous les moyens imaginés pour stimuler le désir, rien n'y fait. Hommes et femmes continuent de se marier, mais moins fréquemment, sans plus guère de cérémonie, et souvent avec un partenaire du même sexe. Les gens tombent toujours amoureux et se disent toujours amoureux. En fait, on assiste à une quête désespérée de *la* personne, si possible plus jeune, avec qui affronter l'inévitable fin. Il nous faut la consolation d'une chair qui s'offre, d'une main qui caresse, de lèvres à baiser. Mais les poèmes d'amour des époques précédentes suscitent en nous une sorte de stupeur.

Cet après-midi, tandis que je descendais Walton Street, je n'éprouvais pas de répugnance particulière à l'idée de revoir Helena, et la pensée de Mathilda m'emplissait d'un plaisir sans mélange. En tant que propriétaire pour moitié d'un animal déclaré dans les règles, j'aurais évidemment le droit d'en demander la garde partielle à l'instance concernée, mais je n'ai pas envie de me soumettre à cette humiliation. Certains cas similaires font l'objet de coûteux procès, et je me refuse d'ajouter à leur nombre. Je sais que j'ai perdu Mathilda, et qu'elle, perfide et amoureuse de son confort comme le sont tous les chats, m'a déjà oublié.

Quant je l'ai vue, j'ai toutefois eu du mal à ne pas m'illusionner. Elle était installée dans sa corbeille, où deux chatons blancs, pareils à des rats bien nourris, tiraient goulûment sur ses tétons. Elle a fixé sur moi ses yeux bleus dénués d'expression, et elle s'est mise à ronronner avec tant de conviction que la corbeille en tremblait. J'ai tendu la main pour caresser sa tête soyeuse.

Et je me suis enquis : « Tout s'est bien passé ?

— Oh, à merveille ! Le vétérinaire était là dès le début du travail, bien sûr, mais il a dit qu'il avait rarement vu une naissance si facile. Il a pris deux des petits ; des deux qui restent, nous devons encore choisir lequel nous garderons. »

La maison est petite, une villa mitoyenne en brique comme on en voit tant ; son principal attrait est le jardin tout en longueur qui, derrière, descend jusqu'au canal. La plupart des meubles et tous les tapis m'ont paru neufs, et choisis par Helena, que je soupçonne d'avoir éliminé de l'ancienne vie de son amant les amis, les clubs, les consolations du célibataire esseulé, en même temps que les tableaux et les meubles dont il a hérité avec la maison. Elle a pris plaisir à créer pour lui un « foyer » — je suis certain qu'elle a utilisé le mot — et lui n'en revient pas du résultat : il est comme un gosse qui découvre une nouvelle nursery. L'odeur de peinture fraîche était omniprésente. Le salon, comme c'est souvent le cas dans ce type de maison, a été agrandi par la démolition d'un mur ; une fenêtre en saillie donne du côté rue, tandis que, côté jardin, des portes-fenêtres ouvrent sur une loggia vitrée. Une des parois du hall, entièrement peinte en blanc, est occupée par une série de dessins de Rupert pour ses jaquettes de livres. Il y en a une douzaine en tout, et je me suis demandé si cette exhibition était une idée d'Helena ou de lui. Quoi qu'il en soit, j'y ai trouvé de quoi justifier un élan de réprobation méprisante. Si je ne m'étais pas senti tenu de faire ensuite des commentaires que je ne voulais pas faire, je me serais volontiers attardé à les regarder. Mais même un coup d'œil en passant m'a contraint d'admettre qu'ils ne manquaient pas de puissance ; Rupert a du talent ; cette exhibition égotiste n'a fait que confirmer ce que je savais déjà.

Nous avons pris, dans la serre, un thé un peu trop somptueux : un festin de sandwichs au pâté, de scones et de cake maison, servi sur une nappe de lin fraîchement amidonnée avec des serviettes assorties. « Précieux » est le mot qui m'est venu à l'esprit. En voyant la nappe, j'ai reconnu celle qu'Helena brodait avant de me quitter ; c'était donc pour se composer un trousseau adultère qu'elle s'était donné tant de mal. Ce précieux festin — et j'insiste sur l'aspect négatif de l'adjectif — était-il destiné à m'impressionner, à me faire voir quelle bonne épouse elle pouvait être pour un homme qui savait apprécier ses talents ? Que Rupert les appréciât ne faisait aucun doute. Les soins maternels qu'elle lui prodiguait le rendaient béat. En tant qu'artiste, peut-être considère-t-il cette sollicitude comme un dû. Je me suis dit qu'au printemps et en automne, la serre devait être extrêmement agréable. Même aujourd'hui, avec son unique radiateur, elle était tout à fait confortable. Et à travers les vitres, je voyais qu'on s'était activé au jardin. Une série de rosiers, leurs racines enveloppées d'un sac, attendaient d'être plantés le long de ce qui semblait être une nouvelle clôture. Sécurité, confort, plaisir. Xan et son conseil seraient satisfaits.

Après le thé, Rupert s'est éclipsé au salon pour en revenir avec une feuille que j'ai tout de suite reconnue : celle des Cinq Poissons. Faisant comme si je ne l'avais jamais vue, je l'ai lue avec attention. Rupert semblait guetter ma réaction. Comme je ne disais rien, il a commenté : « Ils prennent des risques en faisant du porte-à-porte. »

Malgré moi, tout en m'en voulant de ne pas savoir me taire, j'ai expliqué comment je pensais que les choses avaient dû se passer :

« Ils ne s'y sont sûrement pas pris comme on distribue une brochure paroissiale. D'abord, il — ou elle — devait être seul. A pied ou à vélo. Et puis avant d'en glisser une dans une boîte aux lettres ou sous un essuie-glace, avant d'en laisser un paquet dans un abri de bus, il a dû s'assurer que personne ne le voyait. »

Helena a rétorqué : « C'était risqué quand même, non ? La PS pourrait bien s'en mêler. »

Rupert : « Ça m'étonnerait qu'elle prenne cette peine. On voit bien que ce n'est pas sérieux. »

Moi : « Vraiment ? »

S'il ne prenait pas le tract au sérieux, il l'avait néanmoins gardé. Ma réaction, plus vive que je ne l'aurais voulue, l'a déconcerté. Il a regardé Helena et hésité. Je me suis demandé s'ils n'étaient pas d'accord sur la question. Peut-être avait-elle donné lieu à leur première dispute. Non, je rêvais. S'ils s'étaient disputés, le tract aurait été détruit dans l'ivresse de la réconciliation.

Il a dit : « Je me suis demandé s'il fallait signaler la chose au conseil local en même temps que nous allions déclarer les chatons. Pour finir, nous avons décidé que non. Je ne vois pas ce qu'ils pourraient faire — les gens du conseil, j'entends.

— A part avertir la police et vous arrêter pour détention de matériel séditieux.

— C'est vrai que nous y avons pensé. Nous n'avons aucune envie qu'on nous croie d'accord avec ces salades.

— Ce tract, est-ce que d'autres gens du quartier l'ont reçu ?

— Personne n'en a parlé, et nous n'avons rien demandé. »

Helena a dit : « De toute façon, ce sont des choses pour lesquelles le Conseil ne peut rien. Personne ne souhaite la fermeture de la colonie pénitentiaire de Man. »

Rupert, qui tenait toujours la feuille à la main comme s'il ne savait pas qu'en faire, a risqué : « Mais c'est vrai qu'on entend des bruits à propos de ce qui se passe dans les camps des Séjourneurs. Je pense aussi que, du moment qu'ils sont ici, on devrait les traiter convenablement.

— Ils seraient encore plus maltraités chez eux, a sèchement remarqué Helena. Sinon, pourquoi viendraient-ils ? Personne ne les force. Et l'idée de fermer la colonie pénitentiaire est tout simplement ridicule. »

C'était bien ce qui l'inquiétait. Que le crime et la violence menacent la petite maison, la jolie nappe brodée, le salon confortable, la serre si fragile, le jardin où elle voulait être assurée que ne rôde aucun danger.

J'ai dit : « Ils ne parlent pas de la fermer. Ils disent qu'il faudrait y faire régner l'ordre, que les déportés devraient pouvoir y vivre décemment.

— Mais non, ils veulent la fermer puisqu'ils disent qu'il faut arrêter les déportations. Et pour ce qui est d'y faire régner l'ordre, je ne vois pas qui s'en chargerait. Jamais je ne laisserais Rupert se porter volontaire. Et puis si les condamnés qui sont là-bas veulent vivre décemment, c'est leur affaire. Rien ne les en empêche. Ils sont logés. Ils ont de quoi manger. Enfin, jamais le Conseil n'évacuerait l'île. Ce serait un tollé général — tous ces assassins, tous ces violeurs en liberté. Et puis il y a parmi eux les internés de Broadmoor, non ? Ce sont des fous, des fous dangereux. »

Pour elle, c'étaient bien sûr des internés plutôt que des malades. J'ai cru bon de dire : « Les pires d'entre eux sont trop âgés pour être vraiment dangereux.

— Quoi ? s'est-elle exclamée. Mais il y en a qui n'ont pas cinquante ans, et on en envoie de nouveaux chaque année. L'année dernière, on en a envoyé plus de deux mille, n'est-ce pas ? » Elle s'était tournée vers Rupert. « Oh, mon chéri, je crois qu'il faut détruire ce tract. A quoi bon le garder ? Il n'y a rien qu'on puisse faire. Ceux qui ont imprimé ça n'en avaient pas le droit. Ça ne peut qu'inquiéter les gens.

— Je vais le jeter dans les cabinets. »

Une fois Rupert parti, elle s'est tournée vers moi. « Tu ne crois tout de même pas ces sornettes, Theo ?

— Tout ce que je crois, c'est que la vie à l'île de Man ne doit pas être très agréable.

— Mais enfin, ceux qui sont là-bas n'ont qu'à se débrouiller pour la rendre possible ! » a-t-elle insisté.

Ensuite, il n'a plus été question du tract des Cinq Poissons. Dix minutes plus tard, après une dernière visite à Mathilda — visite que, manifestement,

Helena attendait de moi, mais que Mathilda a tout juste tolérée —, je les ai quittés. Je ne regrettais pas d'être venu. Pas seulement à cause de Mathilda, qu'il me fallait voir : les retrouvailles avec elle m'avaient été plutôt pénibles. Mais j'avais l'impression d'avoir réglé quelque chose qui restait en suspens. Maintenant, je sais qu'Helena est heureuse. Elle a même rajeuni ; elle est plus agréable à voir. La joliesse blonde que j'ai longtemps prise pour de la beauté a mûri en une élégance assurée. Je ne puis dire honnêtement que je suis content pour elle. Il est difficile d'avoir des pensées généreuses à l'égard de ceux auxquels on a fait du mal. Mais dorénavant, il est clair que je ne suis plus responsable ni de son bonheur ni de son malheur. Bien sûr, je n'ai pas particulièrement envie de la revoir, ni son Rupert, mais je peux penser à elle sans amertume ni culpabilité.

Il n'y a eu qu'un moment, peu avant que je parte, où j'ai ressenti autre chose qu'un intérêt cynique, détaché, à l'égard de l'intimité bien rangée dans laquelle ils semblent se complaire. Je les avais laissés pour aller aux toilettes, où j'avais noté avec mépris le savon tout neuf, la serviette brodée, le désinfectant bleu, parfumé, mousseux, la coupelle de fleurs séchées. Et quand je suis revenu, sans bruit, j'ai remarqué que, assis un peu à l'écart l'un de l'autre, ils avaient pendant mon absence joint leurs mains par-dessus l'espace qui les séparait, et que, me voyant, ils avaient retiré chacun la sienne avec une vivacité presque coupable. Ce geste plein de délicatesse, de tact, où entrait peut-être une certaine pitié, a soudain suscité en moi des émotions contradictoires, qui se sont dissipées aussitôt que j'en ai reconnu la nature. Et j'ai compris en une seconde que ce que j'éprouvais était de l'envie, du regret, mais pas pour quelque chose que j'avais perdu : pour quelque chose que je n'avais jamais connu.

17

Lundi 15 mars 2021

Aujourd'hui, j'ai reçu la visite de deux membres de la Police de Sécurité. Le fait que je peux l'écrire prouve qu'ils ne m'ont pas arrêté et qu'ils n'ont pas trouvé ce journal. Aussi faut-il dire qu'ils ne l'ont pas cherché : ils ne cherchaient rien. Tant mieux. Car ce journal serait jugé plus que suspect par quiconque s'intéresse aux déficiences morales, à l'inadaptation sociale. Mais eux ne semblaient à l'affût d'aucun méfait tangible. Comme je l'ai dit, ils étaient deux : un jeune, sans aucun doute un Oméga — c'est extraordinaire comme ils sont faciles à reconnaître —, et un officier supérieur, à peine moins âgé que moi, qui portait un imperméable et tenait à la main une mallette de cuir noir. Il s'est présenté : inspecteur principal George Rawlings. Et il a présenté son compagnon : le brigadier Oliver Cathcart. Celui-ci était un Oméga type, l'air sombre, élégant, dénué d'expression. Rawlings, lui, était du genre costaud, le geste lourd, avec une épaisse toison de cheveux gris-blanc rigoureusement disciplinés, qu'on eût dit coupés à grands frais pour faire valoir les vagues qui frisaient sur la nuque et les tempes. Il avait les traits marqués, les yeux petits, tellement enfoncés que les iris étaient à peine visibles, et la bouche large, la lèvre supérieure arquée, affûtée comme un bec. Ils étaient tous les deux en civil, dans des costumes extrêmement bien coupés. Dans d'autres circonstances, j'aurais été tenté de leur demander s'ils allaient chez le même tailleur.

Lorsqu'ils sont arrivés, il était onze heures. Je les ai fait entrer dans le salon du rez-de-chaussée et leur ai demandé s'ils voulaient un café. Ils ont refusé. Invités à s'asseoir, Rawlings a pris confortablement place dans l'un des deux fauteuils qui encadrent la cheminée, tandis que Cathcart, après un instant d'hésitation, s'est posé bien droit sur celui d'en face. De mon côté, je me suis installé sur la chaise pivotante du bureau, que j'ai tournée dans leur direction.

Rawlings a dit : « L'une de mes nièces, la cadette de ma sœur, qui a failli être une Oméga, a suivi vos petites causeries sur la vie et l'époque victoriennes. Elle n'est pas très intelligente, vous ne vous souvenez sûrement pas d'elle. Encore que ce ne soit pas impossible. Elle s'appelle Marion Hopcroft. A ce qu'elle m'a dit, c'était une petite classe dont l'effectif diminuait semaine après semaine. Les gens manquent de persévérance. Leur enthousiasme se fatigue, surtout si leur intérêt n'est pas stimulé. »

En quelques phrases, il avait ramené mes cours à d'ennuyeuses causeries pour imbéciles inconsistants. Le truc n'était pas très subtil, mais je ne pense pas qu'il se souciait de l'être. « Le nom m'est familier, ai-je dit, mais c'est vrai, je ne me souviens pas d'elle.

— "Vie et époque victoriennes" — il me semble que le mot *époque* est redondant. Pourquoi pas simplement "Vie victorienne" ? Ou bien "Vie dans l'Angleterre victorienne" ?

— Ce n'est pas moi qui ai choisi le titre.

— Vraiment ? C'est curieux. J'étais sûr que c'était vous. Il me semble que vous devriez insister pour choisir vous-même le titre de vos causeries. »

Je n'ai rien rétorqué. J'étais presque certain qu'il savait parfaitement que j'avais repris le cours de Colin Seabrook, et si je me trompais, tant pis : je n'avais aucune envie de l'éclairer.

Après un silence que ni lui ni Cathcart ne parurent trouver gênant, il a repris : « J'ai déjà pensé à suivre un de ces cours pour adultes, moi aussi. Un cours d'histoire, pas de littérature. Mais je ne choisirais pas l'Angleterre victorienne. Je remonterais plus loin, aux Tudors. Les Tudors m'ont toujours fasciné, surtout Elisabeth Ire.

— Qu'est-ce qui vous attire dans cette période ?

La violence et la splendeur, la gloire de ses réalisations, le mélange de poésie et de cruauté, les visages rusés rehaussés par la fraise, la cour somptueuse étayée par les poucettes et le chevalet ? »

Il a eu l'air de réfléchir, après quoi il a dit : « L'époque tudor ne me paraît pas d'une cruauté exceptionnelle, Dr Faron. En ce temps-là, on mourait jeune, c'est vrai, et souvent dans la souffrance. Mais toutes les époques ont leurs cruautés. Et pour ce qui est de souffrir, je pense que mourir du cancer sans les analgésiques dont nous disposons aujourd'hui constitue une torture qui vaut toutes celles que les Tudors ont inventées. Surtout pour les enfants, vous ne trouvez pas ? Il est difficile d'en voir la raison, non ? La raison de la souffrance des enfants.

— Peut-être que la nature n'a pas de raisons, pas d'intentions », ai-je rétorqué.

Mais déjà il continuait : « Pour mon grand-père, qui brandissait l'enfer à tout bout de champ, tout avait sa raison d'être, notamment la souffrance. Il est né à la mauvaise époque ; il aurait été beaucoup mieux au XIXe siècle. Je me souviens que, quand j'avais neuf ans, j'ai eu un affreux mal de dents dû à un abcès. Par peur du dentiste, je ne disais rien, mais une nuit, je me suis réveillé, je n'en pouvais plus. Ma mère m'a dit qu'on irait chez le dentiste dès qu'il serait ouvert. D'ici là, il fallait que je patiente. J'ai donc attendu le matin en me tordant de douleur. Et mon grand-père est passé me voir. Il m'a dit : “On peut faire quelque chose pour les petites souffrances d'ici-bas, mais pour les souffrances éternelles de l'au-delà, on ne peut rien. Souviens-toi de ça, mon garçon.” Il avait bien choisi son moment. Un mal de dents qui ne finirait jamais. Vous vous rendez compte ? Il y a de quoi terrifier un gamin de neuf ans.

— Un adulte aussi.

— Oui, mais maintenant plus personne ne croit à ce genre de choses. A part Roger le Lion et ses adeptes. » Il s'est tu une minute comme pour ruminer les fulminations de Roger le Lion, puis il a repris sans le moindre changement de ton : « Les activités de certaines personnes inquiètent le Conseil, ou disons *préoccupent* le Conseil. »

Espérant peut-être que j'allais demander « Quelles activités ? Quelles personnes ? », il a attendu. Et moi, j'ai dit : « Il faut que je parte dans un peu plus d'une demi-heure. Si votre collègue veut fouiller la maison, il pourrait le faire maintenant, pendant que nous parlons. Il y a une ou deux petites choses auxquelles je tiens : les cuillères à doser le thé qui sont dans la vitrine georgienne, les pièces commémoratives victoriennes en Staffordshire, à l'étage au-dessus, et quelques éditions originales. Normalement, j'exigerais d'assister à la fouille, mais comme j'ai toute confiance dans l'honnêteté de la PS... »

En disant ces mots, je regardais Cathcart droit dans les yeux. Il n'a pas cillé.

Cependant, Rawlings s'indignait : « Mais il n'est pas question de fouille, Dr Faron. Quelle idée ! Qu'est-ce que nous pourrions bien chercher chez vous ? Vous n'êtes pas un élément subversif, que je sache. Il s'agit simplement de bavarder avec vous — une sorte de consultation, si vous voulez. Comme je disais, il se passe des choses qui préoccupent le Conseil. Cela dit entre nous, bien sûr. Il n'est pas question que les médias en soient informés.

— Bien sûr.

— Les fauteurs de troubles se nourrissent de publicité. Pourquoi leur en faire ?

— En effet.

— Les gouvernements ont mis assez longtemps à le comprendre : ça ne sert à rien de manipuler les mauvaises nouvelles ; il faut les taire.

— Et qu'est-ce que vous taisez, au juste ?

— De petits incidents sans importance, mais qui pourraient cacher une conspiration. Les deux derniers Quietus ont été interrompus. On a fait sauter les passerelles le matin même de la cérémonie, à peine une demi-heure avant l'arrivée des victimes du sacrifice — enfin, "victimes" n'est pas le bon mot : les *martyrs* du sacrifice... »

Il s'arrêta et se reprit encore : « "Martyrs", "sacrifice", là aussi, il y a quelque chose de redondant... Bref, avant l'arrivée des futurs suicidés. Ça les a bouleversés. Le terroriste — et qui sait si ce n'est pas une femme ? — avait calculé son temps un peu juste. Si l'explosion s'était produite une demi-heure plus tard, ces pauvres vieux auraient connu une mort autrement plus dramatique que celle à laquelle ils étaient préparés. Et quand on a téléphoné — car il y a eu un coup de téléphone d'avertissement : une voix d'homme, jeune — il était trop tard pour faire quoi que ce soit à part évacuer la foule.

— C'est contrariant, ai-je dit, mais c'est une contrariété mineure. J'ai moi-même assisté à un Quietus il y a environ un mois. A voir la passerelle utilisée, j'aurais pensé qu'elle pouvait se remplacer sans difficulté. Vos Quietus n'ont pas dû être retardés de plus d'un jour.

— C'est possible, Dr Faron, et comme vous dites, c'est une contrariété mineure. Mais qui sait ce qu'elle cache ? Et puis il y a trop de ces contrariétés mineures depuis quelque temps. Il y a ces tracts. Dont certains s'en prennent à la façon dont les Séjourneurs sont traités. Les derniers Séjourneurs qui ont quitté le pays — ceux qui avaient atteint soixante ans et certains malades — ont dû être rapatriés de force. Il y a eu sur le quai des scènes déplorables. Oh, je ne dis pas qu'il y ait forcément un rapport avec les tracts, mais ce n'est pas impossible. Bien qu'il soit interdit de faire aucune propagande politique parmi les Séjourneurs, je sais que des documents critiquant leur condition ont été mis en circulation dans leurs camps. Parmi les tracts distribués dans les maisons, certains s'attaquent aussi à la façon dont est gérée la colonie pénitentiaire de Man, aux examens de sperme obligatoires, à tout ce qui est soi-disant contraire à l'idéal démocratique. Un des plus récents résume en cinq points les réformes que préconisent les dissidents. Vous l'avez peut-être vu ? »

Il a pris sa mallette de cuir noir et l'a ouverte sur ses genoux. Comme il jouait maintenant le rôle de celui qui fait une visite de politesse et ne sait pas très bien pourquoi il est là, je m'attendais un peu à ce qu'il fourrage indéfiniment parmi ses papiers sans trouver celui qu'il cherchait. Mais il m'a étonné en mettant la main dessus immédiatement.

Il me l'a tendu et il a demandé : « Ça vous dit quelque chose ?

— Oui, j'ai vu ce tract, ai-je répondu d'un ton, je crois, tout à fait naturel. J'en ai trouvé un il y a quelques semaines au milieu de mon courrier. » Je n'avais sûrement pas intérêt à le cacher. La Police de Sécurité devait savoir qu'on en avait distribué dans St John Street. Pourquoi ma maison aurait-elle été oubliée ? Je le lui ai rendu après l'avoir relu.

« Est-ce que quelqu'un d'autre en a reçu un parmi vos connaissances ?

— Pas que je sache. Mais c'est possible : on a dû en distribuer beaucoup. Comme ça ne m'intéressait pas particulièrement, je n'ai rien demandé à personne. »

Il étudiait le tract comme s'il ne l'avait jamais vu. Enfin, il a dit : « "Les Cinq Poissons." Pas bête, mais pas très malin non plus. Il doit s'agir d'un groupe de cinq. Cinq amis, cinq membres d'une même famille, cinq collègues, cinq conspirateurs. Ils ont peut-être pris exemple sur le Conseil. Cinq, un chiffre impair, on peut tout trancher à la majorité. Cinq, c'est un bon nombre, ne trouvez-vous pas, cher monsieur ? » Je n'ai rien répondu. Et il a poursuivi : « "Les Cinq Poissons." J'imagine que chacun d'eux doit avoir un nom de code basé sur son prénom — pour les autres, c'est plus facile à retenir. *A* comme anguille. *B* comme brème. *C* comme colin. *D* comme daurade. *E*... c'est peut-être plus difficile avec le *E*, mais peut-être qu'aucun d'entre eux n'a un nom qui commence par *E*... Je peux me tromper, bien sûr, mais je serais surpris qu'ils aient choisi de s'appeler "Les Cinq Poissons" s'il n'y avait pas un nom de poisson qui colle à chacun des membres de la bande. Qu'est-ce que vous en pensez, monsieur ? De ma façon de raisonner, j'entends.

— Je la trouve ingénieuse. C'est passionnant d'assister en direct à la façon dont on raisonne dans la PS. Peu de citoyens ont dû avoir cette chance, en tout cas parmi ceux qui sont toujours en liberté. »

J'aurais aussi bien pu ne rien dire. Il continuait d'étudier le tract. « Le poisson est bien dessiné, a-t-il remarqué. Pas par un professionnel, je pense, mais par quelqu'un qui sait tenir un crayon. Le poisson est un symbole chrétien. Je me demande s'il ne s'agirait pas d'un groupe chrétien ? » Et il m'a regardé. « Vous avez admis que vous aviez eu un de ces tracts entre les mains, qu'est-ce que vous en avez fait ? Rien ? Vous n'avez pas pensé qu'il était de votre devoir d'en parler aux autorités ?

— J'en ai fait ce que je fais de tout le courrier indésirable. » Cette fois, il était temps que je passe à l'offensive. « Excusez-moi, inspecteur, mais je ne vois vraiment pas ce qui inquiète le Conseil. Des mécontents, il y en a dans toutes les sociétés. Apparemment, le groupe dont vous parlez n'a pas fait grand mal à part saboter deux passerelles facilement remplaçables et distribuer des tracts qui ne vont pas dans le sens du gouvernement.

— Certains qualifieraient ces tracts de littérature séditieuse, monsieur.

— Vous pouvez utiliser les mots que vous voulez : vous n'en ferez pas une grande conspiration. Vous n'allez pas mobiliser les bataillons de la sécurité d'Etat parce qu'un petit groupe d'insatisfaits qui s'ennuient essaient de se distraire en jouant à un jeu plus dangereux que le golf. Qu'est-ce qui inquiète le

Conseil ? S'il y a des dissidents, ils sont forcément jeunes, du moins relativement ; mais le temps passera pour eux comme il passe pour nous tous. Auriez-vous oublié les chiffres ? Le conseil d'Angleterre nous les rappelle assez souvent. De cinquante-huit millions que nous étions en 1996, notre population est tombée à trente-six millions cette année, dont vingt pour cent ont plus de soixante-dix ans. Nous sommes une espèce condamnée, inspecteur. Avec la maturité, avec la vieillesse, tous les enthousiasmes s'épuisent, même pour les frissons de la conspiration. Il n'y a pas de véritable opposition au Gouverneur. Il n'y en a jamais eu depuis qu'il a pris le pouvoir.

— Veiller à ce qu'il n'y en ait pas est notre affaire, monsieur.

— Vous ferez, bien sûr, ce que vous jugerez bon. Mais pour ma part, je ne prendrais au sérieux que ce qui me paraît vraiment l'être : une opposition au sein du Conseil, par exemple, qui menacerait l'autorité du Gouverneur. »

En disant cela, je savais prendre un risque, peut-être même dangereux, et j'ai vu que je l'avais ébranlé. C'était ce que je voulais.

Après un moment de silence, qui n'avait rien de calculé, il a dit : « S'il s'agissait de quelque chose d'aussi grave, ce n'est pas moi qui m'en occuperais, monsieur. L'affaire serait traitée à un niveau beaucoup plus haut. »

Je me suis levé. « Le Gouverneur est mon cousin et mon ami, ai-je dit. Il a été très bon avec moi quand nous étions enfants, à l'âge où la bonté est particulièrement importante. Je ne suis plus son conseiller, mais je reste son cousin et son ami. S'il m'arrivait d'apprendre qu'on conspire contre lui, je le lui dirais. Mais pas à vous, inspecteur, ni à aucun représentant de la PS. J'en parlerais au principal intéressé, au Gouverneur lui-même. »

C'était du cinéma, bien sûr, et nous le savions.

Nous ne nous sommes pas serré la main, et nous ne nous sommes plus dit un mot tandis que je les raccompagnais à la porte. Mais pas parce que je m'étais fait un ennemi. Rawlings n'est pas du genre à s'autoriser un quelconque sentiment personnel, antipathie ou haine, sympathie ou pitié, à l'égard des victimes qu'il a mission d'interroger. Je crois comprendre ceux de son espèce, les ronds-de-cuir de la tyrannie, qui savourent le tribut soigneusement mesuré du pouvoir qui leur est consenti, qui ont besoin de l'aura de peur qui les accompagne partout, qui savent que la peur les précède lorsqu'ils entrent dans une pièce et qu'elle y restera comme une odeur lorsqu'ils l'auront quittée, mais qui manquent de sadisme ou de courage pour exercer une franche cruauté. Pourtant, il leur faut un rôle dans l'action. Il ne leur suffit pas, comme à la plupart d'entre nous, de regarder de loin les croix sur la colline.

18

Theo rangea le journal dans le tiroir supérieur de son bureau, tourna la clé et la mit dans sa poche. Le bureau était de bonne fabrication, les tiroirs solides, mais pas de quoi résister à des mains expertes ou déterminées. Toutefois, il n'y avait pas grand-chose à craindre de ce côté-là, et par mesure de précaution il avait eu soin de faire un compte rendu inoffensif de la visite de Rawlings. Qu'il eût éprouvé le besoin de se censurer était, il le savait, un signe de malaise. Que cette précaution pût être nécessaire l'irritait et le contrariait. Ce journal, il l'avait commencé non pas pour raconter sa vie (pour qui et pourquoi ? Quelle vie ?) mais pour l'analyser, pour essayer de comprendre le passé, provoquer peut-être une sorte de catharsis, se mettre mieux en accord avec lui-même. Maintenant que l'habitude de le tenir lui était devenue précieuse, il perdrait toute valeur s'il lui fallait trier, expurger, tricher plutôt que d'éclairer.

Il repensa à la visite de Rawlings et de Cathcart. Sur le moment, il s'était étonné de ne pas les trouver plus intimidants. Et après leur départ, il s'était félicité de ne pas avoir eu peur et d'avoir si bien su mener le jeu. Maintenant, il commençait à se demander si sa confiance était justifiée. Il se souvenait de tout ce qui s'était dit ou presque ; sa mémoire verbale avait toujours été l'un de ses points forts. Mais l'exercice consistant à rédiger leur conversation elliptique avait fait naître en lui une inquiétude qu'il ne ressentait pas sur le moment. Il se répéta qu'il n'avait rien à craindre. Il n'avait vraiment menti qu'une seule fois, quand il avait nié connaître quelqu'un qui, comme lui, avait reçu un tract des Cinq Poissons. Mais ce mensonge était compréhensible. Au besoin, il pourrait expliquer qu'il ne voulait pas mettre en cause son ex-femme. D'ailleurs, qu'elle ou quiconque eût reçu un tract ne voulait rien dire ; on les avait forcément distribués au hasard. Et mentir ne signifiait pas qu'on était coupable. Il était impossible qu'on l'arrête pour si peu. Tout de même, l'Angleterre possédait encore une justice, du moins au profit des Anglais.

Il redescendit au salon, qu'il se mit à arpenter nerveusement, conscient des étages vides et sombres qui se trouvaient au-dessus, comme si, mystérieusement, chacune de leurs pièces silencieuses contenait une menace. Puis il s'arrêta à la fenêtre donnant sur la rue. La pluie tombait. Il voyait des flèches d'argent dans la lumière des réverbères, et, en bas, la viscosité noire des pavés. Les fenêtres de la maison d'en face étaient sombres, et sa façade de pierre ne trahissait aucun signe de vie, pas le moindre rayon de clarté entre deux rideaux. Il sentit la dépression l'envelopper comme une couverture, lourde et familière.

Accablé par l'angoisse, le souvenir, la culpabilité, il lui semblait presque sentir la pourriture des années mortes. La peur avait remplacé sa confiance. Maintenant, il se disait que, pendant la rencontre de la matinée, il n'avait songé qu'à lui-même, à sa sécurité, à son image, à sa dignité. Mais ce n'était pas à lui qu'on s'intéressait, c'était à Julian et aux Cinq Poissons. Il n'avait rien dit de compromettant, il ne pouvait rien se reprocher, mais si l'on était venu le trouver, c'est qu'on le soupçonnait de quelque chose. Bien sûr. Jamais le Conseil n'avait cru que sa visite était entièrement de son chef. La Police de Sécurité reviendrait ; la prochaine fois, le vernis de politesse ne serait plus le même, les questions seraient moins anodines, il ne s'en tirerait pas aussi facilement.

Est-ce que Rawlings n'en savait pas bien plus qu'il ne voulait le dire ? Soudain, il lui paraissait incroyable que le groupe n'ait pas encore été appréhendé pour être interrogé. Mais qui sait s'il ne l'avait pas été ? Sinon, pourquoi cette visite aujourd'hui ? Ils détenaient peut-être Julian et les autres et cherchaient à savoir dans quelle mesure il était lui-même impliqué. Leurs soupçons auraient pu sans peine les conduire à Miriam. Devant le Conseil, lorsqu'il avait demandé si l'on savait ce qui se passait à l'île de Man, Xan avait répondu : « Oui. Le problème est de savoir comment toi, tu es au courant. » S'ils se souciaient d'apprendre qui l'avait informé, vu l'interdiction de se rendre dans l'île et d'échanger des lettres avec les déportés, il serait normal qu'ils pensent à Miriam. L'évasion de son frère était forcément consignée quelque part. Les Cinq Poissons étant passés aux actes, il se pouvait fort bien qu'on l'ait arrêtée pour la questionner. Peut-être se trouvait-elle maintenant entre leurs mains. Et Julian avec elle.

Ces pensées tournoyaient dans sa tête et, pour la première fois, il sentit peser sur lui le poids de sa solitude. Ce sentiment lui était étranger, il s'en méfiait et l'avait toujours repoussé. Mais, tandis qu'il contemplait la rue déserte, pour la première fois, il regretta de ne pas avoir quelqu'un, un ami sûr, à qui il pût se confier. Avant de le quitter, Helena lui avait dit : « Nous vivons dans la même maison, mais comme des pensionnaires, comme les hôtes d'un même hôtel. Jamais nous ne parlons vraiment. » Agacé par ce reproche banal, cette plainte convenue des femmes insatisfaites, il avait répliqué : « Parler de quoi ? Je suis là. Si tu veux me parler, je t'écoute. »

Il lui semblait maintenant qu'il aurait trouvé un certain réconfort à pouvoir lui parler, même à elle, à voir de quelle façon — sans doute réticente et peu secourable — elle réagirait au dilemme dans lequel il se sentait pris. Et à la peur, la culpabilité, la solitude qui l'accablaient se mêla un regain de colère à l'égard de Julian, du groupe, et de lui-même, qui n'avait pas su résister. Au moins avait-il fait ce qu'on lui avait demandé. Il avait vu le Gouverneur, et il avait prévenu Julian. Si le groupe n'avait pas tenu compte de son avertissement, il n'y était pour rien. Evidemment, ils pourraient dire que son devoir exigeait qu'il leur fasse parvenir un message, qu'il leur fasse savoir qu'ils étaient en danger. Mais ils devaient bien s'en douter. Et comment les joindre ? Il n'avait pas d'adresse, il ignorait tout d'eux. Son seul recours si Julian était arrêtée serait d'intercéder pour elle auprès de Xan. Mais comment serait-il informé de son arrestation ? A force de chercher, il retrouverait peut-être un des membres du groupe, mais ses recherches risqueraient d'attirer l'attention de la PS, et il se pouvait que la PS s'occupât déjà de le surveiller. Attendre, il n'y avait rien d'autre qu'il puisse faire.

19

Vendredi 26 mars 2021

Je l'ai vue aujourd'hui pour la première fois depuis notre rencontre au Pitt Rivers. J'achetais des fromages au marché couvert, et je venais de me détourner du comptoir avec mes petits paquets soigneusement emballés de roquefort, de camembert et de bleu danois, quand je l'ai aperçue à quelques mètres de moi. Elle choisissait des fruits, sans barguigner, comme moi, qui n'ai à m'occuper que de mon appétit toujours plus tatillon, mais montrant ce qu'elle désirait d'un geste décidé, et ouvrant largement son sac de toile pour accueillir la sphère piquetée des oranges, la courbe luisante des bananes, le globe roux des reinettes. Je la voyais dans un embrasement de couleur ; sa peau et ses cheveux paraissaient absorber l'éclat des fruits ; on aurait dit qu'elle était éclairée non par les lumières crues tombant sur l'étalage mais par un chaud soleil méridional. Je l'ai regardée qui tendait un billet et comptait des pièces pour donner, souriante, l'appoint au marchand, puis qui accrochait à l'épaule la bretelle de son sac, fléchissant légèrement sous le poids. Des acheteurs allaient et venaient entre nous mais je restais cloué sur place, refusant de bouger, ou peut-être incapable de le faire, l'esprit en proie à un tumulte de sentiments imprévus et fâcheux. J'aurais voulu me précipiter à l'éventaire des fleurs, fourrer de l'argent dans la main de la vendeuse, prendre dans leurs seaux les bouquets de jonquilles, de tulipes, de roses et de lis, lui en emplir les bras et la décharger de son sac. C'était une impulsion romantique, puérile et ridicule, comme je n'en avais pas ressenti depuis l'adolescence, une impulsion que ma méfiance m'avait toujours enjoint de combattre. Maintenant, j'étais pétrifié par son irrationalité, sa force, sa destructivité potentielle.

Elle a fait demi-tour, toujours sans me voir, et s'est dirigée vers la sortie donnant sur High Street. Me frayant un chemin parmi les paniers, les sacs, les caddies, impatienté par les obstacles qui me barraient la route, je l'ai suivie. Je me disais que j'étais fou, que je ferais mieux de la laisser s'en aller, que c'était une femme que je n'avais rencontrée que quatre fois, qu'elle ne m'avait jamais montré le moindre intérêt hors de sa détermination obstinée à obtenir de moi ce qu'elle voulait, que je ne savais rien d'elle sauf qu'elle était mariée, et que le besoin urgent que j'éprouvais d'entendre sa voix, de la toucher, n'était que le premier symptôme d'une instabilité émotionnelle liée à l'âge et à la solitude. Je me suis efforcé de ralentir. Mais, malgré tout, je l'ai rattrapée alors qu'elle tournait dans High Street.

Je lui ai posé une main sur l'épaule. « Bonjour. »

Je n'avais rien trouvé de plus original et de plus innocent. Elle s'est tournée vers moi et, l'espace d'une seconde, j'ai pu croire que son sourire était un joyeux sourire de reconnaissance. Mais elle avait souri de même au marchand de fruits.

J'ai désigné son sac. « Je peux vous le porter ? » Je me sentais comme un potache importun.

Secouant la tête, elle a dit : « Merci, mais la camionnette est garée tout près. »

Quelle camionnette ? Pour qui avait-elle acheté tous ces fruits ? Certainement pas seulement pour Rolf et elle. Travaillait-elle pour une institution ? Persuadé qu'elle ne me répondrait pas, je n'ai rien demandé.

J'ai fait : « Ça va ? »

De nouveau, elle a souri. « Comme vous voyez, oui. Et vous ?

— Comme vous voyez. »

Elle s'est détournée. Ce mouvement n'avait rien

d'hostile — elle n'entendait pas me blesser — mais il était délibéré ; elle le voulait définitif.

J'ai soufflé : « Il faut que je vous parle. C'est important. Ce ne sera pas long. Est-ce qu'il y a un endroit où nous puissions aller ?

— C'est plus sûr à l'intérieur du marché qu'ici. »

Elle a fait demi-tour et je l'ai imitée. Je marchais à côté d'elle sans la regarder, comme si la foule nous avait momentanément rapprochés. Une fois à l'intérieur, elle s'est arrêtée devant une boutique où un vieux et son assistant débitaient des quiches et des tartes toutes fraîches sorties du four. La boutique était déjà là quand j'étais étudiant, et j'en savourai un instant l'odeur retrouvée.

Puis, planté devant l'étalage comme quelqu'un qui ne parvient pas à se décider, j'ai murmuré : « La PS est venue me voir. Ça devient dangereux. Ils cherchent un groupe de cinq. »

Elle a fait quelques pas, moi toujours pendu à ses basques, puis elle a rétorqué : « Evidemment. Ils savent que nous sommes cinq. Ce n'est pas un secret.

— Ils en savent peut-être déjà plus. Arrêtez maintenant. Tout cela ne sert à rien. Et le temps presse. Si les autres veulent continuer, vous, laissez tomber. »

Pour une fois elle s'est tournée vers moi. Nos yeux se sont rencontrés un instant, et, dans la lumière que ne magnifiait plus la riche couleur des fruits, j'ai remarqué ce que je n'avais pas vu d'abord : qu'elle avait les traits tirés, le visage marqué par la fatigue, l'air plus âgé.

« Je vous en prie, partez, a-t-elle dit. Il vaut mieux qu'on ne nous voie pas ensemble. »

Et elle m'a tendu la main, que j'ai prise sans me soucier du risque en disant : « Je ne connais pas votre nom de famille. Je ne sais pas où vous habitez ; je ne sais pas où vous trouver. Mais vous, vous savez où me trouver. Si jamais vous avez besoin de moi, faites-le-moi savoir, je viendrai. »

J'écris cela alors que, par la petite fenêtre, je vois le jour tomber sur la crête lointaine de Wytham Wood. J'ai cinquante ans et je ne sais pas ce que c'est que d'aimer. Ces mots, dont je sais qu'ils sont vrais, je les écris pourtant sans plus de regret que n'en éprouve quelqu'un qui n'a pas d'oreille à l'idée qu'il est incapable d'apprécier la musique, un regret qui, concernant quelque chose d'inconnu, est moins cuisant que celui qu'on ressent par rapport à une perte. Mais les émotions ont leur temps et leur lieu. Cinquante ans n'est pas un âge où céder aux émois de l'amour, surtout dans ce monde sans joie où, se sachant condamné, l'homme sent la vanité de tous ses désirs. J'ai donc décidé de partir. Pour qui n'a pas soixante-cinq ans, quitter la Grande-Bretagne peut être difficile : depuis Oméga, les vieux seuls sont libres de voyager comme ils l'entendent. Mais pour moi, il ne devrait pas y avoir de problème. Il y a certains avantages à être le cousin du Gouverneur, même si l'on n'en fait pas mention. Dès que j'ai affaire à l'administration, la chose se sait. Et j'ai déjà dans mon passeport tous les tampons qu'il faut pour sortir du pays. Je trouverai bien quelqu'un pour donner à ma place un cours qui ne me procure que de l'ennui. Je n'ai pas de connaissances nouvelles, aucun enthousiasme à communiquer. Je prendrai le ferry, et, en voiture, j'irai revoir les cathédrales, les temples, les grandes villes du continent pendant que les routes sont encore praticables, que les hôtels ont assez de personnel pour qu'on s'y sente à l'aise, qu'on est assuré de trouver de l'essence. Je laisserai derrière moi le souvenir de ce que j'ai vu à Southwold, Xan et le Conseil, et cette cité grise où les pierres elles-mêmes paraissent témoigner de la précarité de la jeunesse, du savoir, de l'amour. J'arracherai cette page de mon journal. Je l'ai écrite par complaisance, mais je n'aurai pas la faiblesse de la laisser. Je la détruirai et j'oublierai la promesse de ce matin. Je l'ai faite dans un moment de folie. Je ne pense pas que Julian essaie d'en profiter. Si jamais cela se produit, elle trouvera cette maison vide.

LIVRE II

Alpha

Octobre 2021

Λ

20

Il rentra à Oxford le dernier jour de septembre au milieu de l'après-midi. Personne n'avait tenté d'empêcher son départ, et personne n'était là pour l'accueillir. Le rez-de-chaussée de la maison sentait l'humidité et le moisi, les étages supérieurs le renfermé. Il avait demandé à Mrs Kavanagh de venir aérer de temps en temps, mais l'odeur donnait l'impression que les fenêtres n'avaient pas été ouvertes depuis des années. Le petit vestibule était jonché de courrier ; certaines enveloppes semblaient coller au paillasson. Au salon, dont les longs rideaux étaient fermés contre le soleil de l'après-midi comme dans la maison des morts, des gravats et des dépôts de suie étaient tombés de la cheminée et s'incrustaient dans la moquette sous ses pieds imprudents. L'air qu'il respirait lui semblait vicié. La maison elle-même paraissait se désintégrer sous ses yeux.

La petite pièce du haut, avec sa vue sur le campanile de St Barnabas et les arbres de Wytham Wood, qui commençaient à prendre des nuances automnales, le frappa par sa grande froideur, bien qu'elle fût restée inchangée. Il s'assit et se mit à tourner avec indifférence les pages du journal où, chaque jour, il avait noté ce qu'il avait fait, passant méticuleusement et sans joie en revue les villes et les sites qu'il avait visités comme on accomplit un devoir de vacances. L'Auvergne, Fontainebleau, Carcassonne,

Florence, Venise, Pérouse, la cathédrale d'Orvieto, les mosaïques de San Vitale, Ravenne, le temple d'Héra à Paestum. Il était parti sans se réjouir de rien ; il n'avait pris aucun risque ; il ne s'était aventuré dans aucun endroit inconnu dont la découverte aurait pu racheter la monotonie de la table et du lit. Il s'était déplacé dans un confort organisé et dispendieux d'une capitale à l'autre : Paris, Madrid, Berlin, Rome. Il n'avait même pas dit consciemment adieu à la beauté et aux splendeurs qu'il avait découvertes dans sa jeunesse. Il pouvait espérer revenir ; ce n'était pas nécessairement sa dernière visite. Son voyage avait été un moyen d'évasion, pas un pèlerinage en quête de sensations passées. Mais il savait maintenant que la partie de lui-même à laquelle il souhaitait échapper par-dessus tout était demeurée à Oxford.

En août, l'Italie était devenue trop chaude. Fuyant la chaleur, la poussière, la horde grise des vieux qui semblaient traîner à travers l'Europe comme un banc de brume, il prit la route de Ravello, suspendu comme un nid entre le bleu profond de la Méditerranée et le ciel. Là, il trouva un petit hôtel tenu par une famille, hôtel cher et à moitié vide où, à défaut de la paix qu'il cherchait, il trouva le confort et la solitude et resta jusqu'à la fin du mois.

C'était Rome qui lui avait laissé le souvenir le plus vif, la *Pietà* de Michel-Ange à Saint-Pierre, les rangées de cierges crépitants, les femmes agenouillées, riches et pauvres, jeunes et vieilles, fixant les yeux sur le visage de la Vierge avec une intensité de désir presque insoutenable. Il se rappelait leurs bras tendus, leurs paumes pressées contre la vitre protectrice, leurs prières marmonnées s'élevant comme un seul gémissement d'angoisse pour transmettre au marbre indifférent l'aspiration désespérée de toute l'humanité.

L'Oxford qu'il retrouvait était décoloré et épuisé par un été chaud, et l'atmosphère qui y régnait lui parut inquiète, tendue, presque intimidante. Il erra dans les cours des collèges, que parait d'or le soleil généreux de l'automne, donnant l'illusion que les murs flamboyaient encore des fastes de l'été triomphant, sans rencontrer aucun visage connu. Il semblait à son imagination fantasque et cafardeuse que les habitants d'autrefois avaient été mystérieusement chassés et que les inconnus qui hantaient les rues grises ou se tenaient assis comme des fantômes sous les arbres des parcs étaient des étrangers. Dans la salle des professeurs, la conversation était guindée et décousue. Ses collègues paraissaient éviter son regard. Les rares à avoir pris conscience de son absence lui posaient des questions sur son voyage, mais sans curiosité, par simple politesse. Il avait l'impression de ramener de l'étranger quelque honteux mal contagieux. Il était à nouveau chez lui, dans sa ville, et pourtant il retrouvait ce malaise étrange auquel il ne voyait pas d'autre nom à appliquer que celui de « solitude ».

Une semaine après son retour, il téléphona à Helena, surpris d'avoir non seulement envie d'entendre sa voix, mais d'espérer une invitation. Il fut déçu. En l'entendant, Helena ne prit pas la peine de cacher son irritation. Mathilda était apathique et ne mangeait plus. Le vétérinaire avait fait certains examens, et c'est de lui qu'elle attendait un coup de téléphone.

« J'ai passé tout l'été loin d'Oxford, dit-il. Est-ce qu'il est arrivé quelque chose ?

— Comment ça, arrivé quelque chose ? Quel genre de choses ? Il n'est rien arrivé.

— Ah bon. C'est vrai qu'après six mois d'absence, on s'attend toujours à trouver des changements.

— Rien ne change jamais à Oxford. Pourquoi voudrais-tu que les choses changent ?

— Je ne pensais pas juste à Oxford, mais au pays en général. Je n'ai pas eu beaucoup de nouvelles pendant que j'étais parti.

— Il ne s'est rien passé. Et pourquoi est-ce à moi

que tu le demandes ? Il y a eu quelques problèmes avec des dissidents, c'est tout. Et encore, ce n'est peut-être que des rumeurs. Il paraît qu'on a fait sauter des embarcadères pour empêcher des Quietus. Et puis, il y a un mois, on a annoncé à la télévision qu'un groupe projetait de libérer tous les déportés de l'île de Man, et qu'une invasion pourrait même être lancée depuis là pour déposer le Gouverneur.

— C'est ridicule, commenta Theo.

— C'est aussi ce que dit Rupert. Mais pourquoi annoncer des trucs pareils si ce n'est pas vrai ? Ça ne fait qu'inquiéter les gens. Tout était si tranquille.

— Est-ce qu'on sait qui sont ces dissidents ?

— Je ne crois pas. Je ne crois pas qu'on sache. Theo, il faut que tu me laisses, maintenant. J'attends le téléphone du vétérinaire. »

Elle raccrocha sans même attendre qu'il lui eût dit au revoir.

A l'aube du dixième jour après son retour, le cauchemar revint. Cette fois, pourtant, ce n'était pas son père qui pointait vers lui un moignon sanglant, mais Luke ; et Theo n'était pas dans son lit, mais dans sa voiture, et pas dans la rue : dans la nef même de l'église de Binsey. Les vitres de la voiture étaient fermées. Il entendait hurler une femme comme Helena avait hurlé. Rolf, le visage écarlate, tapait contre la carrosserie en criant : « Vous avez tué Julian, vous avez tué Julian ! » Et Luke, planté devant la voiture, tendait vers lui son moignon sanglant. Theo était comme mort, incapable du moindre geste. Il les entendait qui criaient : « Dehors ! Dehors ! » mais il ne pouvait pas bouger. Il regardait, l'œil vide, la silhouette accusatrice de Luke à travers le pare-brise, attendant qu'on forçât la portière, que des mains l'arrachassent à son siège, qu'on le plaçât face à l'horreur dont lui, et lui seul, était responsable.

Ce cauchemar lui laissa un malaise qui, jour après

jour, alla s'aggravant. Il essaya de s'en débarrasser, mais rien, dans sa vie solitaire et routinière, n'était assez puissant pour accaparer son esprit tout entier. Il se disait qu'il devait agir normalement, paraître détaché, qu'il faisait l'objet d'une forme de surveillance. Mais il n'en voyait aucun signe. Pour autant qu'il s'en rendît compte, personne ne le suivait. Il n'avait pas de nouvelles de Xan, pas de nouvelles du Conseil. Personne n'essayait de le contacter. Cependant, il redoutait que Jaspers renouvelât sa proposition de venir s'installer chez lui bien qu'il ne se fût pas manifesté depuis le Quietus. Il prenait de l'exercice comme à l'accoutumée, et, deux semaines après son retour, il partit un matin de bonne heure dans l'intention de courir jusqu'à Binsey. Il savait qu'il serait imprudent d'aller voir le vieux prêtre pour le questionner, et il avait du mal à s'expliquer pourquoi il lui paraissait important de retourner là-bas et ce qu'il espérait y trouver. Comme il traversait Port Meadow à longues enjambées régulières, il craignit un moment de conduire la Police de Sécurité à l'un des endroits où le groupe avait l'habitude de se réunir. Mais lorsqu'il eut atteint Binsey, il vit que le hameau était absolument désert et se dit que les Cinq Poissons devaient avoir abandonné tous leurs anciens repaires. Où qu'ils fussent, il le savait, ils étaient exposés au pire danger. Maintenant, il courait comme chaque jour dans un tumulte d'émotions conflictuelles et familières — agacement de s'être laissé piéger, regret de ne pas avoir mieux manœuvré lors de sa rencontre avec le Conseil, terreur à l'idée que Julian pouvait être en ce moment même aux mains de la PS, frustration devant l'impossibilité d'entrer en rapport avec elle et de n'avoir personne à qui il pût parler en toute sécurité.

Le chemin conduisant à l'église St Margaret était encore plus négligé, plus herbu que lors de sa dernière visite ; des branches se joignaient au-dessus et le rendaient aussi sombre et sinistre qu'un tunnel.

Lorsqu'il arriva au cimetière, il vit qu'une voiture mortuaire était garée devant la maison, dont deux hommes s'occupaient de sortir un cercueil de bois blanc.

« Le vieux curé est mort ? » demanda Theo.

Sans le regarder, l'homme qui paraissait guider la manœuvre répondit : « Il y a intérêt. Il est dans la caisse. » Le cercueil une fois chargé dans le véhicule, il prit place au volant et claqua la portière tandis que son compagnon s'installait à côté de lui. La voiture démarra sans que personne eût ajouté un mot.

La porte de l'église était grande ouverte. A l'intérieur, la pénombre emplissant le vide séculaire n'évoquait plus rien que la ruine, la déchéance. Des feuilles avaient pénétré jusque dans le chœur, dont le sol était maculé de boue et de ce qui paraissait être des taches de sang. Il y avait de la poussière partout, et l'odeur indiquait que des bêtes, probablement des chiens, venaient rôder par là. Devant l'autel, des signes étranges avaient été peints sur les dalles, dont certains avaient un aspect vaguement familier. Theo regrettait d'être venu dans ce sanctuaire profané. Il en sortit et referma la lourde porte avec une sensation de soulagement. Pourtant, il n'avait rien appris, il avait perdu son temps. Ce petit pèlerinage inutile n'avait fait qu'exacerber son sentiment d'impuissance devant une catastrophe imminente.

21

Il était huit heures et demie lorsqu'il entendit frapper. Occupé à se préparer une salade pour le dîner, il était en train de mélanger avec soin les justes proportions d'huile d'olive et de vinaigre de vin. Il allait, comme il avait coutume de le faire le soir, manger sur un plateau dans son bureau, et le plateau, avec une serviette et un napperon propres, était déjà tout prêt sur la table de la cuisine. La côtelette d'agneau grillait dans la poêle. La bouteille de bordeaux était ouverte depuis une heure, et il s'en était versé un premier verre, qu'il sirotait tout en cuisinant. Il accomplissait tous ses gestes de façon plutôt mécanique, sans grand intérêt. Il fallait bien manger, se disait-il. Il avait toujours été pointilleux sur la sauce à salade. Mais tandis que ses mains exécutaient le rituel, son esprit lui soufflait que tout cela n'avait pas la moindre importance.

Il avait tiré les rideaux des portes-fenêtres donnant sur le patio et le jardin, moins pour préserver son intimité — ce qui n'était guère nécessaire — que par habitude, pour tenir la nuit à l'écart. Hormis les menus bruits dont il était l'auteur, le silence était absolu, et le vide des étages supérieurs pesait sur lui de façon presque tangible. C'est alors qu'il portait son verre à ses lèvres qu'il entendit qu'on frappait au carreau. L'appel était discret, mais pressant : un premier coup suivi de trois coups rapides, comme un signal convenu. Il écarta les rideaux et vit les contours d'un visage pratiquement collé à la vitre. Un visage sombre. Sans vraiment la reconnaître, il sut d'instinct que c'était Miriam. Il tira les deux verrous et ouvrit la porte pour la faire entrer.

« Vous êtes seul ? demanda-t-elle sans même le saluer.

— Oui. Pourquoi ? Qu'est-ce qui se passe ?

— Ils ont pris Gascoigne. Ils nous recherchent. Julian a besoin de vous. Comme il lui était difficile de venir elle-même, elle m'a envoyée. »

Il était surpris de réagir avec tant de calme à son agitation et à la peur qu'elle impliquait. Mais pour imprévue qu'elle était, cette visite lui apparaissait comme l'aboutissement naturel de l'angoisse qu'il sentait monter en lui depuis une semaine. Il savait que quelque chose d'exceptionnel se préparait dans quoi il aurait son rôle à jouer. Il était prêt.

Comme il ne disait rien, Miriam reprit : « Vous avez dit à Julian que, si elle avait besoin de vous, vous viendriez. Elle a besoin de vous, maintenant.

— Où est-ce qu'elle est ? »

Elle hésita, comme sous le coup d'un regain de méfiance, puis elle dit : « Ils sont dans une chapelle, à Widford, près de Swinbrook. Nous avons la voiture de Rolf, mais la PS doit en connaître le numéro. En plus de vous, nous avons donc besoin de votre voiture. Il faut que nous disparaissions avant que Gascoigne ne craque et ne livre nos noms. »

Aucun d'eux ne doutait que Gascoigne allait craquer. Rien d'aussi grossier que la torture physique ne serait nécessaire. La Police de Sécurité disposait de drogues efficaces et ne se ferait pas scrupule d'en user.

Il demanda : « Comment êtes-vous venue ?

— A bicyclette, répondit-elle d'un ton impatient. Je l'ai laissée au bout du jardin, à côté du portail. Il était fermé. Heureusement que votre voisin avait sorti sa poubelle. J'ai grimpé dessus pour sauter la barrière. Allez, on n'a pas le temps de manger. Mais prenez ce que vous avez comme nourriture, il vaut mieux. A part du pain et du fromage, nous n'avons que quelques boîtes de conserve. Où est votre voiture ?

— A Pusey Lane, dans un garage. Je vais chercher mon pardessus. Vous trouverez un sac dans ce placard. Le cellier est par là. Ramassez ce que vous pouvez. Et prenez cette bouteille de vin ; il suffit de la reboucher. »

Il alla prendre son lourd manteau puis monta au dernier étage chercher son journal, qu'il glissa dans la poche intérieure. Son action n'avait rien de réfléchi ; il aurait eu du mal à en expliquer la raison. Son journal n'était pas spécialement compromettant ; il y avait veillé. Il ne pensait pas qu'il quittait pour plus de quelques heures l'existence qu'il y consignait et dont cette maison vide constituait le cadre. Et même si le voyage qui s'annonçait devait être le début d'une odyssée, il aurait pu emporter des objets plus précieux, plus utiles, un talisman plus significatif.

Que Miriam lui enjoignît une fois de plus de se dépêcher était superflu. Il savait que le temps pressait. S'il voulait pouvoir discuter avec le groupe de la meilleure façon d'utiliser son influence auprès de Xan, et surtout s'il voulait voir Julian avant qu'elle ne fût arrêtée, il lui fallait se mettre en route sans perdre une seconde. Dès que la PS saurait que le groupe était en fuite, elle tournerait son attention vers lui. Le numéro de sa voiture était connu. Le repas qu'il laissait, même s'il prenait la peine de le mettre à la poubelle, dirait assez qu'il était parti précipitamment. Mais dans son anxiété de rejoindre Julian, il ne s'inquiétait guère pour lui-même. Il avait été conseiller du Gouverneur. En Grande-Bretagne, un seul homme concentrait tout pouvoir et toute autorité entre ses mains, et cet homme était son cousin. Quoi qu'il arrive, la Police de Sécurité serait bien obligée de le laisser voir Xan. En revanche, elle pouvait l'empêcher de voir Julian ; cela, oui, elle en avait le pouvoir.

Miriam l'attendait dans l'entrée avec un sac plein à craquer. Lorsqu'il lui eut ouvert la porte, elle jeta un rapide coup d'œil à droite et à gauche, puis elle dit : « Je crois qu'on peut y aller. »

Il avait plu. Dans la nuit sombre et fraîche, les réverbères faisaient luire le pavé humide et les toits semés de gouttelettes des voitures garées le long du trottoir. Des deux côtés de la rue, les rideaux étaient tirés, sauf à une seule fenêtre, ouverte, où l'on voyait des têtes se profiler dans la lumière, et d'où sortait une musique indistincte. Mais soudain quelqu'un augmenta le volume, et la rue grise retentit alors des accents pénétrants et doux d'un quatuor vocal, tiré sans doute d'un opéra de Mozart — Theo n'aurait su dire lequel. Et pendant un instant de cuisante nostalgie, il retrouva la rue qu'il avait habitée trente ans plus tôt alors qu'il était étudiant, ses voisins et amis disparus, les nuits d'été et les fenêtres ouvertes d'où jaillissait un tohu-bohu de jeunes voix, de musique et de rires.

La rue était déserte, et hormis cette glorieuse explosion de bruit, il n'y avait nulle part aucun signe de vie. Pourtant, c'est avec précaution et en silence que Miriam et lui parcoururent les trente mètres qui les séparaient de Pusey Lane, comme si un pas un peu trop appuyé, un simple chuchotement pouvaient suffire à mettre le quartier en état d'alerte. Puis ils tournèrent le coin de la rue, et Miriam attendit qu'il eût sorti la Rover du garage pour s'installer à côté de lui. Ils descendirent Woodstock Road aussi rapidement que possible, mais en ayant soin de ne pas dépasser la limite de vitesse. Ils avaient atteint les faubourgs de la ville avant que Theo ne se mît à parler.

« Quand est-ce qu'ils ont pris Gascoigne ? demanda-t-il.

— Il y a environ deux heures. Il plaçait des explosifs pour faire sauter un appontement à Storeham. Il devait y avoir un nouveau Quietus. La Police de Sécurité l'attendait.

— Ce n'est pas étonnant. Vous détruisez les embarcadères. Ils vous guettaient. Alors, il s'est fait prendre il y a deux heures ? Je suis surpris qu'ils ne vous aient pas encore attrapés.

— Ils ont dû attendre qu'on le ramène à Londres pour l'interroger. Et puis je ne vois pas pourquoi ils seraient tellement pressés : nous ne sommes pas si importants. Mais ils viendront, c'est sûr.

— Oui, c'est sûr. Comment est-ce que vous avez su qu'il s'était fait prendre ?

— Il a téléphoné pour nous annoncer son projet. C'était son idée à lui ; Rolf n'était pas d'accord. Quand nous faisons un travail comme ça, nous téléphonons toujours une fois que c'est terminé. Lui n'a pas donné signe de vie. Luke est allé voir chez lui, à Cowley. La Police de Sécurité était venue fouiller — en tout cas, la propriétaire a dit que quelqu'un était venu fouiller. Ça ne pouvait être que la PS.

— Ce n'était pas très malin de la part de Luke d'aller chez lui. La police aurait pu se méfier et le cueillir sur place.

— Rien de ce que nous faisons n'est très malin. C'est seulement nécessaire. »

Après un silence, Theo dit : « Je ne sais pas ce que vous attendez de moi, mais si vous voulez que je vous aide, vous feriez bien de me parler de vous. A part vos prénoms, je ne sais strictement rien. Où est-ce que vous vivez ? Qu'est-ce que vous faites ? Comment est-ce que vous vous retrouvez ?

— Je vais vous le dire, mais je ne vois pas pourquoi c'est important, ni pourquoi vous devriez le savoir. Gascoigne est — était — chauffeur de poids lourd. C'est pourquoi Rolf l'a recruté. Je crois qu'ils se sont rencontrés dans un pub. Avec ses déplacements, il pouvait distribuer des tracts dans toute l'Angleterre.

— Et avec ça, expert en explosifs. Je vois son utilité.

— Pour les explosifs, c'est son grand-père qui lui a appris — il était dans l'armée, et ils étaient très proches. Mais il n'est pas vraiment expert ; il n'y a pas besoin de l'être pour faire sauter un appontement ou je ne sais quoi. Rolf, lui, est ingénieur. Il travaille dans les services d'électricité.

— Et dans le groupe, qu'est-ce qu'on attend de lui à part son brillant rôle de chef ? »

Miriam ignora le sarcasme. « Pour Luke, vous savez, poursuivit-elle. Il était prêtre. Et je pense qu'il l'est toujours. D'après lui, un prêtre reste prêtre toute sa vie. Il n'a pas de paroisse parce qu'il n'y a plus beaucoup d'églises dans sa variété de christianisme.

— Quelle variété ?

— Celle dont on s'est débarrassé dans les années 1990. L'ancienne Bible, l'ancien rituel. Quand on le lui demande, il assure parfois un service. A part ça, il travaille aux jardins botaniques et étudie l'élevage.

— Pourquoi est-ce que Rolf l'a recruté, lui ? Pas pour le réconfort spirituel du groupe, j'imagine ?

— Parce que Julian voulait qu'il soit des nôtres.

— Et vous ?

— Pour moi, vous savez. J'étais sage-femme. Je n'ai jamais voulu être autre chose. Après Oméga, j'ai pris un emploi de caissière dans un supermarché de Headington. Depuis, je suis devenue gérante.

— Et qu'est-ce que vous faites pour les Cinq Poissons ? Vous glissez des tracts dans les paquets de céréales pour petit déjeuner ? »

Elle haussa les épaules. « Je vous ai dit que nous n'étions pas très malins, pas que nous étions stupides. Si nous étions aussi stupides que vous avez l'air de le penser, nous nous serions déjà fait prendre.

— Si vous êtes toujours là, c'est parce que le Gouverneur le veut bien. Il aurait pu vous faire boucler il y a des mois, mais vous lui êtes plus utiles en liberté qu'en prison. Il ne veut pas de martyrs. Il veut qu'un prétendu danger menace l'ordre public. Il en a besoin pour asseoir son autorité. Les tyrans connaissent tous cette tactique. Pour renforcer sa position, il lui suffit de dire au peuple qu'une société secrète qui se prétend libérale cherche en fait à supprimer la colonie pénitentiaire de Man, à lâcher dix mille psychopathes criminels sur une société vieillissante, à renvoyer chez eux tous les Séjourneurs en sorte que les ordures ne seront plus ramassées ni les rues balayées, et finalement à renverser le Conseil et le Gouverneur lui même.

— Pourquoi est-ce que les gens le croiraient ?

— Pourquoi pas ? Ce n'est pas sans rapport avec votre programme. Je suis sûr que Rolf souhaite renverser le Conseil et le Gouverneur. Dès qu'un gouvernement cesse d'être démocratique, il n'y a plus de place pour les dissidents, une opposition modérée devient impossible. Mais dites-moi, à part "les Cinq Poissons", est-ce que vous vous êtes donné des noms de code ? Maintenant, vous pouvez tout aussi bien me les dire.

— Rolf est Rouget, Luke est Loche, Gascoigne est Gardon, et moi, Merlan.

— Et Julian ?

— Comme poisson commençant par *J*, on n'a rien trouvé que "John Dory" — le saint-pierre. »

Il ne put s'empêcher de rire. « C'est un peu infantile, non ? Passe encore pour "les Cinq Poissons" — il fallait que votre groupe ait un nom — mais le reste... Quand Rolf vous téléphone, j'imagine qu'il dit "Rouget appelle Merlan" en espérant que, si quelqu'un de la PS écoute, il s'arrache les cheveux et mord le tapis de frustration.

— D'accord, dit-elle, c'est puéril. Ces noms, nous ne les utilisons pratiquement pas. C'était une idée de Rolf.

— Je m'en doutais.

— Vous aimez vous moquer, hein ? Vous êtes intelligent et vous maniez le sarcasme pour le prouver aux autres. Parfait. Mais en ce moment, je supporte mal. N'essayez pas de vous en prendre à Rolf. Si vous vous souciez de Julian, laissez tomber. D'accord ? »

Ils roulèrent quelques minutes en silence. Jetant un coup d'œil à Miriam, il vit qu'elle regardait la route avec une attention féroce, comme si elle s'attendait à tomber sur une mine. Elle tenait les mains crispées sur le sac, au point que ses articulations pâlissaient, et la nervosité qui se dégageait d'elle était presque palpable. Elle avait répondu à ses questions, mais son esprit était ailleurs.

Lorsqu'elle se remit à parler, elle utilisa pour la première fois son prénom, et cette familiarité imprévue le surprit. « Theo, je dois vous confier quelque chose. Julian m'a dit d'attendre que nous soyons en route. Pas parce qu'elle doutait de votre bonne foi : elle était certaine que vous viendriez si elle vous le demandait. Mais au cas où quelque chose d'important vous aurait retenu, elle préférait que vous ne sachiez pas. Il n'y avait pas de raison de vous mettre dans la confidence.

— De quoi s'agit-il ? » Il la regarda encore : elle continuait à fixer la route, et ses lèvres bougeaient en silence comme si elle cherchait ses mots. « Eh bien, dites-moi ce que c'est, Miriam. »

Sans tourner la tête, elle commença : « Vous n'allez pas me croire. Je ne m'attends pas à ce que vous me croyiez. D'ailleurs, ça n'a pas d'importance. Dans une demi-heure, vous verrez par vous-même. Mais je vous en prie, ne discutez pas. Je ne me sens pas de taille à affronter une discussion. Je n'essaierai pas de vous convaincre : Julian s'en chargera.

— Dites-moi, c'est tout. On verra bien si je vous crois ou non. »

Elle se décida enfin à le regarder, et d'une voix parfaitement claire par-dessus le bruit du moteur, elle annonça : « Julian est enceinte. C'est pourquoi elle a besoin de vous. Elle va avoir un enfant. »

Dans le silence qui suivit, il éprouva d'abord une amère déception, puis de l'irritation et du dégoût. Il était répugnant de penser que Julian pût cultiver une telle absurdité, et que Miriam fût assez stupide pour entrer dans son jeu. Lorsqu'il l'avait vue à Binsey, malgré la brièveté de la rencontre, il avait éprouvé de la sympathie pour elle, il l'avait jugée intelligente, pleine de bon sens. Or il n'aimait pas voir ainsi son jugement contrarié.

Au bout d'un moment, il dit : « Je ne veux pas discuter, mais je ne vous crois pas. Je ne pense pas que vous mentiez délibérément. Pour vous, c'est sûrement vrai. Mais ce n'est pas possible. »

Cette illusion avait si souvent été démentie. Les premières années après Oméga, des femmes du monde entier s'étaient crues enceintes et en avaient montré tous les symptômes. Lui-même en avait vu plus d'une promener fièrement son ventre sur High Street. Mais le moment venu, après les spasmes, les cris, les douleurs propres à l'accouchement, elles n'enfantaient rien que du vent. Du vent et de l'angoisse.

Cinq minutes plus tard, il demanda : « Depuis quand croyez-vous à cette histoire ?

— Je vous ai dit que je ne voulais pas en parler. Je vous ai dit d'attendre.

— Vous avez dit que je ne devais pas discuter. Je ne discute pas. Je vous pose une question, c'est tout.

— Depuis que le bébé bouge. Avant, Julian ne savait pas. Comment est-ce qu'elle aurait pu ? Mais alors elle m'a parlé, et j'ai confirmé qu'elle était enceinte. Je suis sage-femme, non ? Par prudence, nous évitions de nous voir plus qu'il n'était besoin. Si je l'avais vue plus souvent, j'aurais compris plus tôt. Même après vingt-cinq ans, j'aurais su.

— Si vous savez, comme vous dites, vous prenez ça très calmement.

— J'ai eu le temps de m'y faire. Maintenant, ce qui me préoccupe, c'est l'aspect pratique du problème. »

Il y eut un nouveau silence. Puis elle dit, comme si elle avait pour se souvenir tout le temps du monde : « J'avais vingt-sept ans, l'année d'Oméga, et je travaillais à la maternité de l'hôpital John Radcliffe. Un jour qu'on m'avait collée au service des consultations prénatales, j'ai voulu noter le prochain rendez-vous d'une patiente, et je me suis tout à coup rendu compte que le registre était entièrement vide. Sept mois sans un seul nom. Normalement, les femmes venaient consulter dès le deuxième mois, parfois même plus tôt. Mais il n'y avait plus un seul rendez-vous prévu. Je me suis dit : Qu'est-ce qui arrive aux hommes de cette ville ? Et puis j'ai téléphoné à une collègue du Queen Charlotte. Là-bas, c'était la même chose. Elle m'a dit qu'elle allait appeler une amie qui travaillait à la maternité du Rosie, à Cambridge. Vingt minutes plus tard, elle m'a rappelée pour me dire que, là encore, c'était la même chose. Et c'est alors que j'ai compris. J'ai dû être parmi les premiers à savoir. J'étais là à la fin. Maintenant, je suis là au début. »

Ils étaient arrivés à Swinbrook, et Theo ralentit et baissa les lumières comme si ces précautions allaient pouvoir les rendre invisibles. Mais le village était désert. Une lune couleur de cire, à demi pleine, oscillait sur la soie frémissante d'un ciel gris-bleu, où perçaient quelques étoiles. La nuit était moins sombre qu'il ne l'avait pensé ; dans l'air calme et doux flottait une odeur d'herbe. Sous le pâle clair de lune, les pierres patinées émettaient une lueur diffuse qui semblait emplir l'atmosphère, et l'on voyait nettement le contour des maisons, les hauts toits pentus, les murs couverts de fleurs. Il n'y avait nulle part de fenêtres éclairées, et le village, silencieux et vide, était comme un décor de film abandonné, apparemment solide et permanent, mais éphémère, avec des façades peintes maintenues par des étais de bois, et derrière lesquelles pourrissaient les débris laissés par l'équipe de tournage. Theo eut un instant le sentiment que, se fût-il appuyé contre une de ces façades, celle-ci se serait effondrée dans un déluge de plâtre et de portants. Et pourtant l'endroit lui était familier. Même dans cette lumière irréelle, il en reconnaissait les principaux repères : la petite place et son bassin, le gros arbre entouré d'un banc, l'entrée de la ruelle conduisant à l'église.

Il était venu là avec Xan il y avait bien longtemps. C'était par un jour étouffant de juin, un jour où Oxford était devenu intenable, où il fallait fuir ses trottoirs brûlants envahis de touristes, ses rues empuanties par les gaz d'échappement, le vacarme de langues étrangères troublant les cours paisibles de ses collèges. Ils s'étaient embarqués en voiture sans idée précise de l'endroit où aller, et ils descendaient Woodstock Road quand Theo s'était brusquement souvenu qu'il voulait visiter la chapelle St Oswald, à Wiford. Cette destination en valait une autre. Heureux d'avoir un but, ils avaient donc pris la route de Swinbrook. Rétrospectivement, il voyait dans cette journée un symbole de l'été anglais dans sa perfection — ciel d'azur presque sans nuage, voile de brume poétisant le paysage, grisant parfum d'herbe coupée. Mais elle symbolisait aussi certaines choses, plus transitoires, qui, contrairement à l'été, ne reviendraient jamais : la jeunesse, la confiance, la joie, l'espérance de l'amour. A l'entrée de Swinbrook se déroulait un match de cricket ; ils avaient arrêté la voiture et s'étaient installés dans l'herbe, à l'abri d'un mur de pierres sèches, pour regarder, critiquer, applaudir. Et ensuite, ils étaient allés se garer à l'endroit même où il était garé maintenant, à proximité du bassin, et ils avaient suivi le chemin que Miriam et lui allaient prendre, passant devant la vieille poste pour remonter l'étroite ruelle qui, entre des murs vêtus de lierre, conduisait à l'église du village. Un baptême se préparait. Une petite procession s'avançait vers le porche, menée par les parents, la mère portant l'enfant en robe blanche, les femmes coiffées de chapeaux à fleurs, les hommes, un peu gauches, transpirant dans des costumes ajustés gris ou bleus. La scène lui était apparue comme hors du temps, et il se souvenait de s'être amusé un moment à imaginer des baptêmes plus anciens, dans des tenues d'autres époques, mais avec les mêmes têtes de villageois, la même expression de sérieux et de plaisir anticipé. Et il avait pensé alors, comme il y pensait maintenant, au temps qui passe inexorablement, au temps impitoyable que rien ne saurait arrêter. Mais ses pensées d'alors étaient un exercice de style, sans douleur, sans nostalgie, car il avait encore tout le temps devant lui : à dix-neuf ans, la vie paraît comme une éternité.

Il ferma la voiture et dit : « Si c'est à la chapelle St Oswald que vous êtes, le Gouverneur connaît. »

Miriam répondit d'une voix calme : « Quelle importance s'il ne sait pas que nous y sommes ?

— Il le saura dès que Gascoigne aura parlé.

— Gascoigne ne le sait pas non plus. C'est un endroit que Rolf avait prévu au cas où l'un de nous se ferait prendre ; il n'en a parlé à personne.

— Où est-ce qu'il a laissé sa voiture ?

— Elle est cachée à l'écart de la route, à plus d'un kilomètre d'ici. Ils ont pensé qu'il était plus sûr d'arriver à pied.

— A travers champs, dans l'obscurité ? Ce n'est pas un endroit très commode s'il fallait détaler.

— Non, mais c'est loin de tout, personne n'y va jamais, et la chapelle reste toujours ouverte. Et puis il n'y a pas de raison qu'il nous faille détaler puisque personne ne sait que nous sommes là. »

Il doit tout de même y avoir un meilleur endroit, songeait Theo, repris de doute quant aux qualités de Rolf comme chef et organisateur. Et, comme le dédain lui apportait un certain réconfort, il se dit que, s'il était beau garçon et possédait une sorte de force brute, Rolf manquait d'intelligence — c'était en somme un ambitieux barbare. Quelle idée avait donc eue Julian de l'épouser ?

Au bout de la ruelle, ils tournèrent sur la gauche et prirent, toujours entre des murs couverts de lierre, un méchant chemin ouvrant sur un champ. En contrebas s'étalait une ferme que Theo se rappelait avoir vue.

Miriam dit : « Elle est vide. Le village entier est abandonné, maintenant. Je me demande pourquoi les choses se passent ainsi dans tel endroit et pas dans tel autre. Il suffit peut-être qu'une ou deux familles importantes décident de partir pour que les autres paniquent et suivent le mouvement. »

Le champ était accidenté, et ils marchaient avec prudence, les yeux fixés par terre. De temps en temps, l'un d'eux trébuchait et l'autre lui tendait vivement la main pour le soutenir, tandis que Miriam allumait sa torche pour chercher dans le rond de lumière un sentier qui n'existait plus. Il semblait à Theo qu'ils devaient avoir l'air d'un très vieux couple, les derniers habitants de quelque village abandonné, accomplissant dans les ténèbres un ultime voyage jusqu'à la chapelle St Oswald par besoin ancestral de mourir en terre consacrée. Sur sa gauche, les champs descendaient vers une haute haie derrière laquelle, il le savait, coulait le Windrush. Après avoir visité la chapelle, Xan et lui étaient allés là s'étendre dans l'herbe, regardant tour à tour les poissons glisser dans l'eau lente et le feuillage d'argent se découper sur le bleu du ciel. Ils avaient emporté du vin et acheté des fraises en route. Ici encore, il se rappelait chaque mot de leur conversation.

Après avoir gobé une fraise, Xan s'était tourné vers lui pour prendre la bouteille de vin. « La nostalgie, mon cher. Encore un peu et je regretterais mon ours en peluche. » Puis, sans changer de ton : « Je crois que je vais entrer dans l'armée.

— Pourquoi diable ?

— Comme ça. Pour me désennuyer.

— Mais c'est ennuyeux au possible, sauf pour ceux qui aiment les voyages et le sport, et je ne crois pas que tu en raffoles, mis à part le cricket, qui ne se pratique guère dans l'armée. Les jeux de soldats ne sont pas ton genre. Et d'ailleurs, on ne te prendra pas. Depuis qu'ils ont réduit les effectifs, ils sont devenus très difficiles à ce qu'on m'a dit.

— Ne t'en fais pas, on me prendra. Et après, je tâterai peut-être de la politique.

— Mais c'est encore pire ! Tu n'as jamais montré le moindre intérêt pour la politique. Et je ne te connais pas la moindre conviction.

— Ça s'acquiert. Et puis ça ne peut pas être aussi ennuyeux que ce à quoi tu te prépares. Une fois que tu auras eu ta licence avec mention, Jasper va te trouver comme à tous ses chouchous un petit boulot de recherche. Et puis tu seras nommé en province, où tu te consoleras d'avoir à enseigner à des cancres en t'esquintant à écrire des articles et peut-être un livre bien documenté qui sera accueilli avec respect. Enfin, Oxford t'ouvrira ses portes — un bon collège, si tu as de la chance et que tu n'es pas déjà complètement rétamé — et tu seras assuré de pouvoir à vie répéter tes cours devant des étudiants qui auront choisi l'histoire parce que ce n'est pas trop difficile. Et j'oubliais : une femme assez intelligente pour soutenir une conversation de table, mais pas assez brillante pour te faire de l'ombre, et deux mômes bien doués, bien ennuyeux, pour répéter le processus. »

Il ne se trompait guère, sauf pour ce qui était de la femme et des deux enfants. Et ce qu'il avait dit de son avenir à lui, un peu comme sous le coup de l'inspiration, faisait peut-être déjà partie d'un plan bien réfléchi. En effet, l'armée l'avait pris. Il était même devenu le plus jeune colonel depuis cent cinquante ans. Il n'était toujours affilié à aucun parti et n'avait pas d'opinions politiques. Sa seule conviction était qu'il lui fallait avoir ce qu'il voulait et que ce qu'il entreprenait était appelé à réussir. Après Oméga, l'apathie gagnant le pays, personne ne voulant travailler, la paralysie guettant l'administration, le crime devenant incontrôlable, tout espoir et toute ambition étant à jamais compromis, l'Angleterre s'était offerte à lui comme un fruit mûr — un fruit trop mûr et déjà pourrissant que Xan avait cueilli sans autre effort que celui de tendre la main. Theo essaya de s'arracher au passé, mais les voix de ce dernier été résonnaient dans sa tête, et même par cette fraîche nuit d'automne, il avait l'impression d'en sentir le soleil dans le dos.

Maintenant, la chapelle se dressait devant eux, chœur et nef sous un toit unique, dominé par le clocher central. Elle était exactement comme il s'en souvenait, minuscule, une sorte de jouet construit pour un enfant par un fanatique complaisant. Comme ils approchaient de la porte, il fut saisi par une soudaine appréhension qui figea momentanément ses pas, tandis que, avec une curiosité mêlée d'angoisse, il se demandait ce qu'il allait trouver à l'intérieur. Il ne pouvait pas croire que Julian fût enceinte ; ce n'était pas la raison pour laquelle il était là. Miriam était sage-femme, c'est vrai, mais elle n'avait plus pratiqué depuis vingt-cinq ans, et les possibilités d'erreur existaient. Certains états graves pouvaient se confondre avec la grossesse. Il serait tragique que, aveuglées par l'espoir, Miriam et Julian aient laissé se développer une tumeur maligne. Les premières années après Oméga, on avait souvent parlé de tels cas, presque aussi souvent que de grossesses fantômes. Theo avait horreur de penser que Julian avait pu se laisser abuser, mais plus horreur encore d'imaginer qu'elle pût être mortellement malade. Et il s'en voulait de son inquiétude. Ne signifiait-elle pas que Julian l'obsédait ? Sinon pourquoi se serait-il aventuré dans ce lieu désolé ?

Miriam promena rapidement sur la porte le faisceau de sa lampe de poche, qu'elle éteignit presque aussitôt. Puis elle ouvrit et le fit entrer. L'intérieur était sombre, mais le groupe avait allumé huit bougies placées en ligne devant l'autel. Theo se demanda si Rolf les avait apportées lui-même ou si des visiteurs les avaient laissées là. Leurs flammes vacillèrent le temps que Miriam refermât la porte, projetant des ombres mouvantes sur le sol de pierre et le bois des lambris. Au premier coup d'œil, Theo crut que la chapelle était vide, puis il vit leurs trois silhouettes se lever d'un banc et venir se placer face à lui, dans l'allée centrale. Ils semblaient en tenue de voyage ; Rolf portait une veste en peau de mouton et une casquette de marin, Luke un vieux manteau noir et un cache-col, Julian une espèce de houppelande descendant jusqu'aux pieds. Personne ne disait rien. L'éclairage ne permettait pas de distinguer leurs traits. Puis Luke se détourna pour prendre une bougie qu'il tint devant lui, et Julian, souriante, s'avança vers Theo et lui dit :

« C'est vrai, Theo, sentez. »

Sous son pardessus, elle portait une blouse et un pantalon amples. Elle lui prit la main droite, qu'elle guida sous sa blouse. Le ventre était gonflé, et il s'étonna que sa convexité ne fût pas plus visible sous les vêtements. D'abord, la soyeuse peau tendue lui donna l'impression d'être froide sous sa main, mais la chaleur de sa peau se transmit bientôt à celle de Julian, si bien qu'il ne sentit plus aucune différence et qu'il lui sembla que tous deux partageaient la même chair. Puis une brusque secousse lui fit retirer sa main. Julian rit, et le carillon de son rire emplit toute la chapelle.

« Ecoutez, dit-elle, écoutez son cœur battre. »

Il était plus facile pour lui de s'agenouiller, et il s'agenouilla tout naturellement, sans concevoir ce geste comme un hommage, mais sûr qu'il était juste qu'il se mît à genoux. Il passa le bras droit autour de sa taille et colla l'oreille à son ventre. Il n'entendit pas le cœur battre, mais il entendit et sentit les mouvements de l'enfant. Il perçut la vie de l'enfant. Et une vague d'émotion se souleva en lui, le submergea de joie, de respect et de peur, le laissant épuisé et sans voix. Il resta un moment à genoux, incapable de bouger, appuyé au corps de Julian, à s'imprégner de son odeur, de sa chaleur, de son essence même. Puis il se ressaisit et se mit debout, conscient des yeux qui l'observaient. Mais toujours sans parler. Il aurait voulu être seul avec Julian, l'emmener dans la nuit, partager avec elle ses ténèbres, son silence. Se taire et sentir, c'est ce dont il avait besoin pour retrouver la paix de l'esprit. Mais il savait qu'il lui faudrait parler, déployer toute sa force de persuasion. Et les mots ne suffiraient pas. Il devrait opposer la volonté à la volonté, la passion à la passion, lui qui n'avait jamais su que discuter, lui qui n'avait jamais reconnu que la raison et l'intelligence. Maintenant, il se sentait vulnérable et impuissant là même où il croyait que résidait sa force.

Il s'écarta de Julian et dit à Miriam : « Donnez-moi la torche. »

Elle la lui tendit sans un mot, et lui, l'ayant allumée, la braqua tour à tour sur chacun de leurs visages. Tous le regardaient : Miriam d'un œil souriant et ironique, Rolf avec une expression de triomphe agacée, Luke d'un air suppliant et désespéré.

Ce fut Luke qui parla le premier : « Theo, vous comprenez maintenant qu'il nous fallait fuir, qu'il nous fallait penser à la sécurité de Julian ?

— Ce n'est pas en fuyant que vous allez assurer la sécurité de Julian, rétorqua Theo. Son état change tout, et pas seulement pour vous : pour le monde entier. C'est vrai que désormais plus rien ne compte que sa sécurité et la sécurité de l'enfant. Mais sa place est à l'hôpital. Téléphonez au Gouverneur, ou laissez-moi le faire. La nouvelle une fois connue, il ne sera plus question de tracts ni de dissidents. Au Conseil comme dans l'ensemble du pays, dans l'ensemble du monde, chacun n'aura plus qu'un souci : que l'enfant naisse dans les meilleures conditions possibles. »

Julian posa sur la sienne sa main déformée et dit : « Non, je vous en prie. Je ne veux pas que le Gouverneur soit là quand mon enfant naîtra.

— Il ne sera pas forcément là. Il fera ce que vous voudrez. Tout le monde fera ce que vous voudrez.

— Il sera là, si. Vous savez qu'il sera là. Il sera là pour la naissance ; il sera là tout le temps. Il a tué le frère de Miriam ; maintenant, il s'en prend à Gascoigne. Si je tombe entre ses mains, je ne serai jamais libre. Mon enfant ne sera jamais libre. »

Mais comment pourrait-elle échapper à Xan ? se demandait Theo. Avait-elle l'intention de tenir à jamais son enfant secret ? « C'est à l'enfant qu'il faut penser d'abord, dit-il. Supposez qu'il y ait des complications, une hémorragie ?

— Il n'y en aura pas. Miriam s'occupera de moi. »

Theo se tourna vers celle-ci. « Parlez-lui, Miriam. Vous êtes sage-femme. Vous savez qu'elle devrait être à l'hôpital. Ou pensez-vous comme elle ? Pensez-vous, comme les autres, à vous ? A votre gloire personnelle ? Ce ne serait pas mal, hein ? Accoucheuse du premier représentant d'une race nouvelle, si c'est ce que cet enfant est destiné à être. Cette gloire, vous ne voulez pas la partager ; vous avez peur d'en être exclue. Vous voulez être la seule à assister au miracle de cette naissance.

— Des enfants, j'en ai mis deux cent quatre-vingts au monde, répondit calmement Miriam. Leurs naissances me sont toutes apparues comme des miracles. Ici, tout ce que je demande, c'est que la mère et l'enfant se sentent bien, en sécurité. Je ne confierais pas une chienne portante au gouverneur de l'Angleterre. C'est vrai, je préférerais que l'accouchement se passe à l'hôpital, mais le choix appartient à Julian. »

Theo se tourna vers Rolf. « Qu'en pense le père ? »

Rolf s'impatientait. « Si nous traînons à discuter ici, nous n'aurons plus le choix. Julian a raison. Une fois entre les mains du Gouverneur, elle n'aura plus son mot à dire. C'est lui qui s'occupera de tout. Il sera là pour la naissance. Il l'annoncera au monde. Il présentera l'enfant à la nation via la télévision. Mais c'est mon enfant, c'est à moi de le faire. »

Theo pensait : il croit défendre sa femme, mais son seul souci est que l'enfant naisse avant que Xan et le Conseil soient au courant de la grossesse.

« C'est de la folie, dit-il d'une voix que la colère rendait tranchante. Vous êtes comme des enfants qui refusent de partager avec les autres un nouveau jouet. Mais cette naissance concerne le monde entier, pas seulement l'Angleterre. L'enfant appartient à l'humanité.

— L'enfant appartient à Dieu », corrigea Luke.

Theo se tourna vers lui. « Bon sang ! Est-ce qu'on ne peut pas garder cette discussion sur le terrain de la raison ? »

Miriam s'en mêla à son tour. « L'enfant n'appartient qu'à lui-même, dit-elle. Mais sa mère est Julian. Pour l'instant, il ne fait qu'un avec elle. Julian a le droit de dire où elle entend le mettre au monde.

— Même si l'enfant doit en pâtir ? »

Julian dit : « Si le Gouverneur est présent quand je le mets au monde, nous mourrons tous les deux.

— C'est ridicule.

— Vous voulez prendre le risque ? » demanda tranquillement Miriam. Et comme il ne répondait rien, elle répéta : « Vous êtes prêt à prendre cette responsabilité ?

— Bon, quels sont vos plans ? »

Rolf expliqua : « Trouver un endroit sûr — enfin, aussi sûr que possible. Une maison vide, un cottage, un abri quelconque où nous puissions nous retrancher pendant quatre semaines. Dans un coin retiré, peut-être dans la forêt. Il nous faudra des provisions, de l'eau, une voiture. La seule voiture que nous ayons est la mienne, et ils connaissent le numéro !

— La mienne ne vaut guère mieux, dit Theo. En ce moment, la police est peut-être déjà à St John Street. Je ne vois pas comment l'entreprise pourrait réussir. Dès que Gascoigne aura parlé — et avec leurs drogues, il parlera sans même qu'il soit besoin de le torturer —, dès que le Conseil sera au courant de la grossesse, ils se mettront en chasse avec tous les moyens dont ils disposent. Jusqu'où espérez-vous aller avant qu'ils vous attrapent ? »

Du ton patient qu'on adopte à l'égard d'un enfant obtus, Luke répliqua : « Nous savons bien qu'ils vont venir. Nous savons bien qu'ils nous recherchent pour nous détruire. Mais peut-être ne sont-ils pas aussi pressés, aussi acharnés que vous l'imaginez. Car pour l'enfant, ils ne savent rien. Nous n'avons rien dit à Gascoigne.

— Il faisait pourtant partie du groupe, c'était l'un de vous. Vous croyez qu'il n'a rien deviné ? Il a des yeux, il pouvait voir, non ? »

Julian dit : « Il a trente et un ans ; je doute qu'il ait jamais vu une femme enceinte. Il n'y a plus de naissances depuis vingt ans, c'est quelque chose à quoi on ne pense pas. Les Séjourneurs avec lesquels je travaillais dans le camp non plus n'y pensaient pas ; personne n'a rien remarqué. A part nous cinq, personne ne sait.

— Julian a les hanches larges et son enfant est placé haut, dit Miriam. On voit à peine qu'elle est enceinte. Vous-même n'auriez rien vu si on ne vous avait rien dit. »

Ainsi, songeait Theo, ils n'étaient pas assez sûrs de Gascoigne pour lui confier leur plus précieux secret. Ils n'en avaient pas jugé digne cet homme simple et solide qui, lors de la première rencontre, lui était apparu comme l'ancre du groupe. Mais s'ils ne s'étaient pas méfiés de lui, s'ils l'avaient tenu au courant de ce qui se passait, Gascoigne aurait suivi les ordres ; il n'aurait pas tenté un sabotage ; il ne se serait pas fait prendre.

Comme s'il lisait dans ses pensées, Rolf dit : « C'était pour sa sécurité à lui, pas pour la nôtre. Moins il y avait de gens qui savaient, mieux c'était. Pour Miriam, il fallait bien sûr qu'elle soit au courant : nous avons besoin de ses compétences. Et puis je l'ai dit à Luke parce que Julian y tenait. Parce qu'il est prêtre — au nom de je ne sais quelle superstition : il est censé nous porter chance ! C'était malgré moi, mais je le lui ai dit.

— C'est moi qui le lui ai dit », rectifia Julian.

Et Theo pensa que c'était sans doute aussi malgré Rolf qu'on l'avait fait venir ; Julian l'avait voulu, et on lui avait accordé ce qu'elle demandait. Mais le secret, une fois révélé, ne pouvait s'ignorer. Il lui était loisible d'essayer d'éviter de s'engager, mais pas d'oublier ce qu'il venait d'apprendre.

Pour la première fois, la voix de Luke trahissait une certaine urgence. « Il nous faut partir avant qu'ils arrivent. Nous prendrons votre voiture. S'il y a encore à discuter, nous pourrons le faire en route. Vous aurez tout le temps d'essayer de convaincre Julian de changer d'avis. »

Julian dit : « Je vous en prie, Theo, venez avec nous. Aidez-nous, je vous en prie.

— Il n'a pas le choix, trancha Rolf. Il en sait trop. On ne peut plus le laisser se défiler maintenant. »

Theo regarda Julian. Il aurait voulu dire : « Est-ce là l'homme que vous et votre Dieu avez choisi pour repeupler la terre ? »

Au lieu de quoi il riposta d'un ton glacé : « Pas de menaces, d'accord ? Nous ne sommes pas dans un film de gangsters. Si je vous accompagne, c'est en toute liberté. »

22

Ils soufflèrent les bougies une à une. La petite chapelle retrouva sa sérénité de toujours. Rolf ferma la porte, et, derrière lui, ils commencèrent à clopiner à travers champs. Il avait pris la torche, dont le rond de lumière avançait parmi les touffes d'herbe tel un feu follet, éclairant au passage comme un projecteur miniature tantôt une tremblante fleur solitaire, tantôt un bouquet de pâquerettes, luisantes comme des boutons. Les deux femmes le suivaient, Julian le bras passé sous celui de Miriam. Luke et Theo fermaient la marche. Ils ne disaient rien, mais Theo sentait que Luke était content de sa présence. A part lui, il s'étonnait de pouvoir éprouver des sentiments de crainte, de stupeur et d'excitation aussi puissants que ceux qui l'habitaient tout en étant capable de les analyser et d'en observer les effets sur ses pensées et son comportement. Il s'étonnait aussi que, dans ce tumulte, il y eût encore place pour de l'agacement. Ce sentiment-là lui semblait bien mesquin face à l'importance du dilemme où il se trouvait. Mais la situation entière était paradoxale. Avait-on jamais vu buts et moyens si discordants, entreprise aussi lourde de conséquences aux mains d'aventuriers si pathétiquement démunis ? Mais il pouvait encore se désolidariser d'eux. Sans armes, ils n'étaient pas en mesure de le contraindre à rester toujours avec eux. Et puis c'est lui qui avait les clés de la voiture. Il pouvait leur fausser compagnie, téléphoner à Xan, mettre fin d'un coup à tous leurs projets. Mais s'il le faisait, Julian mourrait. Ou du moins elle pensait qu'elle mourrait, et cette conviction pourrait suffire à la tuer et à tuer l'enfant. Il était déjà responsable de la mort d'un enfant. C'était assez.

Lorsqu'ils furent enfin arrivés à l'endroit où la Rover était garée, il s'attendait presque à la voir cernée par des représentants de la PS, immobiles, l'œil fixe, l'arme au poing. Mais le village était aussi désert qu'avant. Et comme ils approchaient de la voiture, il fit une dernière tentative.

S'adressant à Julian, il dit : « Quoi que vous pensiez du Gouverneur, malgré la peur qu'il vous inspire, laissez-moi lui téléphoner. Laissez-moi lui parler. Ce n'est pas le monstre que vous imaginez. »

A quoi la voix impatiente de Rolf répondit : « Vous ne laissez donc jamais tomber ? Elle n'a pas besoin de vos conseils. Elle ne croit pas à vos promesses. Nous allons faire ce que nous avons décidé : aller aussi loin que possible, trouver un abri, voler la nourriture dont nous aurons besoin jusqu'à la naissance de l'enfant.

— Theo, nous n'avons pas le choix, insista gentiment Miriam. Nous finirons bien par trouver un endroit, un cottage abandonné quelque part dans la forêt. »

Theo s'était tourné vers elle. « Comme c'est romantique. J'imagine la scène. Un mignon petit cottage perdu au fond des bois, la fumée d'un bon feu s'élevant de la cheminée, un puits d'eau pure, des oiseaux alentour, des lapins ne demandant qu'à se faire prendre, un potager plein de légumes. Peut-être même des poules, une chèvre pour le lait. Et bien sûr, un berceau laissé dans la remise par les propriétaires. »

D'une voix toujours calme, mais avec fermeté, le regardant droit dans les yeux, Miriam répéta : « Nous n'avons pas le choix, Theo. »

Lui ne l'avait pas davantage. L'instant où, à genoux aux pieds de Julian, il avait senti son enfant bouger sous sa main l'avait irrévocablement lié à eux. Et ils avaient besoin de lui. Même si Rolf ne l'acceptait pas, ils avaient besoin de lui. Si les choses tournaient mal, il pourrait intercéder auprès de Xan. S'ils tombaient aux mains de la Police de Sécurité, sa voix ne pourrait pas être ignorée.

Il sortit de sa poche les clés de la voiture. Rolf tendit la main pour les prendre. « Je conduirai, dit Theo. Vous choisirez la route. J'imagine que vous savez lire une carte. »

La plaisanterie prit Rolf à rebrousse-poil. D'une voix dangereusement calme, il rétorqua : « Vous nous méprisez, hein ?

— Non, pourquoi ?

— Sans raison. Parce que vous méprisez tous ceux qui ne sont pas de votre espèce, tous ceux qui n'ont pas votre instruction, votre façon de penser, de vivre. Gascoigne en valait deux comme vous. Qu'est-ce que vous avez accompli ? Qu'est-ce que vous avez fait de votre vie sauf parler du passé ? Je ne m'étonne pas que vos lieux de rendez-vous favoris soient les musées. Vous y êtes chez vous. Gascoigne pouvait sans aide détruire un débarcadère et arrêter un Quietus. Vous sauriez le faire, vous ?

— Utiliser des explosifs ? Non, j'avoue que ça ne fait pas partie de mes talents. »

Rolf imita sa voix : « "J'avoue que ça ne fait pas partie de mes talents !" Vous devriez vous entendre. Non, vous n'êtes pas des nôtres. Vous n'en avez jamais été. Vous n'avez pas le cran. Et ne croyez pas que nous voulions vraiment de vous. Ne croyez pas que nous ayons de la sympathie pour vous. Vous êtes là parce que vous êtes le cousin du Gouverneur. Ça pourrait nous servir. »

Son « nous » aurait pu être un « nous » de majesté — les autres n'étaient guère concernés. Theo répliqua : « Si vous aviez tant d'admiration pour Gascoigne, pourquoi ne lui avez-vous pas fait confiance ? Si vous lui aviez dit, pour l'enfant, il n'aurait pas désobéi aux ordres. Il se peut que je ne sois pas des vôtres, mais lui en était. Il avait le droit de savoir. S'il s'est fait prendre, c'est votre faute, et s'il est mort, vous êtes responsable de sa mort. Ne vous en prenez pas à moi parce que vous vous sentez coupable. »

Miriam mit la main sur son bras et dit avec une tranquille autorité : « Ne vous emportez pas, Theo. Si nous nous querellons, nous sommes perdus. Allons-nous-en d'ici, d'accord ? »

Lorsqu'ils furent installés dans la voiture, Rolf assis à l'avant à côté de Theo, celui-ci demanda « Alors, où est-ce qu'on va ?

— Dans le Pays de Galles. Nous y serons plus en sécurité. L'autorité du Gouverneur est censée être la même des deux côtés de la frontière, mais là-bas, on ne l'aime guère. Nous pourrons circuler la nuit et dormir le jour. Nous prendrons des petites routes. L'important, ce n'est pas d'aller vite, mais de ne pas se faire repérer. Et puisque cette voiture risque d'être recherchée, nous en changerons si l'occasion se présente. »

Theo eut alors une inspiration. Jasper. Jasper si

proche et si bien approvisionné. Jasper qui rêvait de s'installer à St John Street.

Il dit : « J'ai un ami qui habite près d'Asthall, c'est pratiquement le village d'à côté. Il a chez lui des stocks de nourriture, et je crois que je pourrais le persuader de nous prêter sa voiture.

— Pourquoi est-ce qu'il ferait ça ? demanda Rolf.

— Parce que je peux lui proposer en échange quelque chose dont il a envie.

— On n'a pas de temps à perdre. Ce ne sera pas trop long ? »

Theo maîtrisa son irritation. « Changer de voiture et trouver de quoi manger ne me paraît pas une perte de temps. Nous devons le faire, vous l'avez dit vous-même. Mais si vous avez mieux à proposer, allez-y, je vous écoute.

— Bon, d'accord, on y va », acquiesça Rolf.

Ils roulèrent en silence jusqu'aux abords d'Asthall, où Theo dit : « On va emprunter sa voiture et laisser la mienne dans son garage. Avec un peu de chance, ils ne penseront pas à lui avant longtemps. Et je suis quasiment sûr qu'il ne parlera pas. »

Sur quoi Julian se pencha en avant, inquiète : « On ne risque pas de le mettre en danger ? Ce ne serait pas juste.

— Il faudra qu'il se fasse une raison », s'impatienta Rolf.

Sans y faire attention, Theo expliqua à Julian : « Si nous sommes pris, le seul lien avec nous sera la voiture. Il pourra toujours dire qu'on la lui a volée, ou que nous l'avons forcé à coopérer.

— Et s'il refuse de nous aider ? fit Rolf. Il faudra que je vienne avec vous. Je veillerai à ce qu'il accepte.

— Employer la contrainte serait une très mauvaise idée. Il nous dénoncerait dès que nous aurions tourné les talons. Il coopérera, mais pas sous la menace. Non, vous ne viendrez pas avec moi. Je ne prendrai que Miriam.

— Pourquoi Miriam ?

— Elle sait ce qu'il faut pour l'accouchement. »

Rolf cessa de discuter. Cependant, Theo se demandait s'il avait montré suffisamment de tact à son égard, et, en même temps, lui en voulait de l'arrogance qui rendait ce tact nécessaire. Il fallait pourtant qu'il évite de se disputer avec lui. Comparée à la sécurité de Julian, à l'importance vitale de l'entreprise dans son ensemble, l'exaspération croissante que lui inspirait Rolf était simplement ridicule. Il était avec eux par choix même si, en fait, ce choix n'existait pas. Il ne devait penser qu'à Julian et à l'enfant à naître ; c'est pour eux seuls qu'il était là.

Lorsqu'il leva la main pour presser la sonnette placée sur un montant du portail de l'entrée, il vit avec surprise que celui-ci était ouvert. Il fit signe à Miriam de le suivre, et il referma le portail derrière eux. La maison était plongée dans les ténèbres, sauf le salon, dont les rideaux tirés laissaient voir un rai de lumière. Il remarqua que le garage aussi était ouvert : la porte était levée, mais la Renault se trouvait bien à l'intérieur. Il passa par la porte de côté, sans plus s'étonner qu'elle ne fût pas fermée à clé. Une fois dans le hall, il alluma et lança un appel discret, mais sans obtenir de réponse. Il entraîna Miriam dans le couloir conduisant au salon.

Aussitôt qu'il eut poussé la porte, il sut ce qui l'attendait. L'odeur le saisit à la gorge, une odeur infecte de fèces et de sang, une puanteur de mort. Pour accomplir son dernier geste, Jasper s'était confortablement installé devant la cheminée, où il gisait maintenant dans un vaste fauteuil, bras ballants sur les accoudoirs. La méthode qu'il avait choisie laissait peu de place au hasard : il s'était tiré une balle dans la bouche pour se faire sauter la cervelle. Ce qui restait de sa tête pendait sur sa poitrine parmi du sang coagulé qui ressemblait à du vomi. Il était gaucher, et son revolver était tombé sur la gauche du fauteuil, sous une petite table ronde où se trouvaient ses clés de maison et de voiture, un verre vide, une bouteille de vin vide, et une note manuscrite commençant par une citation latine :

Quid te exempla iuvat spinis de pluribus una ?
Vivere si recte nescis, decede peritis.
Lusisti satis, edisti satis atque bibisti :
Tempus abire tibi est.

Miriam s'approcha du corps et caressa les doigts glacés dans un geste instinctif et vain de compassion. « Pauvre homme, murmura-t-elle. Oh, pauvre homme.

— Rolf dirait qu'il nous a rendu service. Il n'est plus nécessaire de perdre du temps à le convaincre.

— Pourquoi est-ce qu'il a fait ça ? Qu'est-ce qu'il a écrit ?

— C'est une citation d'Horace. En gros, elle dit qu'il ne sert à rien d'enlever une épine parmi beaucoup d'autres. Quand on ne peut plus vivre convenablement, le moment est venu de partir. »

Les quelques mots qu'il avait ajoutés en anglais étaient plus terre à terre : « Qu'on ne m'en veuille pas du désordre. Il reste une balle dans le revolver. » S'agissait-il d'une mise en garde ou d'une invitation ? se demanda Theo. Quant à ce qui avait poussé Jasper à se supprimer, ce n'était pas bien difficile à imaginer : le désespoir, le regret, la solitude, la constatation que, même l'épine retirée, la douleur reste, la blessure refuse de guérir. « Vous trouverez du linge et des couvertures à l'étage, dit-il. Je m'occupe des provisions. »

Il était content d'avoir pris son gros pardessus. Le revolver tiendrait sans peine dans la poche intérieure. Il vérifia qu'il y avait une balle dans le chargeur, l'en retira et la mit dans sa poche avec l'arme.

La cuisine, avec ses plans de travail dégagés, sa rangée de tasses suspendues par l'anse, était d'une propreté un peu douteuse mais parfaitement en ordre, et il n'y avait d'autre signe qu'on s'en était jamais servi que le torchon, froissé mais récemment lavé, mis à sécher sur l'égouttoir, par ailleurs vide. La seule note discordante dans cette ordonnance était les deux tapis de coco roulés dressés contre le mur. Jasper avait-il d'abord eu l'intention de se suicider là et roulé les tapis pour ne pas les tacher ? Ou avait-il prévu de laver les carreaux puis pris conscience de la futilité de son souci obsessionnel des apparences alors qu'il se préparait à mourir ?

La porte de la réserve, elle non plus, n'était pas fermée à clé. Après vingt-cinq ans d'économie, son trésor devenu inutile, il l'avait laissée ouverte, comme sa vie, aux éventuels maraudeurs. Ici encore, tout était parfaitement ordonné. De grandes boîtes métalliques, dont du papier collant fermait le couvercle, étaient alignées sur des rayons. Chacune portait une étiquette rédigée de la main élégante de Jasper : *Viande, Fruits en conserve, Lait en poudre, Sucre, Café, Thé, Farine.* La vue de ces étiquettes, de l'écriture si minutieuse, suscita chez Theo un accès de compassion, un élan de pitié et de regret que la vision du corps, de la tête fracassée de Jasper sur sa poitrine sanglante, n'avait su provoquer. Il se reprit en main pour se concentrer sur sa tâche. Il pensa d'abord à vider par terre le contenu des boîtes pour choisir ensuite ce qui leur serait le plus nécessaire pour survivre une semaine au moins. Mais il se ravisa : il n'aurait pas le temps d'enlever tout ce papier collant. Mieux valait prendre, telles quelles, un choix de boîtes contenant de la viande, du lait en poudre, des fruits secs, du café, du sucre, des conserves de légumes. Celles, plus petites, étiquetées « Seringues » et « Médicaments » s'imposaient d'elles-mêmes. Ainsi que la boussole qu'il trouva dans un coin. Il hésita un instant entre deux réchauds à pétrole, dont l'un était une véritable antiquité, mais qu'il décida pourtant d'emporter de préférence à l'autre, plus moderne mais plus encombrant. Enfin, il fut ravi de découvrir, à côté d'un bidon d'huile, un bidon de dix litres d'essence — ce qui lui fit penser au réservoir de la voiture : pourvu qu'il ne fût pas vide !

Il entendait Miriam se déplacer d'un pas rapide au-dessus de sa tête, et, revenant après avoir porté à la voiture son deuxième chargement de boîtes, il la croisa qui descendait les escaliers, le menton sur une pile d'oreillers.

« Il faut aussi penser au confort, dit-elle.

— Oui, mais ça va prendre de la place. Vous avez trouvé tout ce qu'il faut pour l'accouchement ?

— Des serviettes et des draps, oui. Et puis j'ai découvert une pharmacie dans la chambre à coucher. J'ai mis tout le contenu dans une taie d'oreiller. Le désinfectant pourra être utile, mais il s'agit surtout de médicaments tout bêtes : aspirine, bicarbonate, sirop pour la toux... Il y a tout ce qu'on veut dans cette maison. Dommage que nous ne puissions pas y rester. »

Ce n'était pas une suggestion sérieuse, il le savait, mais il expliqua néanmoins : « Dès qu'ils auront remarqué que je ne suis plus chez moi, ils vont venir voir ici. Toutes mes connaissances y passeront. »

Ils continuèrent à remplir le coffre sans parler, rangeant méthodiquement tout ce qu'ils avaient apporté. Lorsqu'ils eurent enfin terminé, Theo dit : « Nous allons mettre ma voiture dans le garage et le fermer à clé. Et nous fermerons le portail aussi. Ça ne va rien empêcher, mais il n'y a pas de raison de faciliter le travail de la PS. »

Comme il fermait à clé la porte du cottage, Miriam mit une main sur son bras et dit rapidement : « Le revolver. C'est mieux que Rolf ne sache pas que vous l'avez. »

Il y avait dans sa voix une insistance, une autorité qui faisaient écho à sa propre inquiétude instinctive.

« Je n'ai pas l'intention de le lui dire, rétorqua-t-il.

— Mieux vaut non plus ne pas le dire à Julian.

Rolf essaierait de vous le prendre, et Julian voudrait que vous le jetiez.

— Je ne le leur dirai pas, acquiesça-t-il sèchement. Mais si Julian veut que son enfant soit protégé, il faudra qu'elle accepte les moyens qui s'imposent. Qu'est-ce qu'elle veut ? Etre plus vertueuse que son Dieu ? »

Il sortit prudemment la Renault du jardin et la mit derrière la Rover, à côté de laquelle Rolf faisait nerveusement les cent pas.

« Vous en avez mis du temps ! Qu'est-ce qui se passe ? Vous avez eu des ennuis ?

— Non. Jasper est mort. Suicide. Nous avons ramassé de quoi remplir la voiture. Mettez la Rover au garage ; je fermerai la porte à clé, et la grille aussi. Pour la maison, c'est déjà fait. »

Il n'y avait rien dans la Rover qui vaille la peine d'être transbordé dans la Renault, à part les cartes routières et une édition de poche d'*Emma* qui traînait dans la boîte à gants. Theo mit le bouquin dans la poche intérieure où se trouvaient déjà son journal et le revolver, puis il jeta négligemment son pardessus dans la voiture, à la place du chauffeur. Après quelques secondes d'hésitation, Rolf se décida à s'asseoir à côté. Derrière, Julian s'installa entre Miriam et Luke. Theo ferma la grille et jeta les clés par-dessus. De la maison noyée dans les ténèbres, on ne voyait que la pente noire du toit.

23

Durant la première heure, ils eurent à s'arrêter deux fois pour laisser Miriam et Julian disparaître dans les ténèbres. Rolf les suivait des yeux, s'agitant aussitôt qu'elles étaient hors de vue. En réponse à son impatience évidente, Miriam lui dit : « Il faudra que tu t'y habitues. C'est courant en fin de grossesse. Pression sur la vessie. »

Au troisième arrêt, ils sortirent tous se dégourdir les jambes, et Luke, marmonnant une excuse, se perdit lui aussi dans l'obscurité. Les phares de la voiture éteints, le moteur arrêté, le silence semblait absolu. Les étoiles brillaient haut dans le ciel, et l'air était doux comme en plein été. Theo croyait sentir au loin l'odeur d'un champ de haricots ; mais c'était certainement une illusion : à cette époque, les fleurs étaient passées, les cosses formées depuis longtemps.

Rolf s'approcha de lui. « Il faut que nous parlions tous les deux.

— Eh bien, parlez.

— Il ne peut pas y avoir deux chefs à cette expédition.

— Vous appelez ça une expédition ? Cinq fugitifs mal équipés qui ne savent pas vraiment où ils vont ni ce qu'ils feront une fois arrivés ? A mon avis, il n'y a rien qui demande ici une hiérarchie de commandement. Mais si le titre de chef vous fait plaisir, prenez-le, je n'y vois pas d'inconvénient pourvu que vous n'attendiez pas une obéissance inconditionnelle.

— Vous n'avez jamais été des nôtres, vous n'avez jamais fait partie du groupe. On vous l'a proposé, et vous avez refusé. Si vous êtes là, c'est parce que je vous ai fait chercher.

— Si je suis là, c'est parce que Julian m'a demandé de venir. Nous sommes coincés ensemble. Je dois vous supporter, je n'ai pas le choix. Je propose que vous fassiez preuve de la même tolérance.

— Je veux conduire. » Et comme s'il craignait de ne pas avoir été suffisamment clair, il répéta : « A partir de maintenant, je veux conduire. »

Theo rit ; son amusement était spontané et sincère. « L'enfant de Julian va être considéré comme un miracle. Vous serez vous-même considéré comme le responsable de ce miracle — le nouvel Adam, le fondateur d'une nouvelle race, le sauveur de l'humanité. Il y aurait amplement de quoi vous faire tourner la tête. Et vous n'êtes pas content parce que vous n'avez pas le volant ! »

Rolf réfléchit un instant. « Bon, nous allons faire un pacte. J'aurai peut-être besoin de vous. Le Gouverneur estimait que vous aviez quelque chose à offrir. A moi aussi, il me faudra un conseiller.

— A ce qu'on dirait, je suis le conseiller universel. Mais prenez garde, vous serez probablement aussi peu satisfait de mes services que mon cousin. » Puis, après un silence, il remarqua : « Vous avez donc l'intention de reprendre sa place ?

— Pourquoi pas ? Si on veut mon sperme, il faudra me prendre avec. On ne peut pas avoir l'un sans l'autre. Et son travail, je le ferai aussi bien que lui.

— D'après vous, je croyais justement qu'il le faisait mal, que c'était un tyran sans merci ? Mais la dictature par laquelle vous allez remplacer la sienne sera bienveillante, j'imagine ? Au départ, les tyrans sont toujours pleins de bonnes intentions. »

Rolf ne répliqua rien. Et Theo pensa : nous sommes seuls ; je n'aurai peut-être pas d'autre occasion de lui parler sans les autres. Ce qui le décida à dire. « Ecoutez, je pense toujours que nous devrions téléphoner au Gouverneur. Il faut assurer à Julian tous les soins dont elle a besoin. Vous savez qu'il n'y a pas d'autres moyens.

— Et vous, vous savez qu'elle ne veut pas en entendre parler. Mais tout ira très bien. La naissance est un phénomène naturel. Et puis elle a une sage-femme.

— Qui n'a plus pratiqué depuis vingt-cinq ans. Sans compter que des complications sont toujours possibles.

— Il n'y aura pas de complications. Miriam n'en prévoit pas. Et Julian risque des complications plus graves, physiques et mentales, si on la met de force à l'hôpital. Le Gouverneur la terrorise ; pour elle, il est le mal incarné. Il a tué le frère de Miriam, et si ce n'est pas déjà fait, il est probablement en train de tuer Gascoigne en ce moment. Julian est sûre qu'il va faire du mal à l'enfant.

— C'est grotesque ! Aucun de vous ne peut penser ça. C'est la dernière chose qu'il pourrait souhaiter. Cet enfant va accroître son pouvoir dans des proportions formidables, pas seulement en Grande-Bretagne, dans le monde entier.

— Non, pas son pouvoir, le mien. Tout se passera très bien pour Julian. Elle n'aura rien à craindre du Conseil ni pour elle ni pour notre enfant. Mais notre enfant, ce n'est pas Xan Lyppiatt, c'est moi qui le présenterai au monde. Et on verra bien, alors, qui gouvernera l'Angleterre.

— Vous avez des plans ? »

Rolf le regarda d'un air méfiant. « Comment ça, des plans ?

— Pour le gouvernement de l'Angleterre, une fois que vous aurez arraché le pouvoir à Xan Lyppiatt ?

— Il ne s'agit pas de lui arracher le pouvoir. Le pouvoir, le peuple me le donnera. Il faudra bien si on veut repeupler ce pays.

— Le peuple vous le donnera ? Oui, je vois. Vous avez probablement raison. Mais ensuite ?

— Je nommerai mon propre conseil. Sans Lyppiatt. Du pouvoir, il en a déjà eu plus que sa part.

— Et vous allez vous occuper de pacifier l'île de Man ?

— Ce ne sera sûrement pas mon premier objectif. J'imagine mal que le pays me soit reconnaissant de libérer une horde de criminels. Je les laisserai s'éliminer entre eux. Le problème se résoudra de lui-même.

— C'est certainement aussi l'idée de Lyppiatt, remarqua Theo. Elle ne plaira guère à Miriam.

— Je n'ai pas à plaire à Miriam. Qu'elle s'occupe

de son travail. Quand il sera fait, elle sera récompensée comme il convient.

— Et pour les Séjourneurs ? Vous songez à améliorer la façon dont ils sont traités ou à mettre fin à l'immigration des jeunes étrangers ? Leurs pays auraient peut-être grand besoin d'eux, après tout.

— Je contrôlerai l'immigration et je veillerai à ce que les étrangers qui viennent travailler ici soient bien traités tout en étant soumis à une surveillance minimale.

— Comme le Gouverneur pense le faire aujourd'hui. Et pour les Quietus ?

— Ça, je n'empêcherai certainement pas les gens de se suicider de la manière qui leur plaît.

— Exactement comme Xan Lyppiatt. »

Rolf s'énerva. « Peut-être, mais il y a une chose que je peux faire et que lui ne peut pas, c'est procréer. Nous avons déjà sur ordinateur tous les renseignements qu'il faut sur les femmes susceptibles d'être fécondées. La concurrence sera terrible. Il faudra s'assurer de choisir non seulement les plus saines mais les plus intelligentes.

— Là encore, le Gouverneur vous approuverait. Il a tout prévu dans ce sens.

— Oui, mais il n'a pas le sperme, et moi je l'ai. »

Theo observa : « Il reste un point auquel vous ne semblez pas avoir pensé. Tous vos beaux projets reposent sur l'idée que l'enfant de Julian sera sain et normal. Mais si jamais elle accouchait d'un monstre ?

— Un monstre ? Pourquoi ça ? Pensez-vous que je ne sois pas capable de lui faire un enfant normal ? »

La fragilité, la crainte secrète que Rolf laissait tout à coup entrevoir malgré lui suscitèrent chez Theo un élan de sympathie. Trop superficiel pour lui faire aimer son compagnon, mais suffisant pour l'empêcher de dire ce qu'il avait en tête : « Crois-moi, il vaudrait peut-être mieux pour toi que l'enfant soit anormal, difforme, idiot. Car s'il est sain, tu ne seras jamais plus qu'un étalon. Ne t'imagine pas que le Gouverneur va céder le pouvoir, même au père d'une nouvelle race. Bien sûr que ton sperme est précieux, mais dès qu'on en aura assez pour pouvoir repeupler l'Angleterre et la moitié du monde, on pourra se passer de toi. Et si le Gouverneur te voit comme une menace, je ne donne pas cher de ta peau. »

C'est ce que pensait Theo, mais il ne le dit pas.

Et comme il attendait à côté de Rolf, les silhouettes des trois autres sortirent lentement des ténèbres, Luke en tête, Miriam et Julian derrière, main dans la main, suivant d'un pas prudent le bas-côté de la route.

Rolf prit place au volant.

« Dépêchez-vous, dit-il. A partir de maintenant, c'est moi qui conduis. »

24

Dès le démarrage, Theo comprit que Rolf conduirait trop vite. Il lui jeta un coup d'œil, se demandant s'il pouvait risquer une remarque, espérant que la route allait s'améliorer. Dans la lumière décolorante des phares, la chaussée pustuleuse avait l'aspect sinistre et fantastique d'un paysage lunaire, à la fois proche et mystérieusement éloigné, ininterrompu. Rolf regardait à travers le pare-brise avec l'intensité fiévreuse d'un pilote de rallye, tirant sur le volant chaque fois qu'un nouvel obstacle surgissait des ténèbres. Avec ses nids-de-poule, ses bosses et ses ornières, la route aurait été dangereuse même pour un conducteur prudent. Pilotée avec la brutalité de Rolf la voiture tressautait et cahotait, envoyant d'un côté à l'autre les trois passagers serrés à l'arrière.

Miriam réussit à se pencher en avant pour dire :

« Du calme, Rolf. Ralentis. Ce n'est pas bon pour Julian. Tu ne voudrais pas qu'elle accouche ici ? »

Sa voix était tranquille, mais l'autorité qui en émanait obtint un effet immédiat. Tout de suite, Rolf leva le pied de l'accélérateur. Mais il était trop tard. La voiture fit un bond puis une embardée, et, durant trois secondes, elle échappa à tout contrôle. Enfin, freinant à mort, Rolf réussit à l'arrêter.

« Merde ! jura-t-il presque entre ses dents. On a dû crever à l'avant. »

Les reproches étaient inutiles. Theo décrocha sa ceinture de sécurité. « Il y a une roue de secours dans le coffre. Mettons la voiture sur le bord de la route. »

Ils sortirent et se tinrent debout dans l'ombre de la haie tandis que Rolf rangeait la Renault sur le bas-côté. Ils étaient en rase campagne, à une quinzaine de kilomètres de Stratford, estima Theo. De part et d'autre courait une haie de buissons non taillés coupée de brèches irrégulières par où l'on devinait les sillons d'un champ labouré. Julian, enveloppée dans son manteau, attendait en silence comme un enfant docile emmené en pique-nique attend patiemment dans son coin que les adultes aient réglé entre eux un petit contretemps.

D'une voix toujours calme, mais où perçait pourtant une note d'anxiété, Miriam demanda : « Combien de temps ça va prendre ? »

Rolf regardait autour de lui. « Une vingtaine de minutes, répondit-il. Moins, si nous avons de la chance. Mais il vaudrait mieux être carrément hors de la route, qu'on ne puisse pas nous voir. »

Sans explication, il partit dans la nuit, les yeux des autres fixés sur lui. Une minute plus tard, il était de retour. « A cent mètres à droite, il y a un portail et un chemin de terre qui semble conduire à un petit bois. On sera mieux là-bas. Dieu sait que cette route est presque impraticable, mais du moment qu'on a pu la faire, d'autres le peuvent aussi. Il nous faut éviter le risque qu'un imbécile s'arrête pour nous proposer de l'aide.

— C'est loin ? s'inquiéta Miriam. Inutile de faire plus de chemin qu'il n'est nécessaire. On a déjà été assez secoués comme ça.

— Nous devons nous mettre à couvert, rétorqua Rolf. On en aura peut-être pour plus de temps que prévu. Il faut absolument qu'on ne puisse pas nous voir de la route. »

Theo acquiesça en silence. Ce qui comptait d'abord, c'était de ne pas se faire repérer. La PS ne pouvait savoir quelle direction ils avaient prise, et, aussi longtemps que le corps de Jasper ne serait pas découvert, elle n'aurait pas idée du genre de voiture qu'il fallait chercher. Il se mit au volant sans que Rolf fît la moindre objection.

« Avec tout ce qu'il y a dans le coffre, il vaut mieux ne pas trop charger la voiture, dit-il. Monte, Julian ; nous autres, nous irons à pied. »

Le portail signalé était ouvert, et le chemin montait en pente douce le long d'un champ qui, manifestement, n'était plus cultivé depuis longtemps. Entre les ornières où les pneus d'un tracteur avaient laissé l'empreinte de leurs chevrons, de hautes herbes frémissaient dans la lumière des phares comme de fragiles antennes. Theo roulait au pas, Julian assise à côté de lui, l'ombre des trois autres se découpant dans la lunette arrière. Arrivé au petit bois, il vit qu'il offrait en effet un couvert idéal. A condition toutefois de franchir un dernier obstacle. Car un fossé de six pieds de large le séparait du chemin.

Rolf frappa contre la vitre et dit : « Attendez ici, je vais voir. » Et il disparut. Lorsqu'il revint, il expliqua : « Il y a un passage à une trentaine de mètres. Il paraît conduire à une sorte de clairière. »

Un petit pont de rondins maintenant envahi d'herbes donnait effectivement accès au bois. Theo vit avec soulagement qu'il était assez large pour la voiture, mais avant de s'y engager, il attendit que Rolf eût vérifié avec la lampe de poche que les rondins n'étaient pas pourris. Enfin, Rolf lui fit signe de passer, et, la voiture cahotant doucement, il avança sans autre difficulté sous le dais de bronze que formaient les hautes branches d'un bosquet de hêtres. Lorsqu'il mit pied à terre, il constata qu'il s'était arrêté sur un lit de feuilles mortes et de faines.

Rolf et Theo se mirent aussitôt à l'ouvrage, Miriam tenant la torche pour les éclairer, Luke et Julian les regardant sans mot dire sortir le cric, la manivelle et la roue de secours. Cependant, enlever la roue se révéla plus difficile que Theo ne s'y attendait. Les boulons, trop serrés, résistaient à tous ses efforts de même qu'à ceux de Rolf.

A un certain moment, comme Miriam, accroupie, changeait de position pour éviter une crampe, le faisceau de la lampe de poche bougea de façon désordonnée. « Tiens cette lampe comme il faut, grogna Rolf. Je ne vois pas ce que je fais. La lumière est déjà tellement faible ! »

Une seconde plus tard, il n'y avait plus de lumière du tout.

Miriam ne laissa pas à Rolf le temps de s'en prendre à elle. « La pile est morte, dit-elle. Il n'y en a pas d'autre, je suis désolée. Il va falloir qu'on reste ici jusqu'à ce qu'il fasse jour. »

Au lieu de se mettre en colère, comme l'aurait cru Theo, Rolf se redressa et dit tranquillement : « Bon. Nous allons manger quelque chose et nous installer pour la nuit aussi confortablement que possible. »

25

Laissant aux autres la voiture, où Luke s'installa à l'avant et les deux femmes sur la banquette arrière, Theo et Rolf avaient décidé de dormir dehors. Theo rassembla quelques brassées de feuilles, mit pardessus l'imperméable de Jasper, et se pelotonna sous une couverture et son propre manteau. Il entendait au loin Julian et Miriam échanger des propos indistincts ; il entendait à ses moindres mouvements craquer les brindilles et les feuilles sur lesquelles il était couché. Il entendit encore avant de s'endormir le vent qui se levait, pas assez fort pour agiter les branches basses des hêtres au-dessus de sa tête, mais animant de son souffle le bosquet tout entier.

Le lendemain, il ouvrit les yeux sur le dais de bronze, d'or et de cuivre que perçaient les flèches d'une lumière laiteuse. Conscient de la dureté du sol, il trouvait aussi un obscur réconfort à respirer l'âcre odeur qu'exhalaient les feuilles mortes et la terre. Il repoussa la couverture et le manteau qui pesaient sur lui et s'étira, conscient d'avoir mal aux épaules et aux reins. Il s'étonna d'avoir si bien dormi sur une couche qui, pour moelleuse qu'elle lui avait paru d'abord, avait tôt fait de se tasser sous son poids pour devenir aussi dure qu'une planche.

Apparemment, il était le dernier à se réveiller. Les portières de la voiture étaient ouvertes, et il n'y avait plus personne à l'intérieur. Quelqu'un avait déjà préparé du thé. A côté d'une théière de métal, cinq bols de couleur vive avaient un petit air de fête.

« Servez-vous », dit Rolf.

Miriam tenait deux oreillers, un dans chaque main, qu'elle secouait vigoureusement. Rolf s'affairait déjà autour de la roue à changer. Ses fortes mains aux doigts carrés semblaient d'une adresse remarquable. Après avoir bu quelques gorgées de thé, Theo alla l'aider. Cette fois, leur collaboration s'avéra efficace. Peut-être parce qu'ils ne dépendaient plus de la lumière d'une torche, peut-être parce qu'ils étaient maintenant reposés et moins inquiets, ils vinrent rapidement à bout des boulons qu'ils n'avaient pas pu desserrer la veille.

Ramassant une poignée de feuilles pour s'essuyer les mains, Theo demanda : « Où sont Julian et Luke ?

— Ils disent leurs prières, répondit Rolf. Comme tous les jours. Quand ils seront revenus, on prendra le petit déjeuner. J'ai demandé à Luke de s'occuper des rations. Ce sera bon pour lui d'avoir autre chose à faire que de dire des prières avec ma femme.

— Ils ne peuvent pas prier ici ? Il vaudrait mieux qu'on reste ensemble.

— Oh, ils ne sont pas loin. Ils aiment être entre eux. De toute façon, je n'ai rien à dire. Julian aime ça, et Miriam ne cesse de me répéter que je dois penser à son calme et à son bonheur. Il semble que prier la rend calme et heureuse. Pour eux, c'est une sorte de rituel. Je n'y vois rien de mal. Mais allez les rejoindre si vous êtes inquiet.

— Je ne pense pas qu'ils aient envie de me voir.

— Allez savoir. Ils pourraient essayer de vous convertir. Vous êtes chrétien ?

— Non, je ne suis pas chrétien.

— Qu'est-ce que vous croyez, alors ?

— A propos de quoi ?

— Des choses que les gens religieux estiment importantes. S'il y a un Dieu. Comment s'explique le mal. Ce qui se passe après la mort. Pourquoi nous sommes là. Comment il convient de vivre.

— Ce dernier point est le plus important, dit Theo. C'est même la seule question qui compte. Mais il n'y a pas besoin d'être religieux pour se la poser. Et il n'y a pas besoin d'être chrétien pour trouver une réponse. »

Rolf se tourna vers lui pour demander, comme s'il voulait vraiment savoir : « Mais qu'est-ce que vous croyez ? Sans qu'il s'agisse forcément de religion. Quelles sont vos convictions ?

— Que je n'ai pas toujours été, que je suis maintenant, et qu'un jour je ne serai plus. »

Rolf eut un rire bref, cassant comme un cri. « Vous ne vous compromettez pas. Personne ne peut vous contredire là-dessus. Et le Gouverneur, qu'est-ce qu'il croit, lui ?

— Je n'en sais rien. Nous n'en avons jamais parlé. »

Miriam s'était rapprochée et assise au pied d'un arbre. Dos appuyé contre le tronc, jambes écartées, yeux clos, visage tourné contre le ciel, souriant, elle écoutait sans dire un mot.

« Je croyais en Dieu et au diable, raconta Rolf, et puis un beau matin, quand j'avais douze ans, j'ai perdu la foi. Je me suis réveillé et j'ai découvert que je ne croyais plus en rien de ce que les Frères chrétiens m'avaient enseigné. Avant, je pensais que si ça m'arrivait un jour, j'aurais tellement peur que je ne pourrais pas continuer à vivre, et puis j'ai remarqué que ça ne changeait rien. Je m'étais mis au lit croyant, et le lendemain, quand je me suis réveillé, j'avais perdu la foi. C'est tout. Je ne pouvais même pas dire à Dieu que je regrettais : Il n'était plus là. Mais ce n'était pas si grave. En fait, je ne me suis pas porté plus mal.

— Et à la place qu'Il laissait vide, qu'est-ce que tu as mis ? demanda Miriam sans ouvrir les yeux.

— Mais il n'y avait pas de place vide. C'est justement ce que j'essaye d'expliquer.

— Et le diable, qu'est-ce que tu en as fait ?

— Comme diable, le Gouverneur me suffit amplement. Et lui, il existe. »

Theo les quitta et prit un petit sentier pénétrant dans le bois. Il était toujours mal à l'aise en raison de l'absence de Julian, mal à l'aise et irrité. Elle aurait dû comprendre qu'ils devaient rester tous ensemble, qu'un promeneur, un forestier, un paysan, pouvait surgir à tout moment et les voir. Ce n'était pas seulement la Police de Sécurité et les Grenadiers qu'ils avaient à craindre... Son agacement se nourrissait d'angoisses irrationnelles, Theo le savait. Qui, à cette heure, risquait de les surprendre dans ce lieu isolé ? Mais il avait beau se raisonner, la colère continuait de monter en lui.

Et puis il les vit. Ils étaient à cinquante mètres seulement de la clairière et de la voiture, agenouillés sur un petit tertre de mousse, complètement absorbés. Luke avait installé son autel : une des boîtes de métal recouverte d'un torchon. Dessus, une seule bougie brûlait dans une soucoupe. A côté, une tasse voisinait avec une autre soucoupe, contenant deux morceaux de pain. Luke portait une étole couleur crème. Est-ce qu'il l'avait toujours sur lui, roulée dans sa poche ? se demanda Theo. Ils étaient inconscients de sa présence et lui rappelaient deux enfants s'adonnant tout entiers à quelque jeu de leur invention, insouciants du soleil, qui, à travers le feuillage, piquetait leurs visages graves. Maintenant, Luke soulevait de sa main gauche la soucoupe du pain et plaçait au-dessus la paume de sa main droite. Julian baissait plus bas la tête et paraissait presque accroupie.

Les mots, des paroles dont le souvenir remontait à sa lointaine enfance, parvenaient clairement à Theo bien que prononcés à mi-voix : « Entends-nous, ô Père plein de miséricorde, nous T'implorons très humblement ; et accorde-nous, prenant le pain et le vin que Tu nous dispenses selon la sainte institution de Ton Fils, notre Sauveur Jésus-Christ, en souvenir de sa mort et de sa passion, de partager son corps et son sang bénis, lui qui, la nuit même où il fut trahi, prit du pain et, lorsqu'il eut rendu grâces, le rompit et le distribua à ses disciples, disant : prenez, mangez, ceci est mon Corps qui vous est donné, faites cela en mémoire de moi. »

Theo les observait à l'abri des arbres, mais par le

souvenir, il se retrouvait dans l'insignifiante petite église du Surrey, en costume du dimanche, au moment où Mr Greenstreet, plastronnant sans en avoir l'air, conduisait banc après banc les fidèles à la table de communion. Il revoyait la tête penchée de sa mère. Alors comme aujourd'hui, il se sentait exclu.

Sans bruit, il retourna à la clairière. « Ils ont presque fini, annonça-t-il. Ils ne vont plus tarder. »

Rolf répliqua : « Ils n'en ont jamais pour bien longtemps. Nous pouvons les attendre pour manger. Soyons reconnaissants que Luke ne se sente pas obligé de lui faire un sermon. »

Son sourire comme sa voix étaient indulgents. Quels étaient ses rapports avec Luke ? se demanda Theo. Il semblait le tolérer comme un enfant plein de bonnes intentions, dont on ne peut attendre qu'il prenne les responsabilités d'un adulte, mais qui fait de son mieux pour se rendre utile et ne gêner personne. Rolf acceptait-il ce qui se passait comme un caprice de femme enceinte ? Etait-ce parce que Julian désirait les services d'un chapelain personnel qu'il avait admis Luke parmi les Cinq Poissons bien qu'il fût sans utilité politique ? Ou malgré le complet rejet de la religion de son enfance conservait-il sans le savoir un reste de superstition ? Voyait-il quelque part dans sa tête Luke comme un faiseur de miracles capable de transformer du pain en chair, le garant de la chance, le possesseur de pouvoirs mystiques et de charmes anciens, dont la seule présence parmi eux pouvait leur rendre favorables les redoutables dieux de la forêt et de la nuit ?

26

Vendredi 15 octobre 2021

J'écris ces lignes dans la clairière d'un bois de hêtres, adossé à un arbre. L'après-midi est déjà avancé et les ombres s'allongent, mais la chaleur du jour persiste à l'abri du bocage. Quelque chose me dit que c'est la dernière fois que je tiens ce journal, mais même si je meurs et que ces mots ne soient pas appelés à survivre, il me fallait parler de cette journée. Elle a été extraordinairement heureuse, et je l'ai passée avec quatre inconnus. Avant Oméga, au début de chaque année universitaire, je mettais par écrit ce que je pensais de chacun des candidats dont j'avais accepté l'entrée au collège, et je gardais le tout dans un fichier avec les photos qui accompagnaient les demandes d'admission. A la fin des trois ans, je me plaisais à vérifier combien souvent mon portrait préliminaire s'était révélé juste, combien peu les étudiants avaient changé, combien peu en somme leur nature essentielle s'était transformée sous mon influence. Je me trompais rarement sur leur compte, et cet exercice, dont c'était peut-être le but, confirmait la confiance naturelle que j'avais en mon propre jugement. Je croyais pouvoir connaître autrui et rien ne me détrompait. Avec mes quatre compagnons de fuite, j'ai un tout autre sentiment. Je ne sais toujours pratiquement rien d'eux ; leurs parents, leurs familles, leur éducation, leurs amours, leurs espoirs et leurs désirs me demeurent inconnus. Et pourtant, je ne me suis jamais senti aussi à l'aise avec mes semblables qu'aujourd'hui, avec ces quatre étrangers dont j'en suis venu plus ou moins malgré moi à partager le sort, et parmi qui il me semble apprendre à aimer.

Cette journée d'automne a été parfaite : ciel d'azur clair, soleil moelleux et doux, aussi chaud qu'en juin, air parfumé où flottait encore, semblait-il, une odeur de foin coupé, toutes les senteurs de l'été. Peut-être parce que ce petit bois est si bien isolé, comme à l'écart du monde, nous y avons connu un sentiment de sécurité absolue. Nous avons passé notre temps à travailler, mais aussi à paresser, à bavarder, à jouer comme des enfants avec des cailloux, des branches, des pages arrachées à ce journal. Rolf a décidé de vérifier le bon fonctionnement de la voiture et en a profité pour la nettoyer. A le voir tout contrôler, frotter, astiquer, il était impossible de croire que le mécanicien qui s'activait avec tant d'innocence et trouvait un plaisir si évident à bien faire le travail qu'il avait entrepris était le Rolf qui, hier, avait montré tant d'arrogance et de franche ambition.

Luke s'est occupé de nos provisions. En lui confiant cette responsabilité, Rolf s'est comporté en chef. Luke a décrété qu'il fallait commencer par manger la nourriture fraîche puis les conserves les plus anciennes. L'approbation que nous lui avons aussitôt donnée l'a quelque peu aidé à prendre confiance en ses qualités d'intendant. Il s'est alors mis en devoir de dresser une liste de nos biens et de composer des menus. Après que nous avons mangé, il s'est retiré dans un coin avec son livre de prières, puis il est venu se joindre à Miriam et Julian auxquelles je faisais la lecture d'*Emma*. Couché dans les feuilles mortes sous un ciel dont le bleu allait s'intensifiant, je me sentais aussi bêtement heureux qu'à n'importe quel pique-nique réussi. Et c'est vrai, nous aurions pu aussi bien être là pour un simple pique-nique. Nous ne parlions pas de l'avenir, de ce qu'il convenait de faire, des dangers qui nous attendaient. Cela peut paraître extraordinaire, mais je pense que c'était moins le résultat d'une décision consciente d'éviter un sujet qui aurait pu soulever des discussions et des disputes, que d'un désir commun de garder cette journée intacte. Je n'ai pas été tenté non plus de relire ce que j'avais précédemment écrit dans mon journal. Dans l'état d'euphorie où je suis, je n'ai aucune envie de retrouver l'homme solitaire, sardonique et nombriliste qui en est l'auteur. Ce journal n'a pas encore dix mois, et dorénavant, je n'en aurai plus besoin.

La lumière baisse ; c'est à peine maintenant si je vois ce que j'écris. Dans une heure, nous nous mettrons en route. La voiture, rutilante grâce aux bons soins de Rolf, est chargée et prête au départ. De même que je sens que je ne toucherai plus à ce journal, je sens qu'il va nous falloir affronter des dangers, des horreurs qui me sont pour l'instant inimaginables. Je n'ai jamais été superstitieux, mais ce sentiment, cette conviction, échappe à la raison et ne veut rien entendre. De l'avoir n'entame d'ailleurs pas ma sérénité. Je suis trop heureux que nous ayons eu cette journée de répit, ces heures d'innocent bonheur que notre fuite rendait inespérées. Dans le courant de l'après-midi, alors qu'elle cherchait je ne sais quoi à l'arrière de la voiture, Miriam a trouvé une deuxième lampe de poche, à peine plus grande qu'un crayon, coincée sur le côté d'un siège. Nous ne soupçonnions pas son existence, et c'est tant mieux : nous avions trop besoin de cette journée.

27

La pendule du tableau de bord indiquait trois heures moins cinq — plus tard que Theo n'aurait cru. La route, étroite et vide, déroulait devant eux un pâle ruban taché et déchiré. Le revêtement était détérioré, et, de temps à autre, au passage d'un nid-de-poule, un violent cahot les faisait sursauter. Il était impossible de conduire vite sur une route pareille ; on ne pouvait prendre le risque d'une nouvelle crevaison. La nuit n'était pas vraiment noire ; une moitié de lune courait à travers les nuages qui, chassés par le vent, découvraient par instants tel bouquet d'étoiles, tel fragment de constellation, un lambeau de Voie lactée. D'un maniement facile, la voiture était comme un mouvant refuge, réchauffé par leur souffle, plein de vagues odeurs familières, d'odeurs de choses rassurantes que, dans son état d'abrutissement, Theo s'amusait à identifier : essence, corps humains, le vieux chien de Jasper, mort depuis longtemps, même un léger parfum de menthe. A côté, silencieux mais tendu, Rolf gardait les yeux fixés devant lui. Derrière, Julian était coincée entre Miriam et Luke. C'était certainement la place la moins confortable, mais elle-même avait voulu s'y mettre, tirant peut-être des deux corps qui la soutenaient une illusion de sécurité supplémentaire. Elle avait les yeux clos, et sa tête reposait sur l'épaule de Miriam, attentive à la remettre en place sitôt qu'elle la sentait glisser. La tête rejetée en arrière, la bouche entrouverte, Luke aussi paraissait dormir.

Maintenant, la route zigzaguait mais présentait une surface plus égale. D'avoir roulé des heures sans rencontrer d'autres voitures, Theo éprouvait un regain de confiance. Après tout, ils ne couraient pas forcément à la catastrophe. Gascoigne avait sans doute parlé, mais il ne savait rien de l'enfant. Pour Xan, les Cinq Poissons ne devaient être qu'une ridicule petite bande d'amateurs. Peut-être même ne se souciait-il pas de les faire arrêter. Pour la première fois depuis le début du voyage, il sentit en lui revivre l'espoir.

Quand l'arbre abattu surgit tout à coup devant lui, il ne put éviter de freiner violemment pour s'arrêter avant que le capot ne donne contre les branches. Réveillé en sursaut, Rolf se mit à jurer. Theo coupa le moteur. Un silence suivit, durant lequel deux pensées, si rapides qu'elles étaient presque simultanées, l'amenèrent à prendre conscience de la situation. Soulagement d'abord : sous son feuillage d'automne, l'arbre n'était pas si gros qu'on ne pût sans trop de mal dégager la route. Horreur ensuite : il ne pouvait être tombé là par hasard ; il n'y avait pas eu récemment de forts vents ; c'était un barrage volontaire.

A cette même seconde, les Omégas étaient sur eux, apparition d'autant plus effrayante qu'aucun bruit ne l'accompagnait. Leurs visages peints, éclairés par des torches, grimaçaient derrière les vitres de la voiture. Miriam ne put retenir un cri. « Marche arrière ! Démarre ! » hurla Rolf, cherchant à saisir le volant et le levier de vitesse. Theo l'écarta, mit le moteur en marche, passa la marche arrière, enfonça les gaz. La voiture bondit mais s'arrêta presque aussitôt, et si brutalement qu'ils furent tous projetés vers l'avant. Sans qu'ils s'en soient aperçus, les Omégas avaient dû leur couper la retraite par un autre obstacle. Et leurs visages étaient de nouveau derrière les vitres de la voiture. Theo fixait deux yeux sans expression, luisants, cerclés de blanc, dans un masque de volutes bleues, rouges et jaunes. Au-dessus du front peint, les cheveux étaient tirés en arrière et formaient un chignon au sommet du crâne. Dans une main, l'Oméga tenait une torche enflammée, dans l'autre, une matraque de policier, mais ornée de fines tresses de cheveux. Avec effroi, Theo se souvint d'avoir entendu sans y croire que quand les Visages peints tuaient, ils coupaient les cheveux de la victime pour s'en faire un trophée. Maintenant, il considérait avec une horreur fascinée les tresses qui se balançaient sous ses yeux et se demandait si elles provenaient d'une tête d'homme ou de femme.

Dans la voiture, personne ne disait rien. Le silence, qui paraissait n'en pas finir, n'avait peut-être duré que quelques secondes lorsque commença la danse rituelle. Après avoir poussé un grand cri de triomphe, les Omégas se mirent à tourner à pas lents autour de la voiture, tapant de leurs matraques contre la carrosserie pour rythmer leur stridente mélopée. Ils n'avaient d'autres vêtements que des culottes courtes, mais leurs corps n'étaient pas peints. Dans la lumière des torches, leurs poitrines nues avaient la blancheur du lait, et les côtes qu'on voyait saillir sous la peau leur donnaient un aspect étrangement vulnérable. A les voir s'agiter ainsi, avec leurs têtes de carnaval et leurs bouches qui s'ouvraient en cadence, on aurait pu les prendre pour une bande d'enfants montés en graine s'adonnant à un jeu tapageur, agaçant, mais fondamentalement inoffensif.

Pouvait-on leur parler, raisonner avec eux, les amener à reconnaître leur appartenance à une commune humanité ? Theo ne perdit pas de temps à réfléchir à ces questions. Il se rappelait avoir rencontré un jour une de leurs victimes, et des bribes de conversation lui revinrent à l'esprit. « On prétend qu'ils sacrifient toujours quelqu'un, mais nous avons eu de la chance, ils se sont contentés de la voiture. » Puis : « Si vous tombez sur eux, n'essayez pas de discuter, laissez-leur votre véhicule et fuyez. » C'était facile à dire, mais comment fuir avec une femme enceinte ? Un fait pourtant pouvait les détourner de l'idée de tuer s'ils étaient capables d'une pensée rationnelle : l'état de Julian. Même un Oméga devait pouvoir être convaincu qu'elle portait un enfant. Mais la réaction de Julian ne faisait pas de doute : s'ils fuyaient Xan et son conseil, ce n'était pas pour tomber au pouvoir des Visages peints. Il la regarda. Elle était assise, tête basse. Elle devait prier. Il souhaita que son Dieu lui vienne en aide. Les yeux de Miriam exprimaient la terreur. Luke, lui, n'était pas dans l'angle du rétroviseur. Et quant à Rolf, ramassé sur son siège, il n'avait pas fini de dévider son chapelet de jurons.

La danse continuait. Les corps tournoyaient de plus en plus vite ; les voix montaient. Il était difficile de les compter, mais ils devaient être une douzaine au moins. S'ils n'avaient encore fait aucun geste pour ouvrir les portières, il leur serait facile de forcer les serrures. Et ils pourraient de même retourner la voiture et y mettre le feu avec leurs torches. De toute façon, ils ne seraient pas à l'abri longtemps.

Les pensées de Theo galopaient. Quelles possibilités de fuite y avait-il, ne serait-ce que pour Julian et Rolf ? A travers le kaléidoscope des corps en mouvement, il étudia le terrain. Sur la gauche s'élevait un mur dont la hauteur ne devait pas atteindre un mètre et derrière lequel se dressaient des arbres. Theo avait un revolver, mais le seul fait de le montrer pourrait être fatal. Aussi bien ajustée qu'elle soit, son unique balle n'éliminerait qu'un homme, et les autres fondraient alors sur eux avec une fureur décuplée. Ce serait le massacre. Il était inutile de songer à recourir à la force, ils ne faisaient pas le poids. Leur seul espoir était l'obscurité. Si Julian et Rolf parvenaient à atteindre les arbres, il leur serait possible de se cacher. Dans un bois inconnu, ils n'auraient de chances d'échapper que s'ils se cachaient. Lassés de les chercher, les Omégas pourraient se contenter de la voiture et des trois passagers restants.

Il ne faut pas qu'ils voient que nous parlons, il ne faut pas qu'ils sachent ce que nous méditons, se disait Theo. Avec le boucan infernal qui emplissait la nuit, qu'ils entendent sa voix n'était pas à craindre. Mais il était indispensable qu'il parle haut et distinctement s'il voulait se faire comprendre de ceux qui se trouvaient assis à l'arrière.

« Ils vont finir par nous faire sortir, dit-il sans détourner la tête. Il faut savoir exactement ce que nous allons faire. Dès que les portières seront ouvertes, toi, Rolf, tu vas partir avec Julian. Tu l'aideras à franchir le mur, puis vous courrez vous mettre à l'abri des arbres. Choisis bien ton moment. Nous autres, nous vous couvrirons.

— Comment ça, nous couvrir ? Je ne vois pas comment vous pourriez nous couvrir.

— En parlant. En détournant leur attention. » Puis une inspiration lui vint : « En dansant avec eux.

— Danser avec ces salauds ? » Il y avait quelque chose d'hystérique dans la voix de Rolf. « Tu crois peut-être qu'il s'agit d'une ronde ? Tu rêves. Ces salauds ne parlent pas. Ils ne parlent pas, ils ne dansent pas avec leurs victimes. Ils brûlent, ils tuent.

— Jamais plus d'une personne. Il faut éviter que ce soit Julian ou toi.

— Mais ils vont nous poursuivre. Et Julian ne peut pas courir.

— Avec trois autres victimes possibles, avec une voiture à brûler, ils ne se soucieront sûrement pas de vous. Le tout est de choisir le bon moment. Et de faire passer le mur à Julian. Ensuite, vous serez très vite cachés par les arbres. D'accord ?

— C'est de la folie.

— Propose autre chose. »

Après un instant de réflexion, Rolf dit : « On pourrait leur montrer Julian et leur faire constater qu'elle est enceinte. Leur dire que je suis le père. Passer un accord avec eux. Obtenir au moins qu'ils ne nous tuent pas. Oui. Mais il faut leur parler maintenant, sans attendre qu'ils nous fassent sortir. »

Du fond de la voiture, Julian se manifesta pour la première fois. « Non », dit-elle d'un ton catégorique. Et ce « non » réduisit tout le monde au silence jusqu'au moment où Theo reprit : « Ils ne vont pas tarder à nous faire sortir. Il faut nous décider. Si nous réussissons à nous joindre à la danse avant qu'ils ne nous tuent, il devrait être possible de détourner leur attention assez longtemps pour vous donner l'occasion de fuir.

— Non, se rebella Rolf, je ne bougerai pas. Il faudra qu'ils me sortent d'ici.

— C'est ce qu'ils vont faire. »

Luke donna son avis : « Peut-être que si nous ne bougeons pas, ils finiront par s'en aller.

— Ils ne s'en iront pas sans brûler la voiture, rétorqua Theo. A nous de savoir si nous voulons rester à l'intérieur ou non. »

Il y eut alors un craquement, et ils virent s'étoiler le pare-brise. Puis un Oméga enfonça à coups de matraque la fenêtre située à côté de Rolf. L'air de la nuit fit courir un frisson de mort à l'intérieur de la voiture. Rolf recula d'un bond tandis que l'Oméga brandissait sous son nez la torche enflammée.

L'Oméga rit et dit d'une voix pateline, cultivée, presque tentatrice : « Allons, mon petit, viens, viens, viens. »

Au même moment, deux nouveaux craquements se produisirent à l'arrière. Une torche effleurant son visage arracha un cri à Miriam. Une odeur de cheveux brûlés emplit la voiture. Theo n'eut que le temps de dire : « Souvenez-vous. La danse. Et puis filez en direction du mur », avant que des mains ne les empoignent pour les tirer à l'extérieur.

Torche dans la main gauche, matraque dans la droite, les Omégas firent cercle autour d'eux et les regardèrent un instant avant de reprendre leur danse rituelle, avec à nouveau des mouvements plus lents, plus cérémoniaux, et en psalmodiant cette fois comme un chant funèbre. Tout de suite, Theo se joignit à eux, se déhanchant, bras levés, mêlant sa voix aux leurs. Et les quatre autres prirent place un à un dans le cercle. Ils étaient séparés. Dommage. Theo aurait voulu avoir Rolf et Julian à côté de lui pour pouvoir leur donner le signal du départ. Mais la première partie du programme, et la plus dangereuse, avait néanmoins réussi. Il aurait pu être assommé au premier geste, perdre conscience ou même être tué avant d'avoir pu tenter quoi que ce soit. Rien de tel ne s'était passé.

Comme en réponse à des ordres tacites, après avoir tapé du pied à l'unisson et de plus en plus vite, les Omégas s'étaient soudain mis à danser chacun pour soi. Celui qui se trouvait face à Theo pivota sur lui-même puis s'avança lentement, avec des pas de chat, en faisant tournoyer sa matraque au-dessus de sa tête. Il souriait. Son nez touchait presque celui de Theo, qui pouvait sentir son odeur — une odeur musquée plutôt agréable —, suivre les volutes compliquées qui, rouges, bleues, noires, soulignaient les pommettes, s'incurvaient au milieu du front, couvraient le visage tout entier d'un dessin à la fois recherché et barbare. Une seconde, il pensa aux indigènes d'Océanie qu'il avait vus au Pitt Rivers, à sa rencontre avec Julian dans le musée désert.

Tandis qu'ils dansaient face à face, vite, toujours plus vite, le regard noir de l'Oméga restait rivé au sien. Il n'osait détourner les yeux pour voir ce que devenaient Julian et Rolf. Allaient-ils enfin se risquer à partir ? Les yeux fixés sur ceux de l'Oméga, il les encourageait de toute sa volonté à fuir, maintenant, avant qu'on ne se lasse de leur douteuse camaraderie. Puis son vis-à-vis s'écarta brusquement de lui et il se risqua à tourner la tête. Côte à côte au point le plus éloigné du cercle, Rolf se trémoussait, les bras raides, dans une gauche parodie de danse, tandis que Julian se balançait au rythme des clameurs en tenant son manteau d'une main. Cependant, le danseur qui se trouvait derrière elle attrapa tout à coup sa tresse, qui se défit en un instant. Décontenancée, Julian, les cheveux dans le visage, se remit pourtant à danser aussitôt revenue de sa surprise. Peu à peu, elle se rapprochait du bord de la route. Derrière elle, Theo voyait le mur éclairé par les torches, et, plus loin, la silhouette sombre des arbres. Il aurait voulu crier : « Allez-y ! C'est le moment. Partez ! Partez ! » Et Rolf se décida. Empoignant Julian par la main, il fonça vers le mur, sauta par-dessus puis souleva Julian pour l'aider à passer. Plongés dans un état second par leur danse et leur chant, les Omégas ne s'aperçurent de rien à part celui qui était le plus proche. Celui-là, laissant tomber sa torche, poussa un cri farouche, s'élança derrière eux et réussit à attraper un pan du manteau de Julian alors qu'elle franchissait le mur.

A son tour, Luke se précipita, ceintura l'Oméga et se mit à crier : « Non, non. Prenez-moi ! Prenez-moi ! »

L'Oméga lâcha le manteau, et, avec un grognement, il se tourna vers Luke. Bras tendus dans sa direction, Julian hésita une seconde, mais Rolf la tira derrière lui et leurs deux silhouettes disparurent bientôt dans l'ombre des arbres. Toute la scène s'était déroulée en un rien de temps, et Theo en garda la vision confuse de Julian, main tendue vers Luke dans un geste qu'on eût dit implorant, de Rolf l'entraînant à sa suite, de la torche de l'Oméga continuant de brûler dans l'herbe.

Maintenant, les Omégas avaient leur victime. Un silence terrible s'établit tandis qu'ils l'entouraient, ignorant Theo et Miriam. Au premier coup de matraque, Theo entendit un cri, un seul, mais il n'aurait su dire s'il venait de Miriam ou de Luke. Puis Luke tomba, et ses bourreaux fondirent sur lui comme des bêtes sur leur proie, se bousculant pour prendre part au carnage. La danse était finie la cérémonie funèbre faisait place à la mise à mort. Ils tuaient en silence, un silence effrayant où Theo croyait entendre craquer les os, sentir bouillonner dans ses oreilles le sang jaillissant de Luke. Il prit Miriam par le bras et l'entraîna en direction du mur.

« Non, haleta-t-elle. Nous ne pouvons pas, nous ne pouvons pas ! Nous ne pouvons pas le laisser.

— Il le faut. Nous ne pouvons plus rien pour lui. Julian a besoin de toi. »

Les Omégas les laissèrent s'en aller. Lorsqu'ils eurent atteint la lisière du bois, ils s'arrêtèrent pour regarder. La fureur meurtrière des premiers instants avait pris un tour plus organisé. Cinq ou six Omégas tenaient leurs torches en l'air pour éclairer la scène, et, au sein du cercle qu'ils formaient, leurs camarades levaient et abattaient leurs matraques en cadence dans une sorte de ballet rituel. Même à cette distance, Theo croyait percevoir le craquement des os de Luke. Mais il ne pouvait rien entendre, il le savait, rien que le halètement de Miriam et le bruit sourd de son propre cœur. Puis il prit conscience que Rolf et Julian les avaient rejoints. Ensemble, ils regardèrent sans dire un mot les Omégas achever leur œuvre, et, avec un nouveau hurlement de triomphe, quitter le corps brisé de Luke pour s'élancer vers la voiture. La lumière des torches permettait à Theo de distinguer un large portail donnant accès au champ qui bordait la route. Tandis que deux Omégas le tenaient ouvert, la voiture, pilotée par un membre de la bande et poussée par les autres, cahota sur le bas-côté et entra dans le champ. Ils devaient forcément avoir un véhicule à eux, songea Theo, sans doute une camionnette. Il ne se rappelait pas avoir rien vu de tel, mais un bref instant, il eut l'espoir ridicule que, dans leur excitation, ils auraient oublié d'en assurer la garde et qu'il pourrait s'en emparer, trouvant peut-être même les clés sur le contact. Cependant, à peine cette idée lui était-elle venue, il vit une camionnette noire remonter la route et entrer à son tour dans le champ.

Ils n'étaient guère qu'à une cinquantaine de mètres de la route. La danse et les cris avaient repris. Bientôt coupés par un bruit d'explosion lorsque la Renault s'enflamma. Et avec elle toutes les fournitures médicales de Miriam, leurs vivres, leurs couvertures. Avec elle flambait leur espoir.

Theo entendit Julian qui disait : « On pourrait prendre Luke, maintenant. Pendant qu'ils sont occupés.

— Non, il vaut mieux pas, rétorqua Rolf. S'ils remarquent qu'il a disparu, ils sauront que nous sommes toujours dans le coin. Nous viendrons le chercher plus tard. »

Julian tira gentiment sur la manche de Theo. « Vas-y, s'il te plaît. Peut-être qu'il est encore vivant.

— Il ne faut pas l'espérer, dit Miriam. Mais n'empêche, je ne le laisserai pas. Morts ou vivants, nous sommes ensemble. »

Elle avait déjà fait un pas en avant quand Theo la retint par le bras. « Reste avec Julian. Je m'en occupe avec Rolf. »

Et sans regarder Rolf, il partit vers la route. D'abord, il crut qu'il était seul, mais quelques instants plus tard, il vit que Rolf l'avait rattrapé.

Lorsqu'ils furent près du corps, recroquevillé sur le côté et comme endormi, Theo dit : « Tu es le plus fort. Prends la tête. »

Ensemble, ils mirent Luke sur le dos. Il n'avait plus de visage. Dans la lumière rougeâtre que projetaient jusqu'à eux les flammes de la voiture, ils virent que la tête n'était plus qu'une masse sanglante d'os brisés et de peau déchirée. Les bras gisaient, complètement désarticulés, et lorsque Theo saisit les chevilles pour soulever le corps, il crut que les jambes allaient céder.

Luke était plus léger qu'il ne l'aurait pensé, et pourtant, au moment de franchir le mur, il remarqua que Rolf avait le souffle court. Quand ils les eurent rejointes, Julian et Miriam partirent sans un mot vers l'intérieur de la forêt comme si l'ordonnance du cortège funèbre avait été réglée d'avance. Miriam marchait en tête et tenait braqué devant elle le faisceau de la lampe de poche. Ils avancèrent ainsi interminablement jusqu'au moment où un tronc leur barra la route.

« Nous n'irons pas plus loin », décréta Rolf. Et tout le monde parut d'accord pour s'arrêter là.

Julian s'agenouilla à côté de Luke. Miriam, qui avait eu soin de ne jamais éclairer le corps, éteignit la torche et dit : « Ne regarde pas. C'est inutile. »

D'un ton calme, Julian rétorqua : « Je veux voir. Autrement, ce sera pire. Donne-moi la lampe. »

Miriam la lui tendit alors sans protester, et, l'ayant rallumée, Julian la promena lentement sur le corps avant d'essayer d'essuyer de sa jupe le visage de Luke.

« C'est inutile, répéta Miriam d'une voix douce.

— Il est mort pour moi.

— Il est mort pour nous tous. »

Theo prit soudain conscience d'une immense lassitude. Il faut que nous l'enterrions, songea-t-il. Il faut que nous lui creusions une tombe avant de continuer. Mais de continuer comment ? Il allait falloir retrouver une voiture, de quoi manger, de quoi boire, de quoi se protéger du froid. Et d'abord de l'eau. Il avait tellement soif qu'il ne sentait même pas la faim.

Cependant, Julian avait posé sur ses genoux la tête de Luke, et ses longs cheveux noirs tombaient sur ce qui restait de son visage. On ne l'entendait pas pleurer. Elle était parfaitement silencieuse. Et tout à coup, Rolf se pencha pour lui prendre la torche et la braqua droit sur le visage de Miriam, qui, aveuglée, mit d'instinct une main devant les yeux.

« De qui est l'enfant ? » demanda-t-il d'une voix basse et rauque, une voix qui semblait provenir d'un larynx malade.

Miriam laissa retomber sa main et le regarda fixement, mais sans parler.

« Je t'ai posé une question, reprit-il. De qui est l'enfant ? »

Sa voix était plus claire, mais Theo vit que tout son corps tremblait. Sans réfléchir, il se rapprocha de Julian.

« Ne t'en mêle pas, toi ! lui dit aussitôt Rolf. C'est à Miriam que je parle. Ce n'est pas ton affaire. Ce n'est pas ton affaire ! répéta-t-il avec violence. Tu n'as rien à voir là-dedans ! Rien ! »

La voix de Julian monta des ténèbres : « Pourquoi est-ce que ce n'est pas à moi que tu poses cette question ? »

Pour la première fois depuis qu'ils étaient là, il se tourna vers elle, éclairant son visage.

« De Luke, dit-elle. L'enfant est de Luke. »

Avec un calme redoutable, Rolf demanda : « Tu en es sûre ?

— J'en suis sûre, oui. »

Il baissa alors le rayon de la torche sur le corps de Luke et l'examina avec l'intérêt détaché d'un bourreau qui s'assure que le condamné est bien mort, qu'un *coup de grâce* * est superflu. Puis, d'un mouvement brusque, il se détourna d'eux et courut, trébuchant parmi les arbres, se jeter contre le tronc d'un hêtre, qu'il encercla de ses bras.

« Mon Dieu, soupira Miriam, pourquoi faut-il que cette question surgisse à un moment pareil ? »

Et Theo lui dit : « Va t'occuper de lui, Miriam.

— Je ne vois pas comment je pourrais l'aider. C'est un problème qu'il doit régler tout seul. »

Julian était toujours agenouillée près du corps de Luke. Debout côte à côte, Theo et Miriam tenaient les yeux fixés sur la silhouette sombre de Rolf comme si leurs regards seuls l'empêchaient de se dissoudre dans la nuit. Aucun son ne venait de lui, mais Theo crut le voir se frotter le visage contre l'arbre, tel un animal qui cherche à se débarrasser des parasites qui le dévorent. Et maintenant, il jetait par saccades son corps tout entier contre le tronc qu'il tenait embrassé, comme pour décharger sur lui sa colère, épuiser sa souffrance dans une parodie de viol. Décidément, le spectacle de la douleur a toujours quelque chose d'indécent, se dit Theo. Et il se détourna pour regarder Miriam.

« Tu savais que Luke était le père ? demanda-t-il.

— Oui.

— Tu le savais par elle ?

— Non, j'ai deviné.

* En français dans le texte. (N.d.T.)

— Et tu n'as rien dit ?

— Qu'est-ce que j'aurais dû dire ? Dans mon métier, je ne me suis jamais souciée de savoir qui était le père. Un enfant est un enfant.

— Mais cet enfant-ci n'est pas comme les autres.

— Pour une sage-femme, si.

— Elle l'aimait, Luke ?

— Ah, c'est ce que les hommes veulent toujours savoir. Demande-le-lui.

— Je t'en prie, Miriam, dis-moi, insista Theo.

— Je crois qu'elle avait surtout pitié de lui. Je ne crois pas qu'elle l'aimait. Pas plus que Rolf. Si elle aime quelqu'un mais je ne sais trop ce que ça veut dire — c'est certainement toi. Tu dois le savoir, d'ailleurs. Ou l'espérer. Sinon tu ne serais pas là.

— Et les examens de sperme, Luke n'en faisait pas ? Est-ce que Rolf et lui évitaient de s'y soumettre ?

— Depuis qu'il savait que Julian était enceinte, Rolf les évitait, oui — il pensait que jusque-là le laboratoire s'était trompé ou qu'il avait passé entre les gouttes. Mais Luke, lui, en était exempté. Il avait eu des crises d'épilepsie quand il était enfant. Comme Julian, il était jugé impropre à la procréation. »

Ils s'étaient placés un peu à l'écart de Julian. Maintenant, se tournant vers sa silhouette agenouillée, Theo remarqua : « Elle est si calme. Tout le monde penserait qu'elle attend cet enfant dans les meilleures conditions possibles.

— Les meilleures conditions possibles ? Mais autrefois, les femmes donnaient la vie en temps de guerre, de révolution, de famine. Elle a l'essentiel : toi, et une sage-femme en qui elle a confiance.

— Elle a confiance en Dieu aussi, non ?

— Là, tu ferais bien de suivre son exemple. Ça te donnerait un peu de son calme. Bientôt, quand le bébé naîtra, il faudra que tu m'aides. Si tu t'affoles, tu ne seras bon à rien.

— Et toi ? »

Elle sourit, comprenant sa question. « Si je crois en Dieu ? Non. Pour moi, c'est trop tard. Je crois en la force de Julian, en son courage, et je crois aussi dans ma capacité de bien faire mon travail. Mais qui sait ? S'Il nous tire d'affaire, je reverrai peut-être mon jugement, j'essaierai de trouver un accommodement avec Lui.

— Je ne crois pas que Dieu marchande.

— Bien sûr que si. Je n'ai peut-être pas la foi, mais je connais ma Bible. Ma mère y a veillé. Il marchande, oui. Mais Il est censé être juste. S'Il veut qu'on croie en Lui, il a intérêt à donner des preuves.

— Qu'Il existe ?

— Qu'Il se soucie de nous. »

Ils se turent, les yeux fixés sur la forme sombre qui semblait ne faire qu'un avec l'arbre dressé derrière elle et contre lequel, apaisée, elle se tenait adossée sans un geste, comme à bout de forces.

Theo, connaissant la vanité de sa question, ne put pourtant s'empêcher de demander à Miriam : « Est-ce qu'il sera normal ?

— Je n'en sais rien. Comment veux-tu que je sache ? »

Elle le laissa pour s'approcher de Rolf, à quelques pas duquel elle s'arrêta et attendit, sachant que, s'il avait besoin du réconfort d'une main, elle était la seule vers qui il pouvait se tourner.

De son côté, Theo s'était rapproché de Julian. Lorsqu'elle se décida à se lever, il sentit son manteau qui frôlait son bras mais garda les yeux fixés devant lui. Il était conscient des sentiments mêlés qui l'habitaient : colère d'une part, une colère qu'il n'avait aucun droit d'éprouver, et soulagement de l'autre, un soulagement voisin de la joie à l'idée que Rolf n'était pas le père de l'enfant. Mais pour l'instant la colère dominait. S'il ne s'était contenu, il aurait lancé à Julian : « Alors comme ça, c'est toi qui te chargeais du délassement de ces messieurs ? Et Gascoigne ?

Tu es sûre que l'enfant n'est pas de lui ? » Mais c'étaient là des mots qu'elle n'aurait pu lui pardonner, qu'elle n'aurait jamais oubliés. Tout en sachant que rien ne l'autorisait à lui demander des comptes, il était incapable de réprimer les questions qui le travaillaient ni la souffrance qu'elles trahissaient.

« Tu les aimais, tous les deux ? Tu aimes ton mari ?

— Et toi, rétorqua-t-elle d'une voix tranquille, tu aimais ta femme ? »

Ce n'était pas une riposte, il le sentait ; c'était une question sérieuse qui demandait une réponse sérieuse, sincère. « Je me suis persuadé que je l'aimais quand je l'ai épousée, dit-il. Je me suis forcé à éprouver les sentiments appropriés sans même savoir ce que ces sentiments étaient. Je lui ai prêté des qualités qu'elle n'avait pas, puis je lui en ai voulu de ne pas les avoir. Ensuite, j'aurais pu apprendre à l'aimer si j'avais pensé davantage à elle et un peu moins à moi. »

Il songeait : portrait d'un mariage. Ces quatre phrases peuvent peut-être résumer la plupart des mariages, qu'ils soient bons ou mauvais.

Après l'avoir regardé un instant, Julian dit : « C'est la réponse à ta question.

— Et Luke ?

— Non, je ne l'aimais pas. Mais j'aimais le sentir amoureux de moi. Je l'enviais de pouvoir aimer si fort, de pouvoir éprouver des sentiments si forts. Jamais je ne me suis sentie désirée avec une telle intensité. C'est cette intensité qui m'a amenée à lui céder. Si je l'avais aimé, ç'aurait été... » Elle chercha ses mots et reprit : « Le péché n'aurait pas été aussi grave.

— Le mot me paraît un peu fort pour un simple acte de générosité.

— Mais ce n'était pas un acte de générosité. C'était de l'égoïsme pur. »

Le moment ne se prêtait guère à ce genre de conversation, mais y aurait-il jamais une meilleure occasion ? Peut-être pas. Or il fallait qu'il sache, qu'il comprenne. « Il n'y aurait pas eu de problème, il n'y aurait pas eu de "péché", comme tu dis, si tu l'avais aimé ? Alors tu es d'accord avec Rosie McClure : l'amour justifie tout, excuse tout ?

— Non, mais l'amour est humain, naturel. Moi, je n'ai fait que me servir de Luke par curiosité, par ennui, peut-être pour me venger de Rolf qui s'occupait du groupe plus que de moi, peut-être aussi pour le punir de ne plus m'inspirer d'amour. Je ne sais pas si tu comprends ça, qu'on puisse avoir envie de faire du mal à quelqu'un simplement parce qu'on ne l'aime plus ?

— Oui, je comprends.

— En somme, tout cela était banal, ajouta-t-elle. Banal, prévisible et pas très reluisant.

— De mauvais goût ?

— Non, je ne dirais pas ça. Avec Luke, rien n'était de mauvais goût. Le pauvre, je l'ai fait souffrir plus que je ne l'ai rendu heureux. Tu ne me prenais tout de même pas pour une sainte ?

— Non, mais je te croyais bonne.

— Eh bien, tu sauras que je ne le suis pas. »

Dans la semi-obscurité, Theo vit que Rolf s'était détaché de l'arbre et marchait vers eux en compagnie de Miriam, qui l'avait rejoint. Tout le monde avait les yeux sur lui, guettant ce qu'il allait dire. Lorsqu'il fut pratiquement à sa hauteur, Theo remarqua qu'il avait la joue gauche et le front en sang ; à force de se frotter contre l'écorce, il s'était mis la chair à vif.

Sa voix, parfaitement calme, avait changé de registre, si bien qu'un instant Theo eut l'illusion qu'un étranger avait profité des ténèbres pour se mêler à eux. « Avant de partir, il faudra l'enterrer, dit-il. Nous ne pourrons pas le faire avant l'aube. Mais il vaudrait mieux lui enlever son manteau maintenant, avant qu'il soit trop raide. Il faut que nous emportions tous les vêtements chauds que nous avons. »

Miriam remarqua : « L'enterrer ne sera pas facile. Nous n'avons pas de pelle, et il faudra bien que nous creusions un trou ; on ne peut pas simplement le recouvrir de feuilles.

— On verra ça demain, dit Rolf. Pour l'instant, enlevons-lui son manteau. Il n'en a plus besoin. »

Cependant, il ne fit pas un geste pour mettre sa proposition à exécution, et ce furent Miriam et Theo qui se chargèrent de la besogne. Les manches du pardessus étaient poisseuses de sang. Lorsqu'ils eurent réussi à les retirer, il leur fallut rouler le corps pour dégager le manteau, après quoi ils le recouchèrent sur le dos, les bras contre les flancs.

« Demain, je m'occuperai de trouver une voiture, annonça Rolf. En attendant, essayons de dormir. »

Du hêtre abattu près duquel ils s'étaient arrêtés, une branche saillait, dont le riche feuillage automnal paraissait offrir un semblant de sécurité. D'un commun accord, ils décidèrent de s'installer sous cet abri, où ils se blottirent les uns contre les autres comme des enfants qui viennent de commettre un méfait et cherchent à se cacher des adultes. Rolf se mit à un bout, à côté de Miriam, et Theo à l'autre, à côté de Julian. Leurs corps tendus dégageaient une angoisse qui semblait se communiquer alentour. La forêt elle-même s'affolait ; mille petits bruits surgissaient de partout dans l'air agité. Theo était incapable de dormir, et le souffle inégal, la toux réprimée, les vagues soupirs et grognements des autres lui disaient que sa veille était partagée. Le temps du sommeil viendrait. Il viendrait avec la tiédeur du jour, avec l'ensevelissement de cette forme rigide et sombre qui, dissimulée de l'autre côté de l'arbre, continuait à vivre dans leurs esprits. Il sentait la chaleur de Julian, pressée contre lui, et pouvait espérer qu'elle trouvait à son voisinage le même réconfort. Miriam l'avait enveloppée dans le manteau de Luke, d'où lui paraissait émaner une odeur de sang. Il avait l'impression que le temps était suspendu ; il était conscient du froid, de la soif, des bruissements innombrables de la forêt, mais pas de l'écoulement des heures. Comme à ses compagnons, il ne lui restait pourtant qu'à attendre le lever du jour.

28

Timide et blême, l'aube s'insinua dans le bois comme un souffle, s'entortillant autour des écorces et des rameaux brisés, effleurant les branches basses et les troncs des arbres, donnant forme et substance aux mystères de la nuit. Lorsqu'il ouvrit les yeux, il eut peine à croire qu'il avait dormi ; pourtant, il avait bien fallu qu'il perde un moment conscience car il n'avait aucun souvenir d'avoir vu ni entendu Rolf se lever. Et maintenant, Rolf arrivait à grands pas à travers les arbres.

« J'ai été faire un tour, dit-il. C'est un petit bois de rien du tout : il n'a pas cent mètres de profondeur. On ne peut pas rester cachés ici. Mais à la lisière, j'ai repéré une espèce de fossé. Pour lui, ça devrait faire l'affaire. »

Cette fois encore, il resta à l'écart du corps de Luke et laissa à Miriam et Theo le soin de s'en occuper. Miriam prit les jambes, qu'elle tint serrées contre ses hanches. Theo passa ses bras par-dessous les aisselles et souleva contre lui la tête et les épaules déjà raidies. Portant ainsi le corps presque plié en deux, ils se mirent à suivre Rolf à travers les arbres. Julian, étroitement enveloppée dans son manteau, le visage serein mais très pâle, marchait à côté d'eux avec, sur le bras, le pardessus ensanglanté de Luke et son étole crème, qu'elle portait comme des trophées.

La lisière n'était guère à plus de cinquante mètres et donnait sur un vaste horizon gentiment vallonné.

Les moissons étaient terminées, et l'on voyait semés sur les hauteurs des rouleaux de paille semblables à de gros traversins. Le soleil, boule de dure lumière blanche, commençait déjà à dissiper la brume qui voilait les champs et les lointaines collines, absorbant les couleurs automnales pour les fondre en un doux vert olive où la silhouette d'arbres isolés se découpait en noir. Ce serait encore une belle journée d'automne. Avec un battement de cœur, Theo vit en bordure du bois une haie de ronces couvertes de mûres. Il faillit lâcher le corps de Luke pour s'y précipiter.

Le fossé était peu profond, rien de plus qu'une étroite rigole entre la forêt et le champ. Mais, vu les circonstances, on n'aurait pu trouver meilleur endroit pour enterrer Luke. Le champ avait été récemment labouré et la terre semblait relativement meuble. Theo et Miriam se penchèrent pour déposer le corps et le rouler doucement dans le fossé. Theo aurait voulu montrer davantage de respect — il ne s'agissait pas de se débarrasser d'un cadavre de bête. Luke reposait maintenant face contre terre. Sentant que Julian en était contrariée, il se mit à genoux pour essayer d'y remédier. Ce n'était pas facile ; il aurait mieux valu ne rien tenter. Pour finir, Miriam dut lui prêter main-forte, et ce n'est encore qu'à grand-peine qu'ils réussirent à retourner le corps en sorte que ce qui restait du visage de Luke regardât vers le ciel.

Miriam dit : « Avant de mettre de la terre, on pourrait le couvrir de feuilles. »

Rolf s'obstina à ne rien faire, mais les trois autres retournèrent dans le bois chercher des brassées de feuilles mortes, ternes et pourrissantes ou encore gaiement colorées selon qu'elles étaient plus ou moins récemment tombées. Avant que l'enterrement ne commence, Julian roula l'étole de Luke et la mit dans la tombe. Une seconde, Theo fut tenté de protester. Ils avaient déjà si peu de chose : leurs vêtements, une petite lampe de poche, un revolver avec une balle et c'est tout. L'étole pourrait leur être utile. Mais à quoi ? Pourquoi ôter à Luke ce qui était à lui ? Après avoir couvert le corps de feuilles, ils se mirent à prendre de la terre à pleines mains dans le champ pour la déposer dans le fossé. Il aurait été plus facile et rapide de faire rouler les mottes avec les pieds, songeait Theo, mais le regard de Julian le retenait d'agir avec cette grossière efficacité.

Durant tout l'enterrement, Julian était demeurée silencieuse et parfaitement calme. Puis tout à coup, elle dit : « Il devrait reposer en terre consacrée. » Pour la première fois, elle semblait abattue, hésitante, plaintive comme un enfant inquiet.

Theo en éprouva de l'agacement. Que voulait-elle ? Qu'ils attendent la nuit pour déterrer le corps, pour le trimbaler dans le plus proche cimetière et y ouvrir une tombe ?

Ce fut Miriam qui répondit. Regardant Julian, elle dit gentiment : « Tout endroit où repose un homme bon est terre consacrée. »

Julian se tourna alors vers Theo. « Luke voudrait que nous disions l'office des morts. Son livre de messe est dans sa poche. »

Et elle déplia le pardessus pour prendre dans la poche intérieure un petit livre de cuir noir, qu'elle tendit à Theo. Il eut tôt fait de trouver la page. Il savait que le service n'était pas long, mais il était bien décidé à l'abréger quand même. S'il ne pouvait pas refuser ce que lui demandait Julian, la tâche n'était pas de son goût. Planté entre les deux femmes, il se mit à lire. Rolf se tenait debout au pied de la tombe, jambes écartées, bras croisés, regardant droit devant lui. Son visage ravagé était si blanc, son maintien si rigide que, levant les yeux, Theo craignit de le voir s'effondrer. En même temps, il éprouva pour lui davantage de respect. Il était impossible d'imaginer l'ampleur de sa désillusion, l'amertume qu'il devait ressentir devant la trahison dont il était victime. Et cependant, il tenait bon. Il ne l'aurait pas cru capable d'une telle maîtrise de soi. Il baissa les yeux sur le livre de messe, conscient que le regard de Rolf était fixé sur lui.

Au début, sa voix sonna à ses oreilles comme celle d'un étranger, mais lorsqu'il arriva au psaume, les paroles lui revinrent, et, les sachant pratiquement par cœur, il les prononça d'un ton calme et confiant. « "Seigneur ! Tu as été pour nous un refuge, de génération en génération. Avant que les montagnes fussent nées, et que Tu eusses créé le monde, d'éternité en éternité Tu es Dieu. Tu fais rentrer les hommes dans la poussière, et Tu dis : Fils de l'Homme, retournez ! Car mille ans sont à tes yeux comme le jour d'hier, quand il n'est plus, et comme une veille de la nuit." »

Il en arriva aux paroles de promesse, et comme il disait : « "la terre à la terre, la cendre à la cendre, la poussière à la poussière, dans l'espoir sûr et certain de la résurrection à la vie éternelle, par Notre Seigneur Jésus-Christ" », Julian s'accroupit pour jeter une poignée de terre sur la tombe. Après une seconde d'hésitation, Miriam l'imita. Dans l'état de Julian, se tenir accroupie n'était pas facile, et elle s'appuya sur Miriam. L'image d'un animal occupé à faire ses besoins vint malgré lui à l'esprit de Theo, qui s'en voulut tout aussitôt et s'empressa de la chasser. Lorsqu'il prononça les paroles de grâce, la voix de Julian se joignit à la sienne. Enfin, il ferma le livre de messe.

Rolf, qui était demeuré sans bouger et n'avait rien dit jusque-là, pivota brusquement sur les talons et déclara : « Ce soir, il faudra que nous trouvions une voiture. Maintenant, je vais dormir. Vous feriez bien d'en faire autant. »

Mais d'abord, ils longèrent la haie pour se gaver de mûres. Les lèvres et les doigts noirs, ils se servaient sans se lasser aux buissons de ronces tout chargés de fruits mûrs à point. Theo s'émerveillait que Rolf y résistât. Mais, ce matin, peut-être en avait-il déjà mangé son content. Les baies, éclatant sous la langue, restauraient force et espérance en perles de jus incroyablement délicieux.

Leur faim et leur soif apaisées, ils retournèrent dans le petit bois près de l'arbre tombé où ils avaient passé la nuit, et qui, psychologiquement au moins, leur offrait une cachette rassurante. Les deux femmes se blottirent ensemble sous le manteau de Luke, et Theo s'allongea à leurs pieds. Rolf s'était déjà fait un lit de l'autre côté du tronc. Une bonne couche de feuilles mortes adoucissait le sol, mais eût-il été dur comme fer, Theo aurait dormi quand même.

29

La journée touchait à sa fin lorsqu'il se réveilla. Julian était plantée devant lui. « Rolf est parti », annonça-t-elle.

Du coup, il eut toute sa conscience. « Tu es sûre ?

— Oui. »

Il la crut, mais il se sentit néanmoins tenu de la rassurer par des mots d'espoir : « Il a peut-être été faire un tour. Il voulait être seul pour réfléchir...

— Il a réfléchi ; maintenant, il est parti. »

S'obstinant à essayer de la persuader, ou de se convaincre lui-même, il dit : « Il était furieux ; il ne savait plus que faire ; il ne voulait plus être là lors de la naissance de l'enfant. Mais je ne peux pas croire qu'il nous trahisse.

— Pourquoi pas ? Je l'ai bien trahi, moi. Il vaut mieux réveiller Miriam. »

Mais c'était déjà fait. Leurs propos avaient pénétré sa conscience alors qu'elle était en train d'émerger du sommeil. Elle s'assit brusquement et regarda l'endroit où Rolf s'était couché. Puis elle se leva en disant : « Alors il est parti. On aurait dû savoir qu'il le ferait. Mais de toute façon, on n'aurait pas pu l'empêcher. »

Theo dit : « J'aurais pu le retenir, moi, avec le revolver. »

Devant les yeux étonnés de Julian, Miriam expliqua : « Nous avons un revolver. Ne t'inquiète pas, ça pourra être utile. » Puis elle se tourna vers Theo. « Le retenir ? Peut-être, mais combien de temps ? Et comment ? En se relayant nuit et jour pour le surveiller ?

— Tu penses qu'il est allé trouver le Conseil ?

— Pas le Conseil, le Gouverneur. Il a changé de bord. Le pouvoir l'a toujours fasciné. Il a rallié la source du pouvoir. Mais je ne pense pas qu'il ait téléphoné à Londres. La nouvelle est trop importante pour qu'il risque des indiscrétions. Il voudra la donner lui-même au Gouverneur seulement. Ce qui veut dire que nous avons quelques heures devant nous — mettons cinq heures si nous avons de la chance. Nous ne savons pas quand il est parti ; nous ne pouvons pas savoir où il est en ce moment. »

Que nous ayons cinq heures ou cinquante heures, quelle différence ? songeait Theo. Le désespoir avait fondu sur lui, pesant de tout son poids sur son esprit et sur ses membres, le rendant physiquement si faible qu'il aurait voulu se coucher par terre et ne plus bouger. Et durant une seconde, sa pensée même fut comme paralysée. Mais la seconde passa. L'intelligence reprit ses droits, et en même temps que la faculté de penser lui revint l'espoir. Quelle aurait été son idée à la place de Rolf ? Rejoindre la route, arrêter une voiture, trouver le téléphone le plus proche ? Mais était-ce aussi simple ? Rolf était un homme en fuite ; il n'avait pas d'argent, pas de nourriture, pas de moyen de transport. Miriam avait raison. Son secret était si lourd de conséquences qu'il voudrait le garder pour lui jusqu'au moment où il pourrait le confier à celui pour qui il avait le plus d'importance, à celui qui le paierait le plus : Xan.

Rolf devait parvenir jusqu'à Xan, et sans se faire prendre. Arrêté par la Police de Sécurité, il risquerait d'être abattu avant d'avoir eu le temps de rien dire. Arrêté par les Grenadiers, il serait jeté en prison, où ses demandes à voir le Gouverneur seraient accueillies par des rires. Non, il ferait l'impossible pour arriver à Londres, se déplaçant de nuit, vivant de ce qu'il trouverait sur sa route. Une fois dans la capitale, il se présenterait à l'ancien ministère des Affaires étrangères et exigerait de voir le Gouverneur, avec la certitude que là, à l'endroit où le pouvoir absolu s'exerçait, sa demande serait prise au sérieux. Et si jamais ce n'était pas le cas, il lui resterait à jouer son atout majeur. Il n'aurait qu'à dire : « Il faut que je le voie. Prévenez-le que la femme est enceinte. » Et Xan le recevrait immédiatement.

Mais la nouvelle une fois connue, et crue, ce serait le branle-bas de combat. Et même si Xan refusait de croire Rolf, même s'il le prenait pour un fou, ils viendraient. Même s'ils étaient convaincus que les signes, les symptômes, le ventre gonflé, tout cela ne signifiait rien qu'une nouvelle grossesse fantôme appelée à finir en farce, ils viendraient. C'était trop important pour risquer une erreur. Ils viendraient par hélicoptère avec des médecins, des sages-femmes, et, la vérité une fois établie, avec des caméras de télévision. Julian serait tendrement conduite dans un hôpital, où l'on s'empresserait de déployer pour elle un appareil technologique qui n'avait plus servi depuis vingt-cinq ans. Xan lui-même présiderait à tout et annoncerait l'heureuse nouvelle au monde incrédule. La naissance de l'enfant ne serait pas saluée par de simples bergers.

« On doit être à vingt ou vingt-cinq kilomètres au sud-ouest de Leominster, dit-il soudain. Il n'y a pas de raisons de changer nos plans, sauf qu'il n'est pas question d'aller dans le Pays de Galles. Nous prendrons plutôt au sud-est pour essayer de rejoindre la forêt de Dean. Là-bas, nous nous débrouillerons pour trouver un abri — un cottage, une maison — aussi bien caché que possible. Mais il nous faut d'abord un moyen de transport, de quoi boire et manger. Dès qu'il fera nuit, j'irai dans le village le plus proche voler une voiture. Juste avant que les Omégas nous arrêtent, j'ai vu des lumières à une quinzaine de kilomètres. C'est là que j'irai. »

Il s'attendait presque à ce que Miriam lui demande comment. Au lieu de quoi elle dit : « Ça vaut la peine d'essayer. Mais ne prends pas trop de risques.

— Theo, je t'en prie, implora Julian, ne prends pas le revolver. »

Il se tourna vers elle, réfrénant son irritation. « Je prendrai ce dont j'ai besoin et je ferai ce que je dois faire. Combien de temps est-ce que tu pourrais tenir, sans eau ? Les mûres, c'est bien joli, mais ça ne suffit pas. Il nous faut à boire, à manger ; il nous faut des couvertures, un minimum de choses en vue de l'accouchement. Et puis surtout il nous faut une voiture. Notre seule chance est de trouver une cachette avant que Rolf ait alerté le Conseil. A moins que tu n'aies changé d'avis ? Tu veux peut-être faire comme lui, abandonner, te rendre ? »

Elle secoua la tête sans dire un mot. Theo vit qu'elle avait des larmes dans les yeux. Il aurait voulu la prendre dans ses bras, mais plutôt que de le faire, il se détourna d'elle et mit la main dans sa poche intérieure pour sentir le poids froid de l'arme.

30

Il se mit en route dès la nuit tombée, impatient de partir, soucieux de ne pas perdre un seul instant. Leur sécurité dépendait de la rapidité avec laquelle il pourrait s'emparer d'une voiture. Julian et Miriam l'accompagnèrent jusqu'en bordure du bois et le regardèrent s'éloigner. Lorsqu'il se retourna pour leur adresser un dernier regard, il dut chasser la conviction qu'il ne les reverrait plus. Les lumières du village ou de la petite ville qu'il se rappelait avoir vues étaient situées à l'ouest de la route. Couper à travers champs serait le plus direct, mais il avait laissé la lampe de poche aux femmes, et cheminer à l'aveuglette à travers une campagne qu'il ne connaissait pas était trop hasardeux. Il décida donc de suivre la route par laquelle ils étaient arrivés, et, tour à tour courant et marchant, il atteignit au bout d'une demi-heure un croisement où, après quelques secondes d'hésitation, il prit l'embranchement de gauche.

Il lui fallut encore une bonne demi-heure de marche forcée pour atteindre les abords de l'agglomération. La route, sans éclairage, était bordée d'un côté par une haie touffue et, de l'autre, par une forêt clairsemée. C'est de ce côté-là qu'il se tenait, de manière à pouvoir se dissimuler dans l'ombre des arbres lorsqu'il entendait une voiture approcher. Cette précaution, il la prenait par besoin instinctif de se cacher, mais aussi, plus rationnellement, parce qu'il craignait qu'un homme solitaire se hâtant dans la nuit n'éveillât la curiosité. Maintenant, la haie et la forêt faisaient place à des maisons particulières entourées de vastes jardins. Les garages, ici, devaient souvent contenir plus d'une voiture. Mais garages et maisons étaient sans doute bien protégés. Lorsqu'elle s'étale ainsi, la propriété n'a pas grand-chose à redouter d'un voleur d'occasion. Dans ce genre de quartier, il n'avait aucune chance.

Depuis qu'il n'était plus dans la campagne, il marchait plus lentement, et pourtant, son cœur battait plus vite — il le sentait cogner dans sa poitrine. Il ne voulait pas pénétrer trop avant dans la ville. Il lui fallait trouver ce qu'il cherchait et filer aussi vite que possible. Il vit alors sur sa droite une rangée de petites maisons doubles. Chaque paire de villas était identique, avec une fenêtre en saillie à côté de la porte et un garage collé au mur. Il s'approcha de la première, marchant presque sur la pointe des pieds. La maison de gauche était vide : les volets étaient fermés, et, à l'entrée, un écriteau annonçait qu'elle était à vendre. Elle n'était manifestement plus habitée depuis longtemps. Son étroit jardin était envahi d'herbes, et dans l'unique massif qu'on devinait au centre, c'est à peine si l'on voyait encore quelques tiges de rosiers au milieu des broussailles.

La maison de droite était occupée et présentait un tout autre aspect. Il y avait de la lumière derrière les rideaux tirés de la pièce du bas, le coin de pelouse était soigneusement tondu, et une plate-bande de chrysanthèmes et de dahlias bordait le chemin conduisant à la porte. Une palissade neuve séparait son jardin de celui d'à côté, pour en cacher peut-être la désolation, ou pour prévenir l'envahissement des mauvaises herbes. L'endroit paraissait idéal. L'absence de voisin assurait que personne n'était là pour espionner ; l'accès à la route était facile et laissait espérer un départ rapide. Mais y avait-il une voiture dans le garage ? En observant attentivement le gravier, Theo y reconnut des traces de pneus et une petite tache d'huile. La tache d'huile n'était pas rassurante, mais la maison était si bien entretenue, le jardin tellement impeccable, qu'il était difficile à croire que la voiture, même très vieille, ne fût pas en état de marche. Mais sinon ? Il faudrait recommencer, et le second essai serait doublement risqué. Debout près du portail, regardant à droite et à gauche pour vérifier que nul ne l'observait, il réfléchit.

Pour empêcher les occupants de la maison de donner l'alarme, il lui suffirait de les ligoter et de couper le fil du téléphone. Mais si, ne trouvant pas de voiture ici, il n'en trouvait pas davantage lors d'un deuxième essai ? La perspective de ligoter une succession de victimes était aussi ridicule que dangereuse. Au mieux, il pourrait faire deux tentatives. Et s'il échouait, il lui resterait la possibilité d'arrêter une voiture sur la route pour se l'approprier. De cette façon, il serait sûr au moins d'avoir un véhicule qui marche.

Après un dernier coup d'œil alentour, il poussa le portail et s'avança d'un pas rapide jusqu'à la porte. Le soulagement lui arracha un petit soupir. Sur le côté de la fenêtre en saillie, le rideau n'était pas complètement tiré, et une fente de quelques centimètres lui permettait de voir clairement ce qui se passait à l'intérieur.

Il y avait une cheminée, mais la pièce était dominée par un très gros appareil de télévision. Deux têtes grises, sans doute celles d'un vieux couple, dépassaient des fauteuils installés en face. A part cela, l'ameublement se résumait à une table et deux chaises, plus un petit bureau placé devant la fenêtre latérale. Il ne semblait pas y avoir de livres, de bibelots, de fleurs ni de tableaux, seulement une grande photo en couleurs sur laquelle figurait une fillette, et, au-dessous, une haute chaise d'enfant avec un ours en peluche donnant du nez sur une énorme cravate à pois.

Même à travers la vitre, il entendait distinctement la télévision. Les vieux devaient être sourds. Il reconnut le programme : *Neighbours*, une série à petit budget réalisée en Australie entre la fin des années 1980 et le début des années 1990. Du fait du triomphe qu'elle avait connu à l'époque, on s'était décidé à la reprendre, et, adaptée aux appareils à haute définition, elle jouissait d'un regain de succès et faisait presque l'objet d'un culte. La raison en était évidente. Les épisodes, dans le cadre d'une lointaine banlieue baignée de soleil, suscitaient une irrésistible nostalgie d'innocence et d'espoir. Mais surtout, ils traitaient des jeunes. Les séduisantes images de jeunes visages, de jeunes corps, le son de jeunes voix créaient l'illusion que, quelque part aux antipodes, cette jeunesse existait toujours, et que le monde rassurant où elle évoluait demeurait accessible. C'est dans le même esprit et en réponse au même besoin que les gens achetaient des cassettes vidéo d'accouchements et regardaient bouche bée des anciens programmes de télévision pour enfants.

Il sonna à la porte et attendit. A cette heure relativement tardive, il aurait juré que les deux vieux viendraient ouvrir ensemble. Il entendit des pas étouffés, des bruits de verrous, et quand la porte s'entrebâilla, retenue par la chaîne, il vit en effet deux personnes très âgées lever vers lui des yeux chassieux, où se lisait toutefois plus de méfiance que d'inquiétude.

« Qu'est-ce que vous voulez ? » demanda l'homme d'un ton sec.

Theo se fit rassurant. « Je suis du conseil local, expliqua-t-il. Nous effectuons une enquête sur les passe-temps et intérêts des gens. J'ai un questionnaire à vous faire remplir. Ce ne sera pas long. »

L'homme hésita puis se décida à retirer la chaîne. Aussitôt à l'intérieur, Theo repoussa la porte et s'y adossa, revolver en main. « Ne vous inquiétez pas, dit-il sans leur laisser le temps de protester ou de crier. Vous n'avez rien à craindre. Je ne vous ferai aucun mal. Tenez-vous tranquilles, faites ce que je vous dis, et tout ira bien. »

Agrippée au bras de son mari, la femme s'était mise à trembler violemment. Elle était toute menue, et si frêle que le cardigan fauve jeté sur ses épaules semblait trop lourd pour elle. Son regard exprimait maintenant une franche terreur, et, avec toute la force de persuasion qu'il put réunir, Theo dit : « Je ne suis pas un criminel. J'ai besoin d'aide. J'ai besoin d'une voiture, besoin de nourriture et de boisson. Vous avez une auto ? »

L'homme acquiesça.

« Quel modèle ?

— Une Citizen. » C'était la voiture de tout le monde, bon marché à l'achat et économique à l'emploi. Les plus récentes avaient dix ans, mais la construction était bonne, et elles étaient fiables. En tout cas, il y avait pire.

« Est-ce qu'il y a de l'essence dans le réservoir ? »

L'homme acquiesça encore.

Theo insista : « Elle est en état ?

— Oh oui. J'ai toujours été très soigneux.

— Bon. Maintenant vous allez monter à l'étage. »

L'ordre les terrorisa. Pensaient-ils qu'il avait l'intention de les égorger dans leur chambre à coucher ?

« Ne me tuez pas, plaida l'homme. Elle n'a que moi. Elle est malade. Le cœur. Sans moi, ce sera le Quietus pour elle.

— Personne ne vous fera de mal. Il n'y aura pas de Quietus. » Il répéta : *« Pas de Quietus ! »*

Lentement, ils montèrent l'escalier, la femme toujours accrochée au bras de son mari.

Le plan de l'étage était simple : sur le devant, la principale chambre à coucher, jouxtant la salle de bain et les toilettes ; sur l'arrière, deux chambres plus petites. Theo leur fit signe d'entrer dans l'une d'elles. Il n'y avait qu'un lit. En retirant la courtepointe, il vit qu'il était fait.

« Faites des bandes avec les draps », ordonna-t-il à l'homme.

De ses mains noueuses, le vieux essaya en vain de déchirer le coton. L'ourlet résistait.

Theo dit d'une voix impatiente : « Il faut des ciseaux. Où est-ce qu'il y en a ? »

Cette fois, ce fut la femme qui répondit : « Dans la chambre de devant. Sur la table de toilette.

— Je vous en prie, allez les chercher. »

Elle sortit à petits pas raides et revint quelques secondes plus tard avec une paire de ciseaux. Pas grands, mais efficaces. S'il laissait le travail aux mains tremblantes du vieux, il perdrait toutefois de précieuses minutes.

« Reculez, dit-il sèchement. Mettez-vous contre le mur. »

Ils obéirent, et lui se plaça face à eux, de l'autre côté du lit, le revolver à portée de la main. Et il se mit à déchirer les draps. Le bruit était invraisemblable. Il avait l'impression de déchirer le tissu même de la maison. Enfin, lorsqu'il eut terminé, il dit à la femme : « Couchez-vous sur le lit. »

Elle jeta un coup d'œil à son mari comme pour lui demander la permission.

« Fais ce qu'il dit, ma douce. »

Elle n'arrivait pas à monter sur le lit, et Theo dut l'aider. Elle était légère comme une plume. Il la mit sur le flanc, et, après lui avoir retiré ses chaussures, lui attacha les chevilles et lui lia les mains derrière le dos.

« Ça va ? » lui demanda-t-il.

Elle fit un petit signe de tête. Le lit était étroit, et il se demandait s'il y aurait de la place pour deux ; mais le mari, sentant ce qui se passait dans sa tête, s'empressa de dire : « Ne nous séparez pas. Ne me mettez pas dans la chambre d'à côté. Ne me tuez pas. »

Theo s'irrita : « Je ne vais pas vous tuer ! Le revolver n'est même pas chargé... » Maintenant que l'arme avait rempli son rôle, il ne risquait rien à mentir.

« Couchez-vous à côté d'elle », ajouta-t-il.

La place était tout juste suffisante. Après avoir attaché les chevilles et les mains de l'homme, il leur lia les jambes. Ils étaient tous les deux étendus sur le flanc, pratiquement collés l'un à l'autre. Leur position, les mains dans le dos, manquait certainement de confort, mais autrement, Theo craignait que l'homme ne parvînt à se détacher en se servant de ses dents.

« Où sont les clés de la voiture ? » demanda-t-il.

L'homme souffla : « Dans le bureau du salon. Le tiroir du haut. A droite. »

Theo alla chercher les clés, qu'il trouva sans difficulté, puis revint dans la chambre. « Il me faudrait une grande valise. Vous avez ça ?

— Sous le lit », répondit la femme.

Il s'y trouvait effectivement une valise de bonne dimension, mais légère, en carton, renforcée aux coins. Il se demanda s'il valait la peine d'emporter ce qui restait des draps. Tandis qu'il hésitait, les lambeaux de tissu dans la main, l'homme implora : « Ne nous bâillonnez pas. Nous ne crierons pas, c'est promis. Ne nous bâillonnez pas. Ma femme ne pourrait pas respirer.

— Il faudra que j'avertisse quelqu'un que vous êtes ligotés là, dit Theo. Je ne pourrai pas le faire avant au moins douze heures, mais je le ferai. Est-ce que vous attendez quelqu'un ? »

Sans le regarder, l'homme répondit : « Mrs Collins, notre aide ménagère, sera là demain matin à sept heures et demie. Elle vient tôt ; il faut ensuite qu'elle aille ailleurs.

— Elle a une clé ?

— Oui, elle a toujours une clé.

— Personne d'autre ne doit venir ? Un membre de la famille, par exemple ?

— Nous n avons pas de famille. Nous avions une fille, mais elle est morte.

— Mais vous êtes certains que Mrs Collins sera là à sept heures et demie ?

— Oui, on peut lui faire confiance. Elle sera là. »

Il écarta les rideaux de coton à fleurs pour regarder dehors. Tout ce qu'on devinait dans la nuit, c'était un bout de jardin et la forme sombre d'une colline. Ils pourraient toujours crier : leurs voix ne seraient sûrement pas entendues. Mais tout de même, il laisserait la télévision et pousserait le son au maximum.

« Je ne vous bâillonnerai pas, dit-il. Avec le bruit de la télévision, personne ne pourra vous entendre — inutile d'essayer de crier. Mrs Collins s'occupera de vous détacher demain matin. En attendant, vous pourrez dormir. Je regrette d'avoir à faire ça. Pour la voiture, ne vous inquiétez pas : vous finirez par la ravoir. »

La promesse était ridicule, mais il avait envie de les rassurer. « Est-ce que vous avez besoin de quelque chose ? » demanda-t-il encore.

La femme répondit d'une voix faible : « Je voudrais de l'eau. »

De l'eau. Le mot suffit à réveiller sa soif. Il était extraordinaire que, après avoir rêvé de boire pendant des heures, il ait pu oublier son envie ne fût-ce qu'un instant. Il alla dans la salle de bain, et, prenant un verre à dents, il l'emplit d'eau et but tout son saoul sans même prendre la peine de le rincer. Puis il retourna dans la chambre, où il souleva sur son bras la tête de la femme et porta le verre plein à ses lèvres. Elle but avidement. Un peu d'eau coulait de son menton sur son cardigan. Sur sa tempe, les veines battaient comme si elles allaient éclater, et les tendons de son cou saillaient comme des cordes. Quand elle eut fini, il prit un bout de drap pour lui essuyer la bouche, après quoi il alla de nouveau remplir le verre et aida à son tour le mari à boire. Curieusement, il avait du mal à les quitter. Il s'était introduit chez eux comme un malfaiteur, et il était incapable de trouver quoi leur dire en guise d'adieu.

Une fois à la porte, il se retourna et s'excusa encore : « Je regrette d'avoir dû faire ça. Essayez de dormir. Mrs Collins sera là demain matin. »

Plutôt qu'eux, c'était peut-être lui qu'il avait besoin de rassurer. Au moins, ils étaient ensemble, se dit-il. Et il demanda encore : « Vous n'êtes pas trop mal ? »

La question était idiote. Troussés comme des volailles sur un lit si étroit que tout mouvement risquait de les faire tomber, comment auraient-ils pu se sentir bien ? La femme murmura quelque chose qui lui échappa mais que son mari parut comprendre. Tant bien que mal, il leva la tête pour regarder Theo. Ses yeux délavés réclamaient la compréhension, la pitié.

« Elle voudrait aller aux toilettes », dit-il.

Theo faillit rire tout haut. Il se retrouvait à l'âge de huit ans quand sa mère s'énervait : « Enfin, tu aurais pu y penser avant de sortir ! » Que pouvait-il répondre ? « Il fallait qu'elle y pense avant que je l'attache » ? Quelqu'un aurait dû y penser, c'est vrai. Maintenant, il était trop tard. Il avait déjà perdu trop de temps avec eux. Il ne pouvait pas faire attendre indéfiniment Julian et Miriam, qui, dévorées d'inquiétude, devaient être tapies dans l'ombre des arbres à guetter le bruit des voitures. Et puis il lui restait des choses à faire, réunir des provisions, vérifier que la Citizen fonctionnait. Non, il ne pouvait pas gaspiller de précieuses minutes à défaire tous ces nœuds. Si elle se souillait, tant pis — attendre jusqu'au lendemain ne serait pas si long.

Mais il savait qu'il ne pourrait pas la laisser ainsi. Lui infliger une telle indignité était au-dessus de ses forces. Tandis que, paralysée de honte, elle tenait les yeux obstinément fermés, il commença à s'activer autour des nœuds. C'était trop difficile. Il prit les ciseaux et coupa pour lui libérer les chevilles et les mains, s'efforçant de ne pas voir les marques que portaient les poignets. Tremblante de peur et faible comme elle l'était, elle eut bien du mal à se mettre debout malgré l'aide qu'il lui apportait. Enfin, suspendue à son bras, elle trottina jusqu'aux toilettes.

« Ne fermez pas la porte ; laissez-la entrouverte », dit-il d'une voix que la gêne rendait brusque.

Puis il se mit à faire les cent pas sur le palier en

attendant, cœur battant d'impatience, que le bruit de la chasse d'eau annonçât la fin de l'opération.

Quand la vieille reparut, elle leva vers lui des yeux reconnaissants et murmura : « Merci. »

Il l'aida à se recoucher sur le lit, déchira deux nouvelles bandes de drap et la rattacha, en prenant soin cette fois de ne pas trop serrer. Puis il dit au mari : « Il vaudrait mieux que vous y alliez aussi. Si je vous aide, vous pourrez sautiller jusque-là. Il suffira que je vous détache les mains. »

Mais même le bras passé autour des épaules de Theo, le vieux était trop faible pour faire le moindre petit bond, et il fallut pratiquement le traîner jusqu'aux cabinets.

Après tout ce temps perdu, le vieux à nouveau ligoté sur le lit, Theo gagna en hâte le rez-de-chaussée, la valise à la main. Dans la cuisine, méticuleusement propre et ordonnée, un petit garde-manger voisinait avec un énorme réfrigérateur. Mais le butin serait maigre. Malgré sa taille, le frigidaire ne contenait qu'une brique d'un demi-litre de lait, une boîte avec trois œufs, une demi-livre de beurre sur une soucoupe recouverte d'un papier d'alu, un morceau de cheddar emballé et un paquet de biscuits ouvert ; et rien dans la partie congélateur sinon un bout de morue et des petits pois surgelés. Quant au contenu du garde-manger, il était tout aussi décevant : un peu de sucre, de thé et de café, c'est tout. Il était insensé qu'une maison fût si mal approvisionnée. Theo en ressentit un mouvement de colère à l'égard des deux vieux, qui ne pouvaient pourtant guère être tenus pour responsables de sa déconvenue. Ils devaient avoir l'habitude de faire leurs achats une fois par semaine, et il avait eu la malchance de tomber sur le mauvais jour. Il rafla tout, fourrant les provisions dans un sac en plastique. Il prit ensuite trois bols et trois assiettes dans un placard, et, dans le tiroir des couverts, trois couteaux, fourchettes et cuillères, plus un couteau à éplucher et un couteau à découper. Enfin, il mit dans sa poche une boîte d'allumettes et remonta quatre à quatre au premier, où il se rendit cette fois dans la chambre de devant et dépouilla le lit de ses draps et de ses couvertures, auxquels il ajouta un oreiller. Pour l'accouchement, Miriam avait dit qu'elle aurait besoin de serviettes propres. Il en trouva une demi-douzaine dans la salle de bain. Ça devrait suffire. Il entassa le linge dans la valise. Puis il regarda dans le placard. Il ne renfermait rien d'intéressant à part une bouteille de désinfectant. Les ciseaux à ongles étaient inutiles ; il avait déjà dans la poche les petits ciseaux de couture dont il s'était servi pour découper les draps.

Restait le problème de la boisson. Le lait ne suffirait même pas à désaltérer une personne. Il se mit à chercher un récipient. Rien. Pas une bouteille vide. Maudissant les vieux d'être si mal pourvus, il finit néanmoins par découvrir une bouteille Thermos. Il pourrait rapporter du café à Julian et Miriam. Mais il n'avait pas le temps de mettre de l'eau à chauffer dans la bouilloire. Tant pis, il prendrait de l'eau chaude au robinet. Il choisit encore parmi les casseroles les deux dont le couvercle fermait le mieux, et il les remplit d'eau ainsi que la bouilloire. Leur transport jusqu'à la voiture lui prendrait du temps, mais qui sait autrement jusqu'à quand ils devraient attendre pour trouver de quoi étancher leur soif ? Pour finir, il prit la précaution de boire encore une fois lui-même tout ce qu'il pouvait au robinet et s'aspergea le visage d'eau.

Comme il se rendait au garage, il vit que des vêtements étaient suspendus dans le vestibule : une vieille veste, une longue écharpe de laine et deux imperméables, visiblement neufs. Il hésita avant de les prendre. S'il leur fallait dormir par terre, ce serait une très bonne protection contre l'humidité. Mais voler les seules choses neuves que contenait la maison lui semblait ajouter à son pillage une note de mesquinerie particulièrement déplaisante.

Il ouvrit la porte du garage. Le coffre de la voiture était petit, mais suffisant pour qu'il pût y loger la valise, la literie, les imperméables, la bouilloire et l'une des casseroles. L'autre, il la mit sur le siège arrière avec le sac contenant la nourriture, les couverts et la vaisselle. Lorsqu'il essaya le moteur, il constata avec satisfaction qu'il tournait rond. De toute évidence, la Citizen était bien entretenue. Mais le réservoir était à moitié vide, et il n'y avait de cartes nulle part. Les vieux ne se servaient probablement de la voiture que pour faire de petites promenades et leurs courses. Après avoir prudemment reculé puis fermé la porte du garage, il prit conscience qu'il avait oublié de monter le son de la télévision. Mais était-ce bien utile ? La maison mitoyenne étant vide et celle d'à côté séparée par une double bande de jardins, il était pratiquement impossible que quiconque entendît les cris que pourraient pousser les vieillards.

Enfin, il prit la route, et, ce faisant, il se mit à réfléchir à la prochaine étape. Le mieux était-il de continuer ou de revenir en arrière ? Xan saurait par Rolf qu'ils avaient l'intention de gagner le Pays de Galles. Mais il s'attendrait certainement à ce qu'ils modifient leurs plans. Ils pourraient se cacher n'importe où dans le Sud-Ouest. Même si Xan mettait à leurs trousses une équipe importante, les recherches seraient longues. Et il ne le ferait sûrement pas. Si Rolf parvenait à le joindre sans mettre personne d'autre au courant de l'invraisemblable nouvelle, Xan chercherait sans doute à la tenir secrète aussi longtemps que son authenticité ne serait pas vérifiée. Il ne voudrait pas risquer que Julian tombe aux mains d'un officier de la PS, ou des Grenadiers, susceptible d'exploiter la situation à des fins personnelles. Et s'il voulait être présent au moment de la naissance, Xan ignorait dans quelle mesure il devait se presser. Rolf ne pouvait pas lui apprendre ce que lui-même ne savait pas. Et jusqu'où avait-il confiance dans les autres membres du Conseil ? Non, Xan voudrait venir en personne, et vraisemblablement sans plus que quelques hommes triés sur le volet. Ils finiraient par réussir ; c'était inévitable. Mais les recherches prendraient du temps. L'importance et la difficulté de la tâche, la nécessité de garder le secret, le nombre limité des chercheurs, tout cela s'opposait à l'obtention de résultats rapides.

Mais où aller et dans quelle direction ? Un moment, Theo se demanda si le plus habile ne serait pas de rentrer à Oxford pour se cacher à Wytham Wood, au dessus de la ville, qui serait certainement le dernier endroit où Xan penserait à les chercher. La route serait dangereuse — surtout à partir de demain matin, lorsque les deux vieux auraient raconté leur histoire —, mais pas plus que n'importe quelle autre. Pourquoi semblait-il plus risqué de rebrousser chemin que de pousser plus loin ? Peut-être parce que Xan résidait à Londres. En même temps, Theo pouvait voir Londres comme la cachette idéale. Avec sa population réduite, la capitale restait un ensemble de villages, de ruelles secrètes, d'immeubles à moitié vides. Mais elle représentait aussi une multitude d'yeux, et il n'y connaissait aucun refuge, personne à qui demander asile. Son instinct lui disait, comme ils l'avaient primitivement prévu, de mettre autant de distance que possible entre la capitale et eux. Julian serait certainement d'accord sur ce point. Chaque kilomètre loin de Londres les rapprocherait de la sécurité.

Tandis qu'il roulait sur la route heureusement déserte, il s'autorisa à rêver en s'efforçant de croire que ses fantasmes correspondaient à un but rationnel, accessible. Il se représenta un cottage embaumé dont les murs conservaient la chaleur de l'été, une maisonnette enracinée aussi naturellement qu'un arbre au fond d'une vaste forêt, et qui, abandonnée depuis des années dans un écrin de végétation protectrice, commencerait à peine à se décrépir et contiendrait encore du linge, des allumettes, des boîtes de conserve pour eux trois. Il y aurait une source fraîche et du bois pour le feu lorsque viendrait l'hiver. Ils y vivraient des mois ; ils y passeraient au besoin des années. Cette vision idyllique, dont il s'était moqué il y avait deux jours seulement, lui apportait un réconfort qu'il n'aurait jamais soupçonné, et il se complaisait à l'évoquer tout en sachant que ce n'était qu'un rêve.

Quelque part dans le monde naîtraient d'autres enfants — il voulait le croire comme le croyait Julian. Son enfant ne serait plus le seul ; il ne serait plus exposé qu'aux mêmes dangers que n'importe quel enfant. Même s'il était le premier-né d'un nouvel âge, Xan et le Conseil ne verraient plus l'utilité de l'arracher à sa mère. Tout rentrerait dans l'ordre. Mais c'était pour l'avenir, un avenir auquel il était vain de penser maintenant. Pour l'instant, et durant les quelques semaines qui les séparaient de la naissance de l'enfant, Julian, Miriam et lui devaient se contenter de penser à leur sécurité.

31

Depuis deux heures que Theo concentrait son esprit et ses forces pour mener à bien la mission qu'il s'était fixée, l'idée ne l'avait pas effleuré qu'il pourrait lui être difficile de reconnaître l'orée du petit bois. Parvenu au croisement où il avait trouvé la route conduisant à la ville, il s'efforça d'évaluer la distance qu'il avait parcourue jusque-là à l'aller. Mais dans son souvenir, la crainte, la fatigue, la soif, la douleur qu'il avait ressentie au côté brouillaient tous les détails du paysage qu'il avait entrevus dans la nuit.

Un bosquet apparut sur sa droite, dont l'aspect familier lui redonna courage. Mais ce n'était que quelques arbres, et la haie qui leur succédait ne tarda pas elle-même à prendre fin. Cependant, après un long passage au bord de champs que rien ne séparait de la route, il aperçut le début d'un mur de pierre et ralentit, les yeux sur la route. Puis il vit ce qu'il espérait tout en le redoutant : le sang de Luke répandu sur l'asphalte en taches devenues noires. A la même hauteur, le mur présentait l'ébréchure dont il se souvenait.

Mais pourquoi les deux femmes n'étaient-elles pas là ? Il se serait attendu à les voir apparaître aussitôt la voiture arrêtée. Il refoula l'angoisse que soulevait en lui l'idée que, peut-être, elles s'étaient fait prendre, et se gara au bord du mur pour aller voir dans la forêt. Au bruit de ses pas, elles se manifestèrent, et il entendit Miriam murmurer : « Dieu merci, te voilà. On commençait à s'inquiéter. Tu as trouvé une voiture ?

— Une Citizen, oui. Mais c'est à peu près tout. Il n'y avait pas grand-chose à prendre dans la maison. Enfin, voilà du café. »

Miriam lui arracha presque la Thermos des mains, en dévissa le couvercle, le remplit du précieux liquide et le tendit à Julian.

Puis, d'une voix délibérément calme, elle annonça : « La situation a changé, Theo. Il faut nous dépêcher. Le bébé est en route.

— Combien de temps il nous reste ? demanda Theo.

— Au premier accouchement, c'est difficile à dire. Peut-être pas plus de quelques heures. Peut-être vingt-quatre. Julian n'en est qu'aux tout premiers stades, mais il va falloir qu'on trouve un endroit rapidement. »

Et puis, soudain, toutes ses hésitations précédentes furent balayées par un vent purifiant de certitude et d'espoir. Un seul nom lui vint à l'esprit, si distinctement qu'il eut l'impression de l'entendre prononcer par une voix, une autre voix que la sienne. Wychwood. Et il se rappela une promenade d'été solitaire, un sentier ombragé longeant un mur de pierre et s'enfonçant dans la forêt pour déboucher dans une clairière moussue avec un lac et, plus loin sur la droite, un hangar à bois. Jusqu'ici, il n'avait même pas pensé à Wychwood, trop petit, et, situé à une trentaine de kilomètres d'Oxford, trop facile à atteindre. Mais cette proximité était maintenant un avantage. Contrairement à ce que Xan imaginerait, ils feraient marche arrière vers un endroit dont il se souvenait, un endroit qu'il connaissait, un endroit où ils étaient sûrs de trouver un abri.

Il dit : « Allez dans la voiture. On fait demi-tour. On va dans la forêt de Wychwood. On mangera en route. »

Il n'était pas question de discuter. Le temps manquait. Et les femmes avaient une préoccupation autrement plus importante que l'endroit où il convenait d'aller. C'était à lui de décider.

Il ne craignait pas réellement une nouvelle attaque des Visages peints. Cette atrocité lui apparaissait désormais comme la concrétisation de la certitude superstitieuse qui était la sienne au début du voyage d'aller vers une tragédie aussi inévitable qu'étaient imprévisibles le moment où elle se déroulerait et la forme qu'elle allait revêtir. Maintenant, elle avait eu lieu, elle était derrière ; le pire était passé. Comme le voyageur qui, chaque fois qu'il prend l'avion, s'attend à le voir s'écraser, il était soulagé que la catastrophe redoutée se fût enfin produite : elle appartenait au passé, elle n'était plus à craindre. Mais il savait que Julian et Miriam ne pouvaient pas si aisément exorciser leur peur des Visages peints. Assises toutes droites au fond de la petite voiture, elles regardaient avec appréhension la route qui s'ouvrait devant eux, comme si à tout moment pouvait se renouveler l'horreur des cris sauvages et des yeux enfiévrés dans la lumière des torches.

Mais il y avait aussi d'autres dangers. Nul ne savait au juste quand Rolf était parti. S'il était parvenu jusqu'à Xan, il se pouvait que les recherches aient déjà commencé, que des barrages soient mis en place, que des hélicoptères n'attendent pour décoller que les premières lueurs de l'aube. Les petites routes étroitement encaissées entre des haies touffues et des murs de pierres sèches partiellement effondrés semblaient, de façon peut-être irrationnelle, leur plus sûr garant de sécurité. Avec l'instinct des êtres poursuivis, Theo multipliait les tours et les détours, recherchait les ténèbres qui pouvaient les dissimuler. Mais les chemins de campagne avaient leurs propres pièges. Quatre fois, pour éviter le risque d'une nouvelle crevaison, il freina brutalement devant une crevasse impossible à franchir et dut faire marche arrière. Vers deux heures du matin, une de ces manœuvres faillit bien tourner au désastre. Les roues arrière donnèrent dans un fossé, et il fallut une heure d'efforts pour que Miriam et lui parviennent à remettre la voiture sur la route.

Il maudissait l'absence de cartes, mais, le temps passant, les nuages bas se dissipèrent, le ciel apparut, et il put s'orienter d'après la Grande Ourse et l'étoile Polaire. Cette ancienne méthode ne pouvait toutefois lui donner qu'une grossière idée de sa route, et il se sentait en constant danger de se perdre. De temps à autre, un poteau indicateur surgissait dans la nuit, sinistre comme un gibet, et il sortait alors de la voiture, s'attendant presque à entendre des grincements de chaînes et à voir un cadavre se balancer lentement au bout d'une corde, pour aller promener l'œil de la torche sur les noms à demi effacés de villages inconnus. Maintenant, il faisait plus froid ; un avant-goût d'hiver avait soudain chassé les dernières saveurs de l'été. L'air n'embaumait plus l'herbe, la terre chauffée par le soleil ; il avait une vague odeur de désinfectant, comme à proximité de la mer. Quand Theo coupait le moteur, le silence était absolu. Planté sous un poteau indicateur dont les noms pour lui n'avaient aucun sens, il se sentait perdu, étranger, comme si les champs déserts qui l'entouraient, le sol qu'il avait sous les pieds, l'atmosphère mystérieuse qui l'enveloppait n'appartenaient pas à son habitat naturel et n'offraient à l'espèce menacée qui était la sienne nul refuge sous le ciel impassible.

Depuis qu'ils avaient pris la route, les douleurs de Julian s'étaient espacées. De ce côté-là au moins il n'avait pas à s'inquiéter ; les retards ne tiraient pas à conséquence, et pour l'instant, il pouvait considérer qu'arriver au but sain et sauf comptait davantage que d'y arriver rapidement. Pourtant, il savait que chaque contretemps augmentait le désarroi des femmes. Il devinait que, désormais, elles n'espéraient guère plus que lui échapper à Xan pendant des semaines, ni même pendant des jours. Si les premières douleurs n'avaient été qu'une fausse alerte, tomber entre les mains de Xan avant que l'enfant naisse était toujours possible. Régulièrement, Miriam se penchait vers lui pour lui demander d'arrêter la voiture en sorte que Julian pût prendre avec elle un peu d'exercice. Debout sur le bord de la route, il regardait alors aller et venir leurs deux silhouettes, il les entendait murmurer, et bien que quelques mètres seulement les séparassent de lui, l'impression d'être exclu du souci qui les occupait le faisait se sentir très loin d'elles. Pour leur part, elles ne posaient d'ailleurs aucune question sur leur itinéraire, et leur silence même semblait dire que ce sujet ne les concernait pas : c'était là son problème à lui.

Avant l'aube, une note de triomphe dans la voix, Miriam lui annonça toutefois que les contractions de Julian avaient recommencé, et par bonheur, un écriteau indiquant la direction de Chipping Norton lui apprit peu après à quel endroit précis ils se trouvaient. Le moment était venu de quitter les petits chemins tortueux pour se risquer sur la route principale l'espace de quelques kilomètres.

Au moins, il n'avait plus maintenant à redouter une autre crevaison ; le revêtement de la chaussée était nettement meilleur. Et comme aucune voiture n'était en vue, ses mains se détendirent bientôt sur le volant. Le réservoir était dangereusement vide, mais faire le plein était hors de question. Theo s'étonnait du peu de distance qu'ils avaient parcourue depuis leur départ de Swinbrook. Il avait le sentiment de voyager sans répit depuis des semaines pour fuir un danger qui ne cessait de se rapprocher. Tôt ou tard, ils finiraient par se faire prendre. D'un instant à l'autre, ils pouvaient tomber sur un barrage de police et tout serait dit. Ils avaient échappé aux Omégas, mais avec la PS, il ne fallait pas rêver de s'en tirer, il le savait. Rouler, continuer à espérer, c'est tout ce qu'il pouvait faire.

En réponse aux halètements de Julian, Miriam disait tout bas des mots de réconfort. Autrement, personne ne parlait. Mais comme ils roulaient ainsi depuis environ un quart d'heure, Theo entendit à l'arrière un cliquetis rythmé de métal et de porcelaine, après quoi Miriam lui tendit un bol.

« Il est temps de manger, dit-elle. Il faut que Julian prenne des forces. J'ai battu les œufs dans lé lait et ajouté du sucre. C'est ta part. »

Normalement, le mélange eût écœuré Theo, mais c'est avec avidité qu'il but le fond du bol auquel il avait droit, et, en sentant aussitôt l'effet revigorant, il regretta qu'il n'y en eût pas davantage. Puis, lorsqu'il lui eut rendu le bol, Miriam lui tendit un biscuit beurré surmonté d'une noisette de cheddar. Jamais fromage ne lui avait paru aussi bon.

« Tu en auras encore, promit Miriam. Il y en a deux pour chacun de nous et quatre pour Julian. »

Julian protesta : « Il n'y a pas de raisons que j'en

aie plus que vous. » Mais une douleur lui coupa la parole.

« Tu en gardes pour plus tard ? demanda Theo.

— En garder pour plus tard ? Tu as vu ce que tu nous as ramené ? C'est maintenant qu'il nous faut des forces ! »

Et comme les biscuits secs et le fromage leur avaient donné soif, ils achevèrent leur repas en buvant l'eau de la plus petite des casseroles.

Miriam lui passa les bols et le sac des couverts afin qu'il les range à côté de lui. Puis, comme si elle craignait de l'avoir blessé, elle lui dit : « Tu n'as pas eu de chance, Theo. Mais tu nous as trouvé une voiture, et ce n'était pas facile. Sans toi, on ne s'en sortait pas. »

Il espérait que cela signifiait : « Nous comptions sur toi, et tu ne nous as pas déçues. » Lui qui s'était si peu soucié de l'approbation d'autrui était maintenant ravi d'avoir la sienne, et il s'en étonna avec un sourire triste.

Enfin, ils arrivèrent à Charlbury. Il ralentit. Lorsqu'ils auraient dépassé l'ancienne gare de Finstock, il ne fallait pas qu'il manque le chemin qui, aussitôt après le tournant, partait en direction de la forêt. Il l'avait toujours pris dans l'autre sens, en venant d'Oxford, et même ainsi il l'avait raté plus d'une fois. Ayant passé devant la gare et franchi le tournant, il poussa un soupir de soulagement en reconnaissant sur la droite la rangée de cottages de pierre qui marquait le début du chemin. Les cottages étaient vides, leurs fenêtres condamnées. Un instant, il se demanda s'ils ne pourraient pas y trouver refuge. Non, ils étaient trop près de la route. Et puis Julian tenait à la forêt, il le savait.

Il roula prudemment entre les champs à l'abandon au bout desquels se profilaient les arbres. Il ferait bientôt jour. Il regarda sa montre. Mrs Collins devait être arrivée chez le vieux couple, qui en ce moment buvait peut-être déjà une tasse de thé en attendant l'arrivée de la police. Comme il changeait de vitesse à l'approche d'une montée difficile, il entendit Julian prendre son souffle et émettre un curieux petit bruit entre le grognement et la plainte.

La forêt leur tendait les bras. Aussitôt sous le couvert des arbres, le chemin devenait plus étroit. Un mur en ruine le bordait sur la droite, dont les pierres encombraient le passage. Il mit la première, s'efforçant d'éviter les cahots. Après un ou deux kilomètres, Miriam se pencha en avant pour dire : « Je crois qu'il vaut mieux que nous marchions devant. Ce sera moins pénible pour Julian. »

Les deux femmes sortirent de la voiture et poursuivirent à pied entre les ornières et les pierres, Julian s'appuyant sur Miriam. Pris dans les phares de la voiture, un lapin s'immobilisa, pétrifié, avant de détaler droit devant lui. Puis il se fit une grande agitation et deux formes blanches jaillirent des buissons, juste devant le capot de la voiture. C'étaient une biche et son faon. Après un saut de côté, ils bondirent ensemble par-dessus le mur, leurs sabots claquant sur les pierres.

De temps en temps, les deux femmes s'arrêtaient et Julian se penchait en avant, presque pliée en deux. A la troisième de ces manœuvres, Miriam fit signe à Theo d'arrêter et dit : « Il faudrait peut-être qu'elle remonte en voiture, maintenant. C'est encore loin ?

— Pour l'instant, nous longeons toujours la lisière. Mais on doit bientôt arriver à un tournant. Ensuite, il reste environ un kilomètre et demi. »

La voiture repartit. Arrivé à ce qu'il croyait être un tournant, Theo vit qu'il s'agissait en fait d'un croisement. Il hésita avant de décider de prendre sur la droite, où le chemin, encore plus étroit, descendait en pente douce. C'était certainement dans cette direction que se trouvaient le lac et, derrière, le hangar à bois dont il se souvenait.

« Une maison ! s'écria Miriam. Là, à droite. »

Il tourna la tête juste à temps pour la voir. Elle se dressait, solitaire, au milieu d'un champ.

« Non. Non, reprit Miriam, elle se voit trop. Et puis il n'y a rien autour qui permette de se cacher. »

Ils roulaient maintenant en plein cœur de la forêt. Le chemin semblait interminable. Il ne cessait de se rétrécir. On entendait les branches racler le fond de la voiture. Au-dessus de leurs têtes, le ciel avait blanchi ; un pâle soleil perçait, à peine visible à travers les ramures. Theo, qui avait l'impression de progresser dans un tunnel au bout duquel ils ne trouveraient qu'une haie impénétrable, commençait à se demander sérieusement s'il ne s'était pas fourvoyé, s'il n'aurait pas plutôt dû prendre à gauche, quand le chemin s'ouvrit soudain sur une clairière herbeuse. Le lac était devant eux.

Il arrêta la voiture à quelques mètres seulement de la rive et sortit pour aider Julian à descendre. Elle resta un moment agrippée à lui, soufflant profondément, puis elle se détendit, sourit, et prit le bras que lui tendait Miriam pour aller jusqu'au bord de l'eau. La surface de l'étang — on ne pouvait guère parler de lac — était couverte de feuilles mortes et de plantes aquatiques, si bien qu'on aurait dit un prolongement de la clairière. Montant de la mélasse du fond, des bulles apparaissaient ici et là, se groupaient ou se séparaient, paresseuses, dérivaient un instant avant d'éclater. Là où l'eau était dégagée, le ciel encore embrumé se mirait. Sous la surface luisante, dans les profondeurs ocre, de grosses branches brisées émergeaient de la boue, évoquant la membrure de bateaux naufragés. Une foulque s'ébrouait sous les joncs penchés qui ourlaient la rive, tandis que, plus loin, un cygne s'avançait avec majesté sur l'onde immobile. Les chênes, les frênes, les sycomores qui poussaient jusqu'au bord de l'étang composaient une rutilante toile de fond, qui, en dépit de la dominance des teintes automnales, avait un éclat presque printanier dans la fraîche lumière du matin. En face, les feuilles jaunes d'un buisson dont les branches demeuraient dans l'ombre accrochaient les rayons du soleil, qui en faisait comme une pluie d'or suspendue dans l'espace.

Julian, qui s'était éloignée de quelques pas, leur lança soudain : « Venez ! Ici l'eau paraît claire et la berge est sûre. C'est un bon coin pour se laver. »

Ils allèrent la rejoindre, et, agenouillés sur le bord, s'amusèrent à s'asperger. Cependant, Theo s'aperçut que, aussitôt remuée, l'eau se transformait en une boue verdâtre. Même bouillie, elle ne serait sûrement pas bonne à boire.

Puis, tandis qu'ils retournaient vers la voiture, la désignant d'un geste, Theo dit : « Qu'est-ce qu'on va en faire, maintenant ? Si on ne trouve pas mieux, elle pourrait nous servir d'abri. Mais elle risque de nous faire repérer. Et puis le réservoir est presque vide. Avec essence qui reste, on ne ferait pas cinq kilomètres.

— Il faut s'en débarrasser », trancha Miriam.

Theo regarda sa montre. Neuf heures. L'heure des nouvelles. Pour banales et prévisibles qu'elles seraient sans doute, pourquoi ne pas les écouter avant d'être tout à fait coupé du monde ? Il s'étonnait de ne pas avoir pensé à la radio plus tôt. En route, l'idée de l'écouter ne lui était même pas venue. Mais il avait conduit dans un tel état de tension qu'une voix étrangère, ou même de la musique, lui eût été insupportable. Sans plus réfléchir, il passa le bras par la vitre ouverte et tourna le bouton. Au bulletin météorologique succédèrent des informations concernant les routes qui allaient être officiellement fermées ou ne seraient plus réparées, puis les petites nouvelles sans intérêt d'un pays vivant toujours plus replié sur lui-même. Agacé, Theo s'apprêtait à éteindre le poste lorsque la voix du journaliste changea, devint plus lente, plus solennelle. « On me prie encore de faire cette annonce, commença-t-il. Un homme et deux femmes appartenant à un groupe de dissidents voyagent en ce moment dans une voiture volée, une Citizen bleue, dans la région de la frontière galloise. L'homme, qu'on pense être Theodore Faron, d'Oxford, a pénétré hier soir par effraction dans une villa de la banlieue de Kingston, où, ayant ligoté le couple des propriétaires, il a pillé leur maison et volé leur voiture. Ce matin, lorsqu'on l'a retrouvée attachée sur son lit, la femme, Mrs Daisy Cox, était morte depuis plusieurs heures. L'homme est donc recherché pour homicide. Il est armé d'un revolver. Quiconque apercevrait les trois personnes ou la Citizen bleue est prié d'en informer dans les plus brefs délais la Police de Sécurité de l'Etat. La voiture est immatriculée MOA 694. Je répète : MOA 694. Mais attention : l'homme est armé et dangereux ; il ne faut pas tenter de l'approcher. »

Theo éteignit sans s'en apercevoir. Tout ce dont il avait conscience, c'étaient les battements de son cœur et une sensation de douleur s'abattant sur lui comme une maladie, une horreur, un dégoût de lui-même qui faillit le mettre à genoux. Si c'est la culpabilité, se dit-il, je ne pourrai pas la supporter. Non, je ne la supporterai pas.

Il entendit la voix de Miriam. « Rolf est donc parvenu jusqu'au Gouverneur. Ils sont au courant de l'épisode des Omégas ; ils savent que nous ne sommes plus que trois. Mais au moins, ils ne savent pas que la naissance est imminente. C'est plutôt rassurant. Rolf n'en savait rien ; il pensait que Julian devait accoucher dans un mois. Jamais le Gouverneur n'aurait demandé à la population de rechercher la voiture s'il avait eu l'idée qu'on pourrait y trouver un enfant nouveau-né.

— Ça ne me rassure pas, dit-il. Je l'ai tuée. »

La voix ferme de Miriam se fit plus forte ; elle lui corna presque aux oreilles : « Tu ne l'as pas tuée, voyons ! Si elle était susceptible de mourir d'un choc, elle serait morte dès que tu as sorti le revolver. Pourquoi elle est morte, tu n'en sais rien. Mais c'est certainement de causes naturelles ; il n'en manque pas. Elle serait morte de toute façon. Elle était vieille, elle avait le cœur faible — tu nous l'as dit. Ce n'est pas ta faute, Theo, c'est la dernière chose que tu aurais voulue. »

Je ne l'ai pas voulu, bien sûr, se répétait Theo. Je n'ai pas voulu non plus être un fils égoïste, un père indifférent, un mauvais mari. Est-ce que j'ai jamais voulu quoi que ce soit ? Dieu sait de quel mal je serais capable si je me mettais à vouloir !

« Le pire, dit-il, c'est que j'y ai pris du plaisir. Du plaisir, vraiment ! »

Miriam avait commencé de décharger la voiture. « Du plaisir à ligoter ces vieux ? Allons, ne nous raconte pas d'histoire ! Tu as fait ce que tu avais à faire.

— Pas à les ligoter, ce n'est pas ce que je voulais dire. Mais j'ai pris du plaisir à l'aventure, à l'excitation, à voir ce dont j'étais capable. Ce n'était pas horrible, non. Ça l'était pour eux, pas pour moi. »

Julian ne dit rien mais s'approcha de lui pour lui prendre la main. Il la repoussa méchamment. « Combien de vies va encore coûter ton enfant ? Et pour quoi ? Tu es si calme, si sûre de toi, rien ne t'atteint. Tu crois que tu vas avoir une fille ? D'accord. Mais est-ce que tu as pensé à la vie qui l'attend ? Tu crois qu'elle sera la première, qu'il y aura ensuite d'autres naissances, que maintenant déjà il y a probablement des femmes enceintes qui ne savent pas encore qu'elles portent en elles la nouvelle vie du monde. Mais imagine que tu te trompes. Imagine que ta fille soit le seul enfant. Quel enfer, pour elle ! Tu vois un peu à quoi ressembleront ses dernières années ? Les vingt ans ou plus qu'elle passera absolument seule, sans pouvoir jamais espérer entendre une autre voix humaine ? Jamais, jamais, jamais ! Bon sang, on dirait que vous n'avez aucune imagination, vous deux ! »

Calmement, Julian rétorqua : « J'y ai pensé, Theo,

à ça et à bien d'autres choses. Mais je ne peux pas souhaiter qu'elle n'ait jamais été conçue. Je ne peux pas penser à elle sans en éprouver de la joie. »

Miriam, qui ne perdait pas de temps, avait déjà sorti du coffre la valise et les imperméables et déchargeait maintenant la bouilloire et la casserole d'eau.

Sans être vraiment en colère, elle dit avec agacement : « Je t'en prie, Theo, reprends-toi. On avait besoin d'une voiture ; tu nous en as trouvé une. Tu aurais peut-être pu en choisir une meilleure et l'avoir pour moins cher, mais ce qui est fait est fait. Si tu veux pleurer sur toi-même, garde ce plaisir-là pour plus tard. Elle est morte et tu te sens coupable, je comprends. Et je comprends que tu n'apprécies pas ce sentiment de culpabilité. Mais on s'y fait, tu verras. Pourquoi voudrais-tu y échapper ? C'est un sentiment qui fait partie de l'être humain. Tu ne t'en es jamais aperçu ? »

Il aurait pu répondre : « Pendant toutes ces années, il y a tant de choses dont je ne me suis jamais aperçu. » Mais il savait que ce serait encore pleurer sur son sort, et, une fois de plus dégoûté de lui-même, il haussa les épaules et dit brusquement : « Il faut nous débarrasser de la voiture. Après ce qu'on a entendu à la radio, c'est clair. »

Il desserra le frein et s'arc-bouta à l'arrière, calant ses pieds dans l'herbe, heureux que le sol fût sec et légèrement incliné vers le lac. Miriam se plaça de l'autre côté pour pousser avec lui. Pendant quelques secondes, inexplicablement, leurs efforts restèrent sans effet. Puis la voiture se mit doucement en branle.

« Quand je te le dirai, tu pousseras de toutes tes forces, ordonna-t-il. Il ne faut pas qu'elle pique du nez dans la boue juste au bord. »

Lorsque les roues avant eurent atteint la berge, il cria : « Vas-y ! » et tous deux donnèrent une violente poussée. Le bruit que fit la voiture en touchant la surface de l'eau éveilla tous les oiseaux de la forêt. En même temps que des cris, des appels jaillissaient de partout, l'air s'emplit de bruissements de feuilles et de branches. Le lac semblait s'être ridé d'un coup d'une rive à l'autre. Dégoulinants d'avoir été éclaboussés, Miriam et Theo, hors d'haleine, regardèrent la voiture osciller un instant, puis sombrer gentiment, presque paisiblement, jusqu'au moment où l'eau commença de s'engouffrer par les vitres ouvertes. Avant qu'elle n'eût complètement disparu, saisi d'une soudaine impulsion, Theo tira son journal de sa poche et le lança dans l'eau.

Et il connut alors un moment de pure horreur, comme on en vit dans les cauchemars, mais avec la certitude qu'il était éveillé. Tous trois étaient emprisonnés dans la voiture et sombraient avec elle. Tandis que l'eau le submergeait, il cherchait en vain à ouvrir la portière, retenant son souffle, se retenant d'appeler Julian, sachant que s'il ouvrait la bouche elle s'emplirait de boue. Derrière, Julian et Miriam se noyaient, et lui ne pouvait rien pour les aider. Le front couvert de sueur, il serra les poings et s'obligea à détourner les yeux du lac pour regarder le ciel, s'arrachant à l'horreur du fantasme pour retrouver l'horreur de la réalité. Auréolé de brume, le soleil était blanc, et les hautes branches des arbres se découpaient en noir sur son éblouissante lumière. Il ferma les yeux et attendit. L'horreur se dissipa et il put à nouveau regarder la surface du lac.

Il se tourna vers Julian et Miriam, s'attendant presque à voir sur leurs visages la panique que le sien avait dû exprimer. Mais elles regardaient tranquillement, avec un intérêt presque détaché, l'endroit où la voiture venait de disparaître, et vers lequel les feuilles flottant à la surface paraissaient maintenant se presser pour retrouver leur place. Leur calme le sidéra. Comment les femmes s'y prenaient-elles pour chasser toute angoisse de leur esprit et se fixer ainsi sur la réalité présente ?

Il dit d'une voix dure : « Luke. Vous n'avez jamais parlé de lui dans la voiture. Depuis qu'il est enterré, je ne vous ai pas entendues prononcer son nom. Est-ce qu'il vous arrive de penser à lui ? » La question sonnait comme une accusation.

Miriam le regarda sans broncher. « Nous pensons à lui autant que nous osons, dit-elle. Mais ce qui compte pour l'instant, c'est que la naissance de son enfant se passe bien. »

Julian s'approcha de lui, mit la main sur son bras, et, comme pour le consoler, elle expliqua : « Nous aurons tout le temps de pleurer Luke et Gascoigne, Theo. Tout le temps. »

Il se retourna. On ne voyait plus rien de la voiture. Il avait craint qu'il n'y ait pas assez de fond, que le toit dépasse de l'eau ou même reste visible sous la surface. Mais les feuilles avaient repris leur place, cachant tout ce qu'il y avait à cacher.

« Tu as pensé à prendre les couverts ? demanda Miriam.

— Non. J'ai pensé que tu l'avais fait.

— Ils étaient devant — je ne me suis pas occupée de ce qu'il y avait devant. Tant pis. De toute façon, nous n'avons plus rien à manger.

— Tant pis, oui. Mais il vaudrait mieux transporter jusqu'à ce hangar ce que nous avons sorti de la voiture. Il doit être à une centaine de mètres à droite, le long du sentier. »

Mon Dieu, implora-t-il, fais qu'il y soit, fais qu'il soit toujours là. C'était la première fois qu'il priait depuis quarante ans. Il n'y croyait guère, mais il avait un peu le sentiment que, dans le dénuement où ils se trouvaient, un espoir ainsi formulé pouvait transformer la réalité. Il chargea sur son épaule un des oreillers et les manteaux de pluie, puis saisit la bouilloire d'une main et la valise de l'autre. Julian mit elle aussi une couverture sur ses épaules, mais lorsqu'elle empoigna la casserole d'eau, Miriam la lui enleva des mains. « Si tu veux, prends cet oreiller, dit-elle. Je m'occupe du reste. »

Ainsi chargés, ils venaient de s'engager sur le sentier lorsqu'ils entendirent ferrailler un hélicoptère. Avec les branches qui s'entrecroisaient au-dessus de leurs têtes, ils ne risquaient pas d'être vus, mais, d'instinct, ils se portèrent sur le côté pour se dissimuler dans les fourrés, où ils attendirent sans bouger, et presque sans oser respirer, comme si le bruit de leur souffle pouvait parvenir jusqu'à cet objet menaçant où des oreilles les écoutaient en même temps que des yeux les épiaient. Le ferraillement devint assourdissant. L'appareil devait être immédiatement au-dessus d'eux. Puis il se mit à tourner en rond, aiguisant leur peur dès qu'il se rapprochait. Enfin, au bout de cinq minutes, comme ils n'entendaient plus qu'un lointain bourdonnement, ils purent espérer qu'il était parti pour de bon.

Julian hasarda : « Peut-être qu'ils ne nous cherchent pas. » Elle parlait dans un souffle, mais une douleur soudaine l'obligea à se plier en deux, et elle s'accrocha au bras de Miriam.

« Ça m'étonnerait que ce soit une sortie d'agrément, rétorqua celle-ci. Enfin, l'essentiel est qu'ils ne nous aient pas trouvés. » Puis, se tournant vers Theo, elle demanda : « Et ce hangar ?

— Il doit être à une cinquantaine de mètres — si je me souviens bien.

— Espérons-le ! »

Le sentier avait repris la largeur d'un chemin et leur marche était plus facile. Mais Theo, qui marchait un peu en arrière, se sentait accablé par un autre poids que celui de sa charge. Ses spéculations précédentes à propos de Rolf lui paraissaient maintenant d'un optimisme ridicule. Pourquoi aurait-il fallu qu'il aille jusqu'à Londres et se présente lui-même au Gouverneur ? Une cabine téléphonique était tout ce dont il avait besoin. Le numéro du Conseil était connu de tous les citoyens. Cette accessibilité apparente entrait dans ce que Xan appelait « politique d'ouverture ». Parler directement au Gouverneur était problématique, mais non impossible. En l'occurrence, l'appel aurait eu toutes les chances d'aboutir. Rolf aurait reçu pour consigne de rester caché et de ne parler à personne avant qu'on ne vienne le chercher, sans doute en hélicoptère. Qui sait ? Il y avait peut-être déjà plus de douze heures qu'il était avec eux.

Et les fugitifs ne seraient pas difficiles à trouver. Ce matin de bonne heure Xan aurait été informé du vol de la voiture et de la quantité d'essence que contenait le réservoir. Sachant ainsi quelle distance ils étaient susceptibles de parcourir, il n'aurait eu qu'à dessiner un cercle sur une carte pour délimiter le champ des recherches. Que ces recherches aient déjà commencé, Theo n'en doutait pas : l'hélicoptère en témoignait. Lorsque, du ciel, ils auraient repéré les maisons isolées, les voitures suspectes, ils viendraient à pied. Cependant, un espoir demeurait. Il se pouvait que le temps qui leur restait soit suffisant pour que l'enfant naisse comme le souhaitait sa mère, c'est-à-dire sans autres témoins que les deux êtres qu'elle aimait. Les recherches ne pourraient qu'être lentes ; sur ce point, il avait certainement raison. Xan voudrait éviter d'attirer l'attention publique avant d'être sûr que l'histoire de Rolf était vraie. Il n'utiliserait qu'un nombre d'hommes limité. Et rien ne l'assurait qu'ils se cachaient dans la forêt. Rolf lui aurait dit que telle était leur intention, mais ils pouvaient avoir changé d'avis ; ce n'était plus Rolf qui décidait.

Il s'accrochait à cet espoir, s'efforçant d'éprouver la confiance sans laquelle il ne pourrait être d'aucune aide à Julian, lorsqu'il entendit celle-ci s'exclamer : « Theo, regarde ! Est-ce que ce n'est pas une merveille ? »

Il s'approcha d'elle. Elle s'était arrêtée devant un buisson d'aubépine chargé de baies rouges. De son sommet cascadait l'écume blanche d'une clématite, légère comme un voile, et les baies brillaient à travers comme des pierres précieuses. Devant le visage extasié de Julian, il se dit : cette beauté que je ne fais que constater, elle, elle la ressent de tout son être. Puis, avisant plus loin un sureau, il eut l'impression de voir véritablement pour la première fois les délicates tiges rouges et les luisantes baies noires. C'était comme si, en un instant, la forêt sombre et menaçante où il ne pouvait s'empêcher de penser que chacun d'eux allait trouver la mort s'était transformée en un sanctuaire mystérieux et beau, qui sans doute ne se souciait pas d'eux, mais où rien de ce qui vivait ne pouvait lui être totalement étranger.

Mais la voix de Miriam l'arracha à ses réflexions. « Le hangar ! exultait-elle. Le hangar est bien là ! »

32

Le hangar était plus grand qu'il n'aurait cru. Alors qu'elle a coutume de magnifier, la mémoire avait ici rapetissé. Un moment, il se demanda même si cette baraque de dix mètres de large était bien le hangar dont il se souvenait. Puis il remarqua le bouleau qui poussait à droite de l'entrée. La dernière fois qu'il l'avait vu, l'arbre était encore tout petit, mais maintenant ses branches surplombaient le toit. Un toit qui, il le constata avec soulagement, tenait toujours le coup même si certaines planches étaient défoncées. Les côtés, eux, présentaient bien des manques, et le bâtiment dans son ensemble ne survivrait certainement pas à plus de quelques hivers. Un gros camion mangé de rouille gisait de guingois au milieu de la clairière à côté de l'une de ses roues, énormes, dont les pneus achevaient de pourrir. Tout le bois n'avait pas été enlevé lorsque avait cessé l'exploitation de la forêt, et quelques stères étaient encore debout près d'un arbre abattu dont le tronc dépouillé luisait comme de l'os parmi les éclats de bois et d'écorce qui jonchaient le sol.

Lentement, presque cérémonieusement, ils pénétrèrent à l'intérieur, regardant autour d'eux d'un œil anxieux, comme des locataires prenant possession d'une maison qu'ils ont louée sans la connaître.

« Au moins, dit Miriam, nous serons à l'abri. Et puis apparemment, il y a assez de bois sec pour faire du feu. »

Malgré les buissons et les arbres entourant le hangar, l'endroit n'était pas aussi bien protégé que Theo l'avait espéré. Sans doute n'était-il pas visible d'avion, mais un promeneur passant par là pouvait le repérer sans peine. Et il y avait à craindre un tout autre danger qu'un promeneur d'occasion. Si Xan donnait l'ordre de fouiller Wychwood, il suffirait de quelques heures pour qu'on découvrît leur repaire.

« Je ne sais pas si nous pourrons nous risquer à allumer un feu, dit-il. C'est très important ?

— De faire du feu ? Pas juste en ce moment, mais quand l'enfant sera né, bien sûr. Les nuits sont froides. Il faudra que l'enfant et la mère aient chaud.

— Alors on en fera. Mais pas avant la nuit. Avec la fumée, ils auraient vite fait de nous trouver. »

Le hangar donnait l'impression d'avoir été abandonné en hâte. Mais peut-être les ouvriers qui travaillaient là n'avaient-ils pas été avertis que l'entreprise fermait ses portes et pensaient-ils revenir le lendemain. En tout cas, il restait deux piles de planches et un tas de bois au fond du hangar, et, sur un tronc dressé faisant office de table, une vieille bouilloire et deux gobelets de métal. A cet endroit, le toit était en bon état, et une couche de copeaux et de sciure adoucissait le sol.

« Par ici, ça devrait aller », décréta Miriam.

Et tout de suite elle entreprit de réunir des

copeaux dans un coin, où, après avoir étendu les deux imperméables et mis un oreiller, elle aida Julian à se coucher. Celle-ci se tourna de côté, remonta les jambes et poussa un soupir de bien-être. Ayant placé sur elle une couverture et le manteau de Luke, Miriam alla aider Theo à ranger leurs biens : la bouilloire, la casserole d'eau restante, les serviettes pliées, les ciseaux et la bouteille de désinfectant — si peu de choses en fait que Theo n'avait nul besoin d'aide.

Elle retourne s'agenouiller près de Julian et la fit se coucher sur le dos. Puis elle dit à Theo : « Tu peux aller te promener un peu, si ça t'amuse. Pour l'instant, je n'ai pas besoin de toi. »

Se sentant une seconde rejeté sans raison, il sortit et s'assit sur le tronc. La paix de la clairière l'enveloppa. Il ferma les yeux et écouta. Au bout d'un moment, il lui sembla pouvoir entendre une myriade de bruits normalement inaudibles, le frôlement des feuilles contre les branches, le craquement des brindilles, le monde vivant de la forêt, secrète, industrieuse, indifférente à leur présence ou tout simplement inconsciente. Mais il n'entendait rien d'humain, aucun bruit de pas, de voiture ni d'hélicoptère. Il osa espérer que Xan avait éliminé Wychwood de leurs cachettes possibles, qu'ils allaient pouvoir respirer au moins quelques heures, le temps que l'enfant naisse. Et pour la première fois il comprit et admit le désir de Julian d'accoucher en secret. Pour inadéquat qu'il fût, ce refuge forestier valait certainement mieux que la seule autre solution possible : le lit stérile, la machinerie prévue pour tous les cas d'urgence imaginables, les obstétriciens tirés de leur retraite, masqués, gantés, se tenant les coudes pour parer aux éventuelles défaillances que pouvait présenter leur pratique après une interruption de vingt-cinq ans, mais espérant chacun avoir l'honneur de mettre au monde l'enfant miraculeux malgré l'effrayante responsabilité que cela impliquait ; et derrière eux, leurs acolytes, infirmières, sages-femmes, anesthésistes ; plus loin, mais dominant la scène, les caméras de télévision et leurs équipes ; et pour finir, Xan, attendant dans l'ombre le moment d'annoncer au monde la stupéfiante nouvelle...

Mais dans ce que redoutait Julian, il y avait plus que la suppression de l'intimité, la perte de la dignité personnelle. Pour elle, Xan incarnait le mal, et le mal avait un sens. Par-delà la puissance, le charme, l'humour, l'intelligence, son œil pénétrait jusqu'au cœur non du vide, mais des ténèbres. Quoi que l'avenir puisse réserver à son enfant, elle ne voulait pas de la présence du mal à sa naissance. Il comprenait cette volonté, ce désir obstiné ; dans la paix dont il se sentait enveloppé, ce choix lui semblait juste et raisonnable. Mais son obstination avait déjà coûté la vie à deux êtres, dont le père de l'enfant. Elle pouvait arguer que le bien sortirait du mal. Elle avait confiance dans la terrible justice divine, mais c'était son dernier recours. Elle n'était pas plus maîtresse de sa vie que des forces physiques qui, en ce moment même, opéraient dans son corps. Mais si le Dieu auquel elle croyait existait, pouvait-il être un Dieu d'amour ? Cette éternelle question, devenue si banale, n'avait jamais reçu de réponse qui l'eût satisfait.

A nouveau, il écouta la vie secrète de la forêt. Les bruits, décuplés par l'attention qu'il leur portait, paraissaient maintenant pleins de menace et de terreur. La menace du chasseur, la terreur de la proie, la lutte instinctive pour manger, pour survivre. Le monde physique entier était uni par la douleur, le cri dans la gorge et le cri dans le cœur. Si le Dieu de Julian était pour quelque chose dans ce supplice, alors c'était le Dieu des forts, pas celui des faibles. Sans aigreur ni tristesse, il mesura le gouffre qui, du point de vue de la foi, le séparait de Julian. Il ne pouvait pas le supprimer, mais il pouvait tendre les mains par-dessus le vide, où l'amour finirait peut-être par jeter un pont. Ils se connaissaient si peu, si mal. L'émotion qu'elle lui inspirait n'était pas du domaine de la raison. Elle était pour lui un mystère. Mais il éprouvait le besoin de la comprendre, d'en saisir la nature, d'analyser ce qu'il savait être au-delà de l'analyse. Certaines choses pourtant lui étaient devenues évidentes, et c'était peut-être tout ce qui comptait. Il ne voulait que le bien de Julian, qui passait désormais avant le sien. Se détacher d'elle lui était devenu impossible. Il était prêt à mourir pour qu'elle vive.

Le silence fut interrompu par une plainte suivie d'un cri aigu. Autrefois, il aurait ressenti de l'embarras, la crainte humiliante de ne pas être à la hauteur. Maintenant, conscient seulement de son besoin d'être avec elle, il se précipita dans le hangar. Paisiblement couchée sur le côté, elle lui sourit et lui tendit la main. Miriam était agenouillée près d'elle.

« Qu'est-ce que je peux faire ? demanda-t-il. Je voudrais rester. Vous voulez bien que je reste ? »

D'une voix aussi égale que si le cri ne s'était jamais produit, Julian répondit : « Bien sûr. Il faut que tu restes, voyons. Tu pourrais préparer le feu. Comme ça, il n'y aura plus qu'à l'allumer quand ce sera nécessaire. »

Il vit qu'elle avait le visage gonflé et le front couvert de sueur. Mais il admira son calme. Et il se réjouit d'avoir quelque chose à faire, une tâche à laquelle il puisse se donner sans avoir à craindre de se montrer incompétent. S'il trouvait des copeaux suffisamment secs, il pouvait espérer que le feu ne dégagerait pas trop de fumée. Il n'y avait pratiquement pas de vent, mais il fallait prévoir un emplacement où la fumée ne risque pas d'incommoder Julian. Le mieux serait un peu vers l'avant du hangar, là où le toit était défoncé, mais assez près quand même pour que la chaleur parvienne jusqu'à la mère et à l'enfant. Et puis il fallait prendre toutes les précautions nécessaires pour éviter que le feu ne se propage. Les pierres du mur en ruine feraient un excellent foyer. Il sortit pour en ramasser, choisissant avec soin leur taille et leur forme. L'idée lui vint aussi qu'avec quelques pierres plates il pourrait édifier une sorte de cheminée. De retour à l'intérieur, il s'appliqua à construire un foyer bien rond, y mit des copeaux et des branches, puis disposa des pierres sur le dessus en sorte que la fumée soit dirigée hors du hangar. Lorsqu'il eut terminé, il prit l'air satisfait d'un petit garçon, et quand Julian éclata de rire, il se mit à rire avec elle.

« Viens t'agenouiller à côté de Julian, dit Miriam. Tu lui tiendras la main. »

Au spasme suivant, elle s'agrippa si fort à lui qu'il sentit ses jointures craquer.

Voyant que la panique le guettait, Miriam le rassura. « Tout va bien. Elle s'en tire à merveille. Je ne peux pas faire d'examen interne. Ce serait risqué. Je n'ai pas de gants stériles et la poche des eaux s'est rompue. Mais au juger, le col de l'utérus est presque dilaté au maximum. La prochaine étape sera plus facile.

— Qu'est-ce que je peux faire ? demanda-t-il encore à Julian. Qu'est-ce que je peux faire pour toi ?

— Continue à me tenir la main, c'est tout. »

A genoux à côté des deux femmes, il s'émerveillait de l'assurance avec laquelle Miriam exerçait son art alors qu'elle était restée vingt-cinq ans sans le pratiquer. Ses mains brunes palpaient doucement le ventre de Julian et sa voix dispensait des encouragements. « C'est bien. Repose-toi, maintenant. Tu pousseras avec la prochaine vague. Surtout, ne résiste pas. Et souviens-toi de respirer comme il faut. Voilà, c'est bien. C'est bien, Julian. »

Quand la seconde phase du travail débuta, elle mit deux bûches en guise de cales contre les pieds de Julian et demanda à Theo d'aller se placer derrière elle pour la soutenir. Délicatement, Theo la souleva en passant les bras sous les siens et la tint serrée contre lui. Les yeux baissés sur son visage, il le voyait se déformer, rougir, devenir presque méconnaissable tandis qu'elle gémissait et se débattait dans ses bras, puis retrouver toute sa sérénité lorsque, la contraction passée, elle attendait un peu haletante que se manifeste la suivante, le regard fixé sur Miriam. A certains moments, elle avait un air si paisible qu'il aurait pu croire qu'elle dormait. Et leurs visages étaient si proches que c'était d'un même geste qu'il en essuyait parfois la sueur confondue. Cet acte primitif dont il était à la fois spectateur et participant les isolait tous trois dans un temps indéterminé où rien n'était réel hors de la mère et du pénible et mystérieux voyage qu'accomplissait pour la quitter l'enfant qui avait grandi dans son sein. Il avait conscience du murmure incessant de la voix de Miriam, calme mais insistante, prodiguant louanges et instructions, encourageant l'enfant à venir au monde, et il lui semblait qu'elle et la parturiente ne faisaient qu'une seule femme, et que, bien qu'invité à partager leurs peines, lui-même était comme exclu du mystère. Et, dans un soudain élan d'envie, il souhaita que ce fût son enfant dont la naissance exigeait tant d'efforts.

Bouche bée, il vit alors émerger la tête, boule huileuse plaquée de mèches noires. Et il entendit Miriam s'exclamer : « Il est couronné ! Arrête de pousser, Julian. Contente-toi de haleter maintenant. »

Haletant comme un athlète après la course, Julian émit un cri, un seul, et la tête fut projetée entre les mains de Miriam, qui la tourna doucement, juste avant que l'enfant, sur une dernière poussée, ne glisse tout entier dans un flot de sang entre les jambes de sa mère. Miriam le prit et le posa sur le ventre de Julian. Contrairement à ce que celle-ci avait imaginé, c'était un garçon. Son sexe, apparemment si dominant, si disproportionné par rapport au petit corps potelé, était comme une proclamation.

Miriam rabattit aussitôt sur lui le drap et la couverture de Julian, les emmaillotant tous les deux ensemble. Puis elle dit : « Te voilà avec un fils ! » et elle éclata de rire.

Il sembla à Theo que son rire emplissait de bonheur le hangar décrépit. Il regarda Julian : elle était transfigurée. Tant de joie lui fit presque mal. Il se détourna.

Cependant, Miriam disait : « Il va falloir que je coupe le cordon, et ensuite, il y aura le placenta. Theo, il vaudrait mieux que tu allumes le feu tout de suite pour faire bouillir de l'eau. Il faut que Julian boive quelque chose de chaud. »

Il s'accroupit devant le foyer qu'il avait préparé. Ses mains tremblaient, si bien qu'il cassa la première allumette. Mais la seconde enflamma les copeaux, et le feu ne tarda pas à crépiter, diffusant dans l'abri une odeur de fumée. Il ajouta des branches et des morceaux d'écorce puis se releva pour prendre la bouilloire. Elle était derrière lui. En reculant, il la bouscula du pied, et elle se renversa. Quand, horrifié, il prit conscience de ce qui s'était passé, il vit que le couvercle était parti et que le contenu s'était répandu sur le sol. Or ils avaient déjà vidé les deux casseroles. Il ne restait plus rien de leur précieuse eau.

Alertée par le bruit de sa chaussure heurtant le métal, Miriam, qui s'activait autour de l'enfant, demanda sans tourner la tête : « Qu'est-ce qui s'est passé ? C'était la bouilloire ?

— C'est affreux, répondit Theo d'une voix lamentable. Je l'ai renversée. Il n'y a plus d'eau. »

Se levant alors, Miriam s'approcha de lui et dit calmement : « De toute façon, on n'en aurait pas eu assez. Et puis il nous faut aussi à manger. Je vais rester auprès de Julian jusqu'à ce que je sois sûre que je peux la laisser sans risque. Ensuite, j'irai dans la maison devant laquelle nous sommes passés. Avec un peu de chance, l'eau sera toujours branchée, ou sinon, je trouverai peut-être un puits.

— Mais il faudra que tu traverses le champ. Ils vont te voir.

— Il faut que j'y aille, rétorqua-t-elle. On ne peut pas rester sans rien. C'est un risque à prendre. »

Elle était trop bonne. C'était d'eau surtout qu'ils avaient besoin, et s'il n'y en avait plus, c'était sa faute à lui.

Il protesta : « J'irai moi-même. Reste avec elle.

— Non, c'est toi qu'elle veut, dit Miriam. Maintenant que l'enfant est là, elle a besoin de toi plus que de moi. Il faut que je vérifie que le fond de l'utérus est bien contracté et que le placenta est complet. Quand ce sera fait, je pourrai la laisser sans crainte. Tu essaieras de faire téter le petit. Le plus vite il s'y mettra, le mieux ce sera. »

Manifestement, elle prenait plaisir à parler de son art, à prononcer ces mots qui, depuis tant d'années qu'ils ne servaient plus, étaient presque tombés dans l'oubli.

Vingt minutes après, elle était prête à partir. Elle avait enterré le placenta, et, s'étant tant bien que mal débarbouillé les mains en les frottant dans l'herbe, elle les posa une dernière fois sur le ventre de Julian.

« Je me laverai en passant près du lac, dit-elle. Si j'étais certaine qu'il m'offre un bain chaud et un bon repas avant de me liquider, je pourrais affronter ton cousin en toute sérénité. Bon. Il vaut mieux que je prenne la bouilloire. A tout de suite. Je ferai aussi vite que possible. »

Sans réfléchir, il lui entoura les épaules d'un bras et la serra un instant contre lui. « Merci, dit-il. Merci. » Puis il la libéra et la regarda traverser la clairière à longues et gracieuses enjambées avant de disparaître sous le couvert des arbres.

33

Le bébé s'était mis à téter sans qu'il soit besoin de l'encourager. C'était un enfant bien vivant, qui fixait Theo de ses grands yeux vagues, agitait des mains en étoiles de mer, donnait des coups de tête contre la poitrine de sa mère, cherchait son sein d'une bouche avide. Tant de vigueur chez un être tout neuf paraissait extraordinaire. Mais une fois repu, il s'était aussitôt endormi. Et Theo s'était couché à côté de Julian, dont les cheveux collés par la sueur lui effleuraient la joue. Ils étaient étendus côte à côte sur un drap souillé, dans une puanteur de sang, de transpiration et de fèces, mais jamais il n'avait connu une telle paix, jamais il n'aurait cru possible un mélange si doux de souffrance et de joie. Dans le demi-sommeil où il s'était laissé aller, il sentait, oubliant les autres, l'odeur que dégageait la chair chaude de l'enfant, cette délicieuse odeur de nouveau-né, sèche et un peu piquante, rappelant celle du foin.

Puis Julian remua et dit : « Il y a combien de temps que Miriam est partie ? »

Il ramena son poignet devant son visage. « A peine plus d'une heure.

— Elle devrait être de retour. Va la chercher, Theo.

— Mais il ne nous fallait pas que de l'eau. Si elle a trouvé la maison pleine, elle aura décidé de ramener d'autres choses.

— Pour l'instant, il ne nous en faut pas tellement. Si la maison est pleine, on peut toujours y retourner. Va voir, je t'en prie. Je suis sûre qu'il est arrivé quelque chose. » Et comme il hésitait, elle ajouta : « Ne t'inquiète pas pour nous. Tout ira bien. »

Emu par l'emploi du pluriel comme par ce qu'il vit dans les yeux de Julian lorsqu'elle les tourna vers son fils, il protesta : « Mais ils sont peut-être tout près maintenant. Je ne veux pas vous laisser seuls. Je veux que nous soyons ensemble lorsque Xan arrivera.

— Nous le serons, ne t'en fais pas. Mais Miriam a peut-être besoin d'aide. Qui sait ce qui s'est passé ? Elle a pu tomber, se blesser. Va voir, mon chéri, je t'en prie. Il faut que je sache. »

Résigné, Theo se leva. « C'est bon, dit-il. J'y vais. »

Il resta quelques secondes devant le hangar à tendre l'oreille. Il ferma les yeux aux couleurs de l'automne, aux rayons de soleil jouant sur l'écorce et sur l'herbe, de manière à mettre tous ses sens au service de l'ouïe. Mais il n'entendit rien, pas un cri d'oiseau, pas un battement d'ailes. Il partit alors en courant à travers la clairière, contourna le lac, remonta le tunnel de verdure dans la direction du croisement, franchissant d'un bond les nids-de-poule, trébuchant parfois sur le bord d'une ornière, baissant la tête ou faisant un écart pour éviter les branches. Son esprit était partagé entre la peur et l'espoir. C'était de la folie d'avoir laissé Julian. Si la PS était dans les parages et avait capturé Miriam, elle se ferait prendre à son tour sans qu'il puisse rien pour elle et son enfant. Il aurait mieux valu rester, attendre avec elle le retour de Miriam, et, si Miriam ne revenait pas, être là du moins pour accueillir leurs poursuivants.

Dans son besoin de se rassurer, il se disait pourtant que tout était possible. C'est vrai, Miriam avait peut-être eu un accident. Une marche branlante ou un plancher pourri avait pu provoquer une chute. Si elle se trouvait dans l'impossibilité de marcher, que pouvait-elle faire sinon attendre qu'on lui porte secours ? Et puis une heure était bien peu de temps. Si elle avait eu à choisir entre toutes sortes de provisions, à calculer ce qu'elle pourrait emporter, à décider ce qu'il convenait de prendre maintenant et ce qui pouvait attendre, soixante minutes auraient passé pour elle infiniment plus vite que pour ceux qui guettaient son retour.

Cependant, il avait atteint le croisement et le toit de la maison était maintenant visible à travers les buissons. Il s'arrêta quelques secondes pour reprendre son souffle, plié en deux, les mains sur les genoux, espérant qu'allait s'apaiser le point qu'il sentait au côté. Puis, prenant droit à travers les fourrés, il gagna la lisière du bois, où il s'arrêta de nouveau, cette fois pour étudier le terrain. Il n'y avait pas trace de Miriam. Déçu, plus que jamais conscient de sa vulnérabilité, il se risqua enfin à découvert, avançant prudemment en direction de la maison. C'était une vieille bâtisse au toit moussu, avec de hautes cheminées élisabéthaines — sans doute une ancienne ferme. Un mur bas la séparait du champ, et son jardin en friche était coupé en deux par un ruisseau que, plus haut, un petit pont de bois permettait de franchir pour gagner l'entrée. Les étroites fenêtres n'avaient pas de rideaux. Tout était silencieux. Theo avait l'impression d'avoir sous les yeux un mirage, un symbole de sécurité, de normalité et de paix, qui, s'il le touchait, pourrait disparaître d'un coup. Dans l'absolu silence qui régnait par ailleurs, il lui semblait que le ruisseau grondait comme un torrent.

La porte d'entrée était entrebâillée. Lorsqu'il la poussa, le soleil automnal tomba sur le dallage d'un long couloir menant sur le devant de la maison. Il s'arrêta une fois encore pour écouter. Rien, pas même le tic-tac d'une pendule. A gauche, une porte de chêne devait donner accès à la cuisine. Il l'ouvrit. La pièce était sombre, et il lui fallut un moment avant que ses yeux s'habituent au demi-jour qui, sous les poutres noircies du plafond, filtrait à travers les petites fenêtres encrassées. Dans l'humidité glacée qui imprégnait les lieux flottait une odeur nauséeuse, comme une odeur de peur. Il chercha d'instinct un interrupteur, sans vraiment espérer qu'il y aurait encore de l'électricité. Mais la lumière se fit, et alors il la vit.

Elle avait été garrottée, et l'on avait abandonné

son corps sur un fauteuil d'osier, à côté de la cheminée. Elle gisait là les bras ballants, jambes écartées, la tête rejetée en arrière. La corde avec laquelle on l'avait étranglée était si profondément incrustée dans la chair qu'on la voyait à peine. Saisi d'horreur, il se dirigea d'un pas incertain vers l'évier de pierre placé sous la fenêtre et vomit violemment. Il lui fallait aller vers elle, lui fermer les yeux, lui toucher la main, faire un geste. Il lui devait bien ça. Mais il s'en sentait incapable, du moins pour l'instant. Le front contre la pierre, il tâtonna à la recherche du robinet et fit couler l'eau sur son crâne, comme si le flot glacé allait pouvoir le débarrasser de sa peur, de sa pitié et de sa honte. Il aurait pu hurler, hurler de peine et de colère. Durant de longues secondes, il resta sans bouger, paralysé par les émotions dont il était la proie. Puis il ferma le robinet, s'essuya les yeux, s'obligea à reprendre pied dans le réel. Il devait retourner vers Julian aussi vite que possible. Sur la table, un panier contenait le maigre butin que Miriam avait réuni : trois boîtes de conserve, un ouvre-boîtes et une bouteille d'eau.

Mais il ne pouvait pas laisser Miriam ainsi. La dernière image qu'il garderait d'elle serait insupportable. Malgré l'urgence de rejoindre Julian et l'enfant, il lui devait un semblant de cérémonie. Luttant contre sa répulsion, il alla jusqu'au fauteuil et se força à regarder. Puis il se baissa pour ôter la corde qui enserrait son cou, caressa tendrement son visage et lui ferma les yeux. Enfin, se sentant incapable de la laisser dans ce sinistre endroit, il la prit dans ses bras, sortit de la maison et déposa son corps sous un sorbier. Son feuillage flamboyant donnait au brun clair de sa peau le même éclat que si le sang eut continué à y circuler. Le visage s'était détendu et paraissait presque serein. Il lui croisa les bras sur la poitrine. Et sa chair, tandis qu'il la touchait, semblait lui dire que la mort n'était pas la pire chose qui pouvait arriver à l'homme, qu'elle était demeurée fidèle à son frère, qu'elle avait fait ce qu'elle avait à faire. Elle était morte, mais une nouvelle vie était née. Songeant à la cruauté de sa mort, il se dit que, pour Julian, il fallait sans doute savoir pardonner même une telle barbarie. Mais lui en était incapable, et, planté devant le corps de Miriam, il se jura de la venger. Puis il ramassa le panier, et, sans un regard en arrière, partit en courant en direction de la forêt.

Ils étaient tout proches. Ils devaient l'épier. Il le sentait. Mais à présent, comme si l'horreur l'avait galvanisé, il avait l'esprit clair. Qu'attendaient-ils ? Pourquoi ne s'étaient-ils pas encore emparés de lui ? Pour le suivre jusqu'à Julian ? Mais ce n'était pas nécessaire ; parvenus aussi près du but, ils n'avaient pas besoin de lui pour la trouver. Deux choses lui paraissaient certaines : la patrouille des chercheurs était peu nombreuse, et Xan l'accompagnait. Ceux qui avaient assassiné Miriam faisaient sans doute partie d'une équipe qui, chargée de découvrir les fugitifs, avait reçu pour instructions de signaler l'endroit où ils se cachaient mais sans s'en approcher. Jamais Xan ne prendrait le risque qu'une femme enceinte soit découverte hors de sa présence. L'enjeu était trop grand. Et Miriam n'aurait pas parlé, il le savait. Ce que Xan s'attendait à trouver, ce n'était pas une mère et son enfant, mais une femme qui, si vraiment elle était enceinte, n'accoucherait pas avant quelques semaines. Il ne voudrait pas l'effrayer et déclencher une naissance prématurée. C'était peut-être pour cette raison que, plutôt que de la tuer d'une balle, on avait étranglé Miriam. Même à cette distance, on avait préféré éviter le bruit d'un coup de feu.

Mais ce raisonnement était absurde. Si Xan tenait tant à protéger Julian, pourquoi avoir tué, et de façon atroce, la sage-femme qui avait sa confiance ? Il devait bien se douter qu'ils se mettraient à sa recherche. Le spectacle effroyable qui l'attendait dans la cuisine, Julian aurait pu le découvrir tout aussi bien que lui. Xan s'était-il persuadé que, dans l'état de grossesse avancé où se trouvait la future mère, aucun choc ne pouvait plus mettre en péril la vie de l'enfant à naître ? Avait-il éprouvé le besoin, même si risque il y avait, de se débarrasser de Miriam sur-le-champ ? Pourquoi en faire une prisonnière, avec les complications que cela impliquait, alors qu'un tour de corde pouvait régler le problème ? Cette horreur, il l'avait peut-être voulue, comme pour proclamer : « Voilà ce que j'ai fait. Voilà ce dont je suis capable. Des Cinq Poissons, vous n'êtes plus que deux, deux à savoir qui sont les parents de l'enfant, et je vous tiens à ma merci. »

Oui, il pouvait s'être mis en tête de les tuer tous deux après la naissance de l'enfant, et de faire ensuite passer celui-ci pour sien. Lui qui disait : « Tout ce qu'il faudra faire, je le ferai » devait être capable d'envisager un tel projet comme s'il s'agissait d'une nécessité politique...

Quand Theo arriva au hangar, Julian était si tranquille qu'il la crut endormie. Mais elle avait les yeux ouverts et les tenait toujours fixés sur son enfant. Une douce odeur de fumée emplissait l'abri, mais le feu était éteint. Theo déposa son panier, prit la bouteille d'eau et s'agenouilla à côté de Julian.

Tournant les yeux vers lui, elle dit : « Miriam est morte, n'est-ce pas ? » Et, comme Theo ne répondait pas, elle ajouta : « Elle est morte en allant me chercher à boire. »

Theo lui tendit la bouteille. « Alors bois, et sois reconnaissante. »

Mais elle détourna la tête, lâchant le bébé qui, si Theo ne l'avait rattrapé, aurait roulé à côté d'elle. Elle semblait assommée de chagrin. Des larmes s'étaient mises à couler sur son visage, et elle poussait tout bas une plainte presque musicale, la mélopée funèbre de la douleur universelle. Elle pleurait Miriam comme jamais elle n'avait pleuré le père de son enfant.

Il se pencha pour la prendre dans ses bras, gêné par le bébé qui se trouvait entre eux, s'efforçant de les englober tous deux dans son étreinte. « Pense au petit, dit-il. Il a besoin de toi. Pense à ce qu'aurait voulu Miriam. »

Elle hocha la tête sans parler et lui reprit l'enfant. Puis elle se mit à boire.

De son côté, Theo sortit les trois boîtes du panier. L'une avait perdu son étiquette ; elle était lourde, mais rien ne permettait de deviner son contenu. La deuxième était étiquetée PÊCHES AU SIROP. La troisième était une boîte de haricots à la tomate. Voilà pourquoi Miriam était morte. Non, c'était trop simple. Miriam était morte parce qu'elle savait la vérité à propos de l'enfant.

L'ouvre-boîtes était d'un modèle ancien, émoussé et rouillé. Mais il fonctionnait. Une fois qu'il eut ouvert la boîte de haricots, Theo passa son bras droit sous la tête de Julian et entreprit de la faire manger, portant à sa bouche la nourriture qu'il pêchait dans la boîte avec les doigts de la main gauche. La nourrir ainsi était un acte d'amour. Tous deux le savaient et tous deux se taisaient.

Au bout de cinq minutes, la boîte étant à moitié vide, Julian dit : « A toi, maintenant.

— Je n'ai pas faim.

— Bien sûr que tu as faim. »

Et comme elle avait les mains plus petites que les siennes dont les doigts ne pouvaient atteindre le fond de la boîte, elle prit celle-ci d'autorité afin de le nourrir à son tour comme il l'avait nourrie.

« C'est bon », murmura-t-il.

La boîte finie, elle se recoucha, serrant le bébé sur son sein. Il s'étendit à côté d'elle.

Elle poussa alors un petit soupir et demanda : « Miriam, comment est-ce qu'elle est morte ? »

Il s'attendait à cette question. Il n'avait pas le droit de lui mentir. « Ils l'ont étranglée, dit-il. Ça a dû être très rapide. Elle ne les a peut-être même pas vus. Je ne pense pas qu'elle ait eu le temps d'avoir peur ni de souffrir.

— Ça n'a peut-être duré que quelques secondes, rétorqua-t-elle. Mais comment savoir ce qu'elle a ressenti pendant ce temps ? Je pense qu'on peut vivre toute une vie de souffrance et de peur en quelques secondes.

— Peut-être. Mais c'est fini pour elle, maintenant. Ils ne peuvent plus l'atteindre. Comme Gascoigne et comme Luke, elle est hors d'atteinte du Conseil. Et pour la tyrannie, chaque victime qui meurt est une petite défaite.

— Comme consolation, c'est un peu facile », protesta-t-elle. Puis, après un silence, elle demanda encore : « Tu crois qu'ils vont tenter de nous séparer ?

— Rien ni personne ne nous séparera. Ni la vie, ni la mort, ni aucune puissance. Rien de ce qui est aux cieux ni rien de ce qui est sur la terre. »

Elle lui caressa la joue. « Mon amour, tu dis des choses dont tu ne sais rien. Mais ça me fait du bien de t'entendre. » Elle se tut un moment, puis elle soupira : « Qu'est-ce qu'ils attendent ? » Mais sa question ne trahissait aucune angoisse.

Theo ne répondit rien. Il lui prit simplement la main, cette main difforme qui l'avait d'abord repoussé, y posa les lèvres et, la gardant dans la sienne, demeura étendu sans bouger à côté de Julian, conscient de l'odeur de fumée, de sciure, conscient du rectangle de lumière que dessinait le soleil à l'entrée de l'abri, conscient des battements de leurs deux cœurs dans le silence, que ne troublait aucun chant d'oiseau, aucun souffle de vent. Ils communiaient dans ce silence sans plus éprouver la moindre inquiétude. Etait-ce là ce que ressentaient les suppliciés quand, miraculeusement, ils basculaient d'un paroxysme de douleur dans une paix absolue ? Il pensait : j'ai rempli ma mission. L'enfant est né comme elle le désirait. Personne ne pourra jamais nous enlever cet instant que nous partageons.

Cependant, Julian se redressa soudain. « Ils sont là, Julian. Ils arrivent. »

Lui n'avait rien entendu, mais il se leva aussitôt. « Attends. Ne bouge pas. »

Tournant le dos pour qu'elle ne puisse pas voir, il prit le revolver dans sa poche intérieure et y mit la balle. Puis il sortit à leur rencontre.

Xan était seul. Avec sa chemise ouverte, son gros pull et son vieux pantalon de velours, il avait un peu l'air d'un bûcheron. Mais sous son tricot, on devinait l'étui d'un revolver. Un bûcheron n'aurait pas porté d'arme. Un bûcheron n'aurait pas eu non plus cette expression hautaine que donne la conscience d'un pouvoir absolu. A sa main gauche brillait l'anneau nuptial de l'Angleterre.

« C'est donc vrai, fit-il.

— C'est vrai, oui.

— Où est-elle ? »

Theo ne répondit pas.

« Tu n'as pas besoin de me le dire, reprit Xan. Je sais où elle est. Mais comment va-t-elle ?

— Elle va bien. Elle dort. Elle en a bien besoin. »

Xan poussa un soupir de soulagement et s'ébroua comme un nageur qui sort de l'eau. Puis, ayant repris son souffle, il dit d'une voix calme. « Je ne suis pas pressé de la voir. Je ne veux pas l'effrayer. Je suis venu avec une ambulance, un hélicoptère, des médecins, des sages-femmes. L'enfant naîtra dans les meilleures conditions possibles. La mère sera traitée comme le miracle qu'elle représente ; il faut qu'elle le sache. Si elle te fait confiance, explique-le-lui toi-même. Rassure-la, calme-la, fais-lui comprendre qu'elle n'a rien à craindre.

— Elle a tout à craindre. Où est Rolf ?

— Il est mort.

— Et Gascoigne ?

— Il est mort aussi.

— J'ai vu le corps de Miriam. De ceux qui savent la vérité à propos de l'enfant, plus personne n'est vivant. Tu les as tous liquidés.

— Sauf toi, rétorqua Xan sans se démonter. Je n'ai pas l'intention de te tuer. Je n'ai pas envie de te tuer. J'ai besoin de toi. Mais il faut que je te parle avant de la voir. Il faut que je sache dans quelle mesure je peux compter sur toi. Tu peux m'aider avec elle. Tu peux m'aider dans ce que j'ai à faire.

— Qu'est-ce que tu as à faire ?

— Tu ne vois pas ? Si c'est un garçon et qu'il est fécond, il deviendra le père d'une nouvelle race. S'il produit du sperme, du sperme fécond, lorsqu'il aura treize ans — il peut même en avoir à douze — nos femmes Omégas n'en auront que trente-huit. Elles pourront procréer, et d'autres femmes aussi parmi celles que nous avons sélectionnées. Et puis sa mère pourra avoir d'autres enfants.

— Le père de celui-ci est mort.

— Je sais. Rolf nous a tout dit. Mais s'il y avait un homme fécond, il peut y en avoir d'autres. Nous redoublerons de rigueur avec les examens. Nous nous sommes relâchés. Maintenant, tous les hommes y passeront, qu'ils soient épileptiques ou contrefaits. Et puis si l'enfant est mâle, il deviendra notre plus grand espoir. L'espoir du monde.

— Et Julian ? »

Xan rit. « Je vais probablement l'épouser. En tout cas, on s'occupera d'elle. Va la rejoindre, maintenant. Réveille-la. Dis-lui que je suis ici, mais seul. Rassure-la. Dis-lui que tu m'aideras à prendre soin d'elle. Bon Dieu, Theo, est-ce que tu comprends quelle puissance est entre nos mains ? Reviens au Conseil. Sois mon lieutenant. Tu auras tout ce que tu voudras.

— Non. »

Il y eut un silence, puis Xan demanda : « Tu te souviens du pont de Woolcombe ? » Ce n'était pas un appel sentimental à la loyauté d'autrefois, aux liens du sang ; ce n'était pas non plus un rappel des largesses dont Theo avait profité. Simplement, Xan se souvenait, et dans le plaisir qu'il avait à se souvenir, il souriait.

Theo répondit : « Je me rappelle tout ce qui s'est passé à Woolcombe.

— Je n'ai pas envie de te tuer.

— Il faudra pourtant que tu le fasses. Il faudra peut-être que tu la tues, elle aussi. »

Il sortit son revolver.

Xan rit. « Je sais qu'il n'est pas chargé. Tu l'as dit aux vieux, tu te souviens ? S'il avait été chargé, tu n'aurais pas laissé partir Rolf.

— Tu penses que, pour l'empêcher de partir, je l'aurais abattu sous les yeux de sa femme ?

— Sa femme ! Je n'ai pas l'impression qu'elle tenait tant à lui. Ça ne correspond pas au tableau qu'il nous a si aimablement brossé avant de mourir. Tu n'es pourtant pas amoureux d'elle ? Ne l'idéalise pas, Theo. Elle est peut-être la femme la plus importante du monde, mais ce n'est pas la Sainte Vierge. L'enfant qu'elle porte sera toujours l'enfant d'une putain. »

Leurs yeux se rencontrèrent. Qu'est-ce qu'il attend ? se demanda Theo. Découvre-t-il qu'il est incapable de me tuer de sang-froid comme moi je me sens incapable de le tuer ? Quelques secondes passèrent, interminables. Puis Xan brandit son arme et visa. Et à ce même instant, l'enfant poussa un vagissement, un cri qui ressemblait à un cri de protestation. Theo entendit siffler la balle de Xan, qui, sans l'atteindre, traversa la manche de son pardessus. Dans cette fraction de seconde, il enregistra sans le voir consciemment ce dont il garderait pourtant un souvenir très net : le visage de Xan transfiguré de joie tandis qu'il lançait un cri de triomphe, un cri semblable à celui du pont de Woolcombe. Et c'est avec ce cri-là dans l'oreille qu'il pressa à son tour sur la détente.

Après les deux coups de feu se fit un grand silence. Quand Miriam et lui avaient poussé la voiture dans le lac, la forêt s'était brusquement animée d'une cacophonie de cris sauvages, d'une agitation d'ailes, de feuilles et de branches, d'un remue-ménage qui ne s'était calmé qu'avec la disparition de la dernière ride à la surface de l'eau. Ici, rien ne se produisit. Et lorsque Theo s'avança vers le corps de Xan, il lui sembla être comme un acteur dans une séquence de film au ralenti, les bras en suspens, les pieds haut levés, touchant à peine le sol, progressant indéfiniment vers un lieu que le temps arrêté rendait inaccessible. Puis, comme sous l'effet d'un choc, la réalité reprit soudain ses droits, et en même temps que des mouvements rapides de son corps, il fut à nouveau conscient de tout ce qui bougeait autour de lui, de l'herbe qu'il foulait, de l'air qu'il respirait, et conscient surtout de Xan, qui, lui, gisait immobile à ses pieds. Il était couché sur le dos, les bras en croix, comme s'il prenait ses aises. Avec son visage paisible, dénué d'expression, il avait l'air de simuler la mort. Mais lorsqu'il se mit à genoux, Theo vit que ses yeux avaient la matité de deux galets abandonnés sur une grève dont la mer s'était retirée pour toujours. Il enleva l'anneau du doigt de Xan, puis il se releva et attendit.

Ils arrivèrent sans se presser, sortant de la forêt : Carl Inglebach en tête, Martin Woolvington ensuite, et enfin les deux femmes, suivies à bonne distance par six Grenadiers. Parvenus à deux mètres du corps, ils s'arrêtèrent. Tenant l'anneau, Theo le passa alors ostensiblement à son doigt et leur présenta le dos de sa main.

« Le Gouverneur est mort et l'enfant est né, dit-il. Ecoutez. »

Le vagissement avait repris, à la fois pitoyable et impérieux. Ils se dirigèrent aussitôt vers le hangar à bois, mais Theo leur barra le passage. « Attendez. Il faut d'abord que je demande à la mère. »

A l'intérieur, Julian était assise, toute droite, l'enfant collé contre son sein. Lorsqu'elle vit Theo, elle s'illumina, posa l'enfant sur ses genoux et lui tendit les bras.

« Si tu savais comme j'ai eu peur, dit-elle d'une voix étranglée. Après ces deux coups de feu, j'ai cru que je ne te reverrais jamais. »

Il s'approcha d'elle et la prit dans ses bras. « Le Gouverneur est mort, annonça-t-il. Les membres du Conseil sont là. Tu veux bien les voir, leur montrer l'enfant ?

— Un instant, pas plus. Mais, dis-moi, qu'est-ce qui va se passer, maintenant ? »

La peur l'avait momentanément vidée de son courage et de sa force, et, pour la première fois depuis l'accouchement, il la vit effrayée, vulnérable.

Les lèvres dans ses cheveux, il murmura : « On va t'emmener à l'hôpital. Dans un endroit où on s'occupera de toi. Dans un endroit où tu seras tranquille. Je ne laisserai personne te déranger. Le peu de temps que tu y resteras, je serai avec toi. Je ne te laisserai jamais. Quoi qu'il advienne, nous serons ensemble. »

Puis, la sentant plus calme, il ressortit. Les autres l'attendaient en demi-cercle, et leurs yeux se fixèrent aussitôt sur lui.

« Vous pouvez venir maintenant. Non, pas les Grenadiers. Seulement le Conseil. Elle est fatiguée. Elle a besoin de repos. »

Woolvington dit : « Une ambulance attend un peu plus loin. Rien n'est plus facile que de la transporter jusque-là. Et puis il y a aussi un hélicoptère à deux pas du village...

— Non, l'hélicoptère est trop risqué, décréta Theo. Faites venir les brancardiers. Et qu'on enlève le corps du Gouverneur. Je ne veux pas qu'elle le voie. »

Et comme deux Grenadiers, pressés d'exécuter son ordre, soulevaient le corps sans ménagement, il s'irrita : « Un peu de respect, voyons ! Souvenez-vous qu'il y a quelques minutes à peine vous n'auriez pas osé le toucher ! »

Puis il fit demi-tour et conduisit dans le hangar les membres du Conseil. Ils entrèrent d'un pas hésitant, presque comme à regret. Woolvington, qui fermait la marche, n'essaya pas d'approcher Julian mais resta planté à l'entrée comme une sentinelle. Les deux femmes, elles, s'agenouillèrent, mais moins pour marquer leur respect, semblait-il, que pour être tout près de l'enfant. En réponse au regard suppliant qu'elles levaient vers elle, Julian leur tendit l'enfant en souriant, et elles, partagées entre le rire et les larmes, avancèrent timidement la main pour lui toucher la tête, les joues, les bras. Et quand, Harriet lui ayant présenté un doigt, le bébé le serra avec une vigueur surprenante, Julian se tourna vers Theo et expliqua : « D'après Miriam, les nouveau-nés ont cette faculté de serrer, mais ça ne dure pas longtemps. »

Les femmes ne disaient rien. Elles riaient, pleuraient, bêtifiaient pour manifester à l'enfant le plaisir qu'elles avaient à le voir. Cependant, Theo tourna les yeux vers Carl, étonné qu'il ait eu la force de faire le voyage et que, maintenant, il ait encore celle de rester debout. Voyant qu'il le regardait, Carl désigna l'enfant d'un geste du menton et prononça son *nunc dimittis*. « Tout recommence, je peux partir tranquille. »

Tout recommence, oui, se dit Theo, la jalousie, la traîtrise, la violence, le meurtre, cet anneau à mon doigt. Il regarda le grand saphir ceint de diamants, la croix de rubis, et, conscient de son poids, fit tourner la bague autour de son doigt. Il l'avait mise instinctivement et pourtant délibérément, dans un geste qui devait affirmer son autorité et assurer sa protection. Il savait que les Grenadiers seraient armés. A la vue de cet éloquent symbole, ils hésiteraient, ils lui laisseraient le temps de parler. Mais maintenant, fallait-il qu'il la garde ? Il avait à sa portée le pouvoir de Xan. Carl mort, le Conseil serait sans chef. Pour un temps du moins, il lui faudrait remplacer Xan. Il y avait des maux à soigner, mais qui devraient attendre leur heure. Tout ne pouvait être fait tout de suite ; des priorités s'imposaient. Etait-ce l'expérience que Xan avait faite ? Et cette soudaine griserie de puissance, était-ce ce qu'avait connu Xan tous les jours de sa vie ? Le sentiment que tout était possible, que ce qu'il voulait serait fait, que ce qu'il détestait serait aboli, que le monde pouvait être modelé selon sa volonté ? Il retira l'anneau de son doigt, réfléchit puis le remit. Le moment viendrait plus tard de décider s'il convenait de le garder, et combien de temps.

« Maintenant, laissez-nous », dit-il. Et il tendit la main aux femmes pour les aider à se relever. Les membres du Conseil sortirent aussi discrètement qu'ils étaient entrés.

Julian le regarda, et, pour la première fois, elle remarqua la bague. « Elle n'est pas faite pour toi », dit-elle.

L'espace d'une seconde, pas plus, il sentit quelque chose comme de l'irritation. C'était à lui de décider ce qu'il allait en faire. Il répliqua : « Pour l'instant, elle est utile. Je l'enlèverai en temps voulu. »

Cette réponse parut la satisfaire. Peut-être Theo n'avait-il fait qu'imaginer l'ombre qu'il avait cru voir dans ses yeux.

Elle sourit et dit : « Baptise l'enfant pour moi. Maintenant, pendant que nous sommes seuls. C'est ce que Luke aurait voulu. C'est ce que je désire.

— Comment veux-tu l'appeler ?

— Je voudrais qu'il porte le nom de son père et le tien.

— Je vais d'abord t'installer plus confortablement. »

Entre ses jambes, la serviette était toute tachée. Il la retira sans dégoût, presque sans penser, et la remplaça par une autre. La bouteille ne contenait plus que très peu d'eau mais c'était à peine s'il en avait besoin. Ses larmes tombaient maintenant sur le front de l'enfant. Au fond de sa mémoire, il retrouva le souvenir du rite. L'eau devait couler, certaines paroles devaient être prononcées. D'un pouce où le sang de Julian se mêlait à ses propres larmes, il traça sur le front de l'enfant le signe de la croix.

Table

Le Livre de Poche / Thrillers

Extrait du catalogue

Adler *Warren*
La Guerre des Rose

Attinelli *Lucio*
Ouverture sicilienne

Bar-Zohar *Michel*
Enigma

Benchley *Peter*
Les Dents de la mer

Breton *Thierry*
Vatican III

Breton *Thierry* et **Beneich** *Denis*
Softwar « La Guerre douce »

Camp *Jonathan*
Trajectoire de fou

Carré *John le*
Comme un collégien
La Petite Fille au tambour

Clancy *Tom*
Octobre rouge
Tempête rouge
Jeux de guerre
Le Cardinal du Kremlin
Danger immédiat
Somme de toutes les peurs

Coatmeur *Jean-François*
Yesterday
Narcose
La Danse des masques

Cook *Robin*
Vertiges
Fièvre
Manipulations
Virus
Danger mortel
Syncopes
Sphinx
Avec intention de nuire

Cooney *Caroline B.*
Une femme traquée

Coonts *Stephen*
Le Vol de l'Intruder
Dernier Vol
Le Minotaure

Corbin *Hubert*
Week-end sauvage

Cornwell *Patricia*
Mémoires mortes
Et il ne restera que poussière

Crichton *Michael*
Sphère

Cruz Smith *Martin*
Gorky Park
L'Étoile Polaire

Curtis *Jack*
Le Parlement des corbeaux

Cussler *Clive*
L'Incroyable Secret
Panique à la Maison Blanche
Cyclope
Trésor
Dragon

Daley *Robert*
L'Année du Dragon
La Nuit tombe sur Manhattan
L'Homme au revolver
Le Prince de New York
Le Piège de Bogota

Deighton *Len*
Prélude pour un espion
Fantaisie pour un espion

Devon *Gary*
Désirs inavouables

Dibdin *Michael*
Coups tordus

Dickinson *William*
Mrs. Clark et les enfants du diable
De l'autre côté de la nuit
(Mrs. Clark à Las Vegas)

Dunne *Dominick*
Une femme encombrante

Erdmann *Paul*
La Panique de 89

Fast *Howard*
La Confession de Joe Cullen

Feinmann *José Pablo*
Les Derniers jours de la victime

Fielding *Joy*
Qu'est-ce qui fait courir Jane ?

Follett *Ken*
L'Arme à l'œil

Triangle
Le Code Rebecca
Les Lions du Panshir
L'Homme de Saint-Pétersbourg

Forsyth *Frederick*
Le Quatrième Protocole
Le Négociateur
Le Manipulateur

Gernicon *Christian*
Le Sommeil de l'ours

Giovanni *José* et **Schmitt** *Jean*
Les Loups entre eux

Goldman *William*
Marathon Man

Graham *Caroline*
Meurtres à Badger's Drift

Granger *Bill*
Un nommé Novembre

Hayes *Joseph*
La Maison des otages

Heywood *Joseph*
L'Aigle de Sibérie

Hiaasen *Carl*
Cousu main

Higgins *Jack*
Solo
Exocet
Confessionnal
L'Irlandais
La Nuit des loups
Saison en enfer
Opération Cornouailles
L'Aigle a disparu

Higgins Clark *Mary*
La Nuit du renard
La Clinique du docteur H
Un cri dans la nuit
La Maison du guet
Le Démon du passé
Ne pleure pas ma belle
Dors ma jolie
Le Fantôme de Lady Margaret
Recherche jeune femme aimant danser

Highsmith *Patricia*
L'Homme qui racontait des histoires

Huet *Philippe*
Quai de l'oubli

Hunter *Stephen*
Target

Kakonis *Tom*
Chicane au Michigan

Katz *William*
Fête fatale

Kerlan *Richard*
Sukhoï
Vol sur Moscou

King *Stephen*
Dead Zone

Klotz *Claude*
Kobar

Kœnig *Laird*
La Petite Fille au bout du chemin

Koontz *Dean R.*
La Nuit des cafards
Lenteric *Bernard*
La Gagne
La Guerre des cerveaux
Substance B
Voyante

Le Roux *Gérard* - **Buchard** *Robert*
Fumée verte
Fumée rouge

Loriot *Noëlle*
L'Inculpé

Ludlum *Robert*
La Mémoire dans la peau
Le Cercle bleu des Matarèse
Osterman week-end
L'Héritage Scarlatti
Le Pacte Holcroft
La Mosaïque Parsifal, *t. 1 et 2*
La Progression Aquitaine
La Mort dans la peau
La Vengeance dans la peau
Une invitation pour Matlock
Sur la route de Gandolfo
L'Agenda Icare
L'Echange Rhinemann

MacDonald *Patricia J.*
Un étranger dans la maison
Sans retour

Melnik *Constantin*
Des services « très » secrets

Morrell *David*
La Fraternité de la Rose
Le Jeu des ombres
Les Conjurés de la pierre
La Cinquième Profession
Les Conjurés de la flamme

Nathan *Robert Stuart*
Le Tigre blanc

Oriol *Laurence*
Le Domaine du Prince

Perez-Reverte *Arturo*
Le Tableau du maître flamand

Puzo *Mario*
Le Quatrième K

Randall *Bob*
Le Fan

Raynal ***Patrick***
Arrêt d'urgence

Ryck *Francis*
Le Nuage et la Foudre
Autobiographie d'un tueur professionnel

Sanders *Lawrence*
Les Jeux de Timothy
Chevaliers d'orgueil
Manhattan Trafic

Simmel *Johannès Mario*
Le Protocole de l'ombre
On n'a pas toujours du caviar
Et voici les clowns...

Smith *Rosamund*
Le Département de musique

Spillane *Mickey*
L'Homme qui tue

Topol *Edward*
La Substitution

Topol *Edward* et **Neznansky** *Fridrich*
Une place vraiment rouge

Uhnak *Dorothy*
La Mort est un jeu d'enfants

Wallace *Irving*
Une femme de trop

Wambaugh *Joseph*
Le Mort et le Survivant

Wiltse *David*
Le Baiser du serpent

Dans Le Livre de Poche policier

Extrait du catalogue

Astafiev *Victor*
Triste polar
Borniche *Roger*
Le Coréen
Brussolo *Serge*
Le chien de minuit
Carr *John Dickson*
La Chambre ardente
Chaplin *Michael*
Ballade pour un traître
Christie *Agatha*
Le Meurtre de Roger Ackroyd
Dix Petits Nègres
Le Crime de l'Orient-Express
A.B.C. contre Poirot
Cartes sur table
Cinq Petits Cochons
Mister Brown
Le Couteau sur la nuque
La Mort dans les nuages
Mort sur le Nil
Je ne suis pas coupable
Un cadavre dans la bibliothèque
L'Heure zéro
N. ou M. ?
Rendez-vous à Bagdad
La Maison biscornue
Le Train de 16 heures 50
Le Major parlait trop
Témoin à charge
Les Indiscrétions d'Hercule Poirot
Drame en trois actes
Le Crime est notre affaire
Rendez-vous avec la mort
Un meurtre sera commis le...
Trois souris...
Le Miroir se brisa
Le Chat et les Pigeons
Le Cheval pâle
La Nuit qui ne finit pas
Jeux de glaces
Allô, Hercule Poirot
Le Cheval à bascule
Pension Vanilos
Un meurtre est-il facile ?
Mrs Mac Ginty est morte
Témoin indésirable
Némésis
La Dernière Enigme
Associés contre le crime
Le Bal de la Victoire
A l'hôtel Bertram
Passager pour Francfort
Les Enquêtes d'Hercule Poirot
Mr Quinn en voyage
Poirot résout trois énigmes
Dibdin *Michael*
Vendetta
Doyle *Sir Arthur Conan*
Sherlock Holmes : Étude en Rouge
suivi de Le Signe des Quatre
Les Aventures de Sherlock Holmes
Souvenirs de Sherlock Holmes
Résurrection de Sherlock Holmes
La Vallée de la peur
Archives sur Sherlock Holmes
Le Chien des Baskerville
Son dernier coup d'archet
Doyle *Sir A. Conan* et **Carr** *J.D.*
Les Exploits de Sherlock Holmes
Dunan *Sarah*
Poison mortel
Exbrayat *Charles*
Quel gâchis, inspecteur
Le Petit Fantôme de Canterbury
Avanti la mùsica !
Le plus beau des Bersagliers
Vous souvenez-vous de Paco ?
Fyfield *Frances*
Blanc comme veuve
Goodis *David*
La Lune dans le caniveau
Grisolia *Michel,* et **Girod** *Francis*
Le Mystère de l'abbé Moisan
Hitchcock *Alfred* présente :
Histoires à ne pas lire la nuit
Histoires à faire peur
Histoires diablement habiles
Histoires à n'en pas revenir
Histoires macabres
Histoires angoissantes
Histoires piégées
Histoires riches en surprises
Histoires de mort et d'humour
Histoires troublantes
Histoires noires
Histoires médusantes
Histoires qui défrisent
Histoires à sang pour sang
Histoires pour tuer le temps
Histoires explosives
Histoires déroutantes

Histoires à corps et à crimes
Histoires avec pleurs et couronnes
Histoires à risques et périls
Histoires d'argent, d'armes et de voleurs
Histoires de la crème du crime
Histoires de sang et de sous
Histoires de trouble émoi
Histoires de faisans à l'hallali
Histoires pleines de dommages et d'intérêt
Histoires délicieusement délictueuses
Histoires d'obsessions textuelles
Histoires de morts sûres et de méfaits divers
Histoires d'humour, sévices et morgue
Histoires d'épreuves et de corrections
Histoires de derniers heurts
Irish *William*
Rendez-vous mortel
James *P.D.*
La Proie pour l'ombre
L'Ile des morts
Meurtre dans un fauteuil
La Meurtrière
Un certain goût pour la mort
Sans les mains
Une folie meurtrière
Meurtres en blouse blanche
Mort d'un expert
A visage couvert
Par action et par omission
Les Enquêtes d'Adam Dalgliesh, *t. 1 et 2* (*La Pochothèque*)
Romans (*La Pochothèque*)
Keating *H.R.F.*
Un cadavre dans la salle de billard
L'Inspecteur Ghote en Californie
Meurtre à Malabar Hill
Le Meurtre du Maharaja
Kerr *Philip*
L'Été de cristal
Leblanc *Maurice*
Arsène Lupin, gentleman cambrioleur
Arsène Lupin contre Herlock Sholmès
La Comtesse de Cagliostro
L'Aiguille creuse
Les Confidences d'Arsène Lupin
Le Bouchon de cristal
813
Les 8 Coups de l'horloge
La Demoiselle aux yeux verts
La Barre-y-va
Le Triangle d'Or
L'Ile aux 30 cercueils
Les Dents du Tigre
La Demeure mystérieuse
L'Éclat d'obus
L'Agence Barnett et Cie
La Femme aux deux sourires
Les Trois Yeux
Le Formidable événement
Dorothée, danseuse de corde
Victor de la Brigade mondaine
La Cagliostro se venge
Leonard *Elmore*
D'un coup d'un seul
Leroux *Gaston*
Le fantôme de l'Opéra
Le Mystère de la chambre jaune
Le Parfum de la dame en noir
Le Fauteuil hanté
Montellhet *Hubert*
La Part des anges
Mourir à Francfort
Le Retour des cendres
Meurtre à loisir
De quelques crimes parfaits
Esprit es-tu là ?
Devoirs de vacances
Les Bourreaux de Cupidon
Pour deux sous de vertu
Requiem pour une noce
Raynal *Patrick*
Fenêtre sur femmes
Rendell *Ruth*
Un enfant pour un autre
L'Homme à la tortue
L'Arbre à fièvre
Les Désarrois du professeur Sanders
Fausse Route
Les Corbeaux entre eux
L'Été de Trapellune
Plumes de sang
La Maison aux escaliers
Steeman *Stanislas-André*
L'assassin habite au 21
Légitime Défense (Quai des Orfèvres)
Six Hommes Morts
Thomson *June*
Claire... et ses ombres
Topin *Tito*
Un gros besoin d'amour
Traver *Robert*
Autopsie d'un meurtre
Vickers *Roy*
Service des affaires classées 1 - Un si beau crime
Service des affaires classées 2 - L'ennemi intime
Service des affaires classées 3 - Le Cercle fermé
Service des affaires classées 4 - Le Mort au bras levé
Vine *Barbara*
Ravissements
Le Tapis du roi Salomon
Wambaugh *Joseph*
Soleils noirs
Le Crépuscule des flics

Composition réalisée par JOUVE

Imprimé en France sur Presse Offset par

BRODARD & TAUPIN

GROUPE CPI

La Flèche (Sarthe).
N° d'imprimeur : 5553 – Dépôt légal Édit. 8889-01/2001
LIBRAIRIE GÉNÉRALE FRANÇAISE - 43, quai de Grenelle - 75015 Paris.
ISBN : 2 - 253 - 13831 - 2

31/3831/0